《高职高专商学系列教材》编写委员会名单

主　任：侯德富

副主任：张国扬　陈己寰

编　委：（以姓氏笔画为序）

丁　聪	王学礼	占世豪	刘善华	孙传辉
李　成	李　婉	李　光	李永生	杨大兴
苏照新	吴漪芸	何善华	陈文彬	陈　斌
陈世艳	陈中恒	林　宙	罗德礼	罗国锋
罗　静	赵　琼	姚晓彬	高焕文	黄　林
黄　强	崔译文	常俊辉	游碧辉	曾和杰
谢声强	詹荣富	魏跃进		

高职高专商学系列教材

现代物流配送中心运营与管理

XIANDAI WULIU PEISONG ZHONGXIN
YUNYING YU GUANLI

谢声　詹荣富　吴漪芸◎编著

暨南大学出版社
JINAN UNIVERSITY PRESS

中国·广州

图书在版编目（CIP）数据

现代物流配送中心运营与管理/谢声，詹荣富，吴漪芸编著. —广州：暨南大学出版社，
2006.1（2011.7重印）
（高职高专商学系列教材）
ISBN 978 - 7 -81079 -661 -3

Ⅰ. 现… Ⅱ.①谢… ②詹… ③吴… Ⅲ. 物流—配送中心—企业管理—高等学校：技术
学校—教材 Ⅳ. F253

中国版本图书馆 CIP 数据核字（2005）第 150854 号

出版发行：暨南大学出版社

地　　址：中国广州暨南大学
电　　话：总编室（8620）85221601
　　　　　营销部（8620）85225284　85228291　85228292（邮购）
传　　真：（8620）85221583（办公室）　　85223774（营销部）
邮　　编：510630
网　　址：http：//www. jnupress. com　http：//press. jnu. edu. cn

排　　版：暨南大学出版社照排中心
印　　刷：江门市新教彩印有限公司

开　　本：787mm×1092mm　1/16
印　　张：14. 25
字　　数：368 千
版　　次：2006 年 1 月第 1 版
印　　次：2011 年 7 月第 3 次
印　　数：9001—10000 册

定　　价：22.00 元

总　序

　　呈现在读者面前的这一套《高职高专商学系列教材》是面向高等教育的专科教材。该系列教材内容涵盖了经济与管理两大学科中商务活动的基础理论、基础知识和基本技能，它在突出其实践性的同时，还对它们的性质、特点、方式、方法、过程及运行机制进行了研究。

　　商学是一门社会科学。我国清代学者郑观应曾说过："商理极深，商务极博，商心极密，商情极幻。"这便揭示了商学的特点及复杂性。据考证，商学最早的著作是10世纪阿拉伯的《商人手记》（即《巨商阿·德米斯基手记》），尔后，1458年意大利出版了《商人学》，17世纪德国出版了《商事学》等。商学发展历经沧桑，反映了不同国家生产力发展的水平和商务活动的状况。

　　进入21世纪，我国的生产力水平已经发展到了一个相当的高度。2003年我国国内生产总值（GDP）已达115 898亿元，比上年增长9.1%，按当时汇率计算，人均GDP首次突破1 000美元。2004年GDP已达136 515亿元，又上了一个新台阶。2004年全国社会消费品零售总额为53 950亿元，是1949年140.5亿元的383.9倍。据世界贸易组织秘书处公布：2004年我国货物进口额为11 547.4亿美元（是1950年11.3亿美元的1 021.8倍），世界排名第3位；服务贸易出口额为589亿美元，世界排名第9位；服务贸易进口额为697亿美元，世界排名第8位，突显了我国经济发展的强劲态势和商务活动在国内、国际经济所处的重要地位。毫无疑问，加强商学科学研究、指导实践活动是时代赋予我们的使命。

　　从事商学教学与实践的各位作者、同仁与全体商学界的同道殚见洽闻，得其三味，为推动商学系列教材的建设与创新，师直为壮，不敢懈怠，殚精竭虑，编写了这一套与时俱进、适应当今我国经济和科技发展及商学科学要求的《高职高专商学系列教材》。

　　商学系列教材的编写得到了暨南大学、华南师范大学、广东工业大学、广州大学、广东技术师范学院、广东潮汕学院、广州金桥干部学院、广州科技职业技术学院、广州航海高等专科学校、长沙民政职业技术学院、广州白云职业技术学院、广州私立华联学院等高校的教授、院长、系主任的悉心指导和鼎力相助。他们的加盟，无疑给这套《高职高专商学系列教材》锦上添花。在此，我们衷心地感谢他们开物成务的创造性劳动！

　　我们还要衷心地感谢暨南大学出版社曾庆宾社长、潘雅琴副编审的大力支持和精心指导！

　　当然，编写《高职高专商学系列教材》难免管中窥豹，但它所具有的特色不容置疑：

　　一是针对性强。本系列教材体现高职高专要求：强调理论够用，突出实践性。既能把握理论基础，又能为强化应用提供广阔的空间，一改过去专科生使用本科生教材上课的旧习。

二是编写作者阵容强大。编著者来自普通高校和高职高专院校的资深专业教师，包括一大批双师型教师，他们具有丰富的教学经验、实践经验和较高的写作水平，确保了教材的高质量和可读性。

三是知识内容丰富。本系列教材的内容在汲取国内外新理论、新经验、新科技的基础之上，作者结合自身的研究与实践，博采众长，切磋琢磨，使认识得到了升华，在很多方面不乏新意、新创。

四是体例新颖。本系列教材的编著一改过去的理论说教、平铺直叙的呆板方式，而是围绕素质、知识、能力三位一体的教育原则，在结构框架、栏目设置和写作风格上均有所创新，结构层次分明，并运用了图表、案例、专栏等形式，激发学生学习兴趣，增强学生学以致用的信心。

商学科学是一个极其复杂和动态的领域，处于不断发展变化之中。因此，要想穷尽所有的内容是不可能也是不必要的。诚如有人所说，建筑是一门遗憾的艺术，因为楼房建成以后总会发现一些缺陷与疵点。本系列教材的作者们也会有与建筑师同样的感受，但他们已磨砺以须，恪守不渝，奋力紧跟时代发展，力使本系列教材日臻完善。

陈己寰

2005 年 5 月于华联园

前　言

随着市场经济的持续发展和社会科技水平的不断提高，始启于 20 世纪中后期的物流配送中心在新世纪中趋于发展成熟。中国内地成了外资、内资及港澳台各种配送中心激烈竞争的大搏击台，同时也使各类配送中心的运营管理面临着一次又一次严峻的挑战。

我们推出一本具有国际化、本土化、实用化的配送中心经营管理专业教程，就是希望有志于学习、研究物流专业知识的高职高专学生和物流配送从业人员从本书中受到系统的指引与启发，从这本既是教材又是参考书的书中获益。由于现代物流配送中心是发源于西方先进的企业管理范畴，洋为中用的理念为中国新兴的物流配送企业的发展插上了精巧实用的翅膀。本书重点将现代物流配送中心运营管理学说的基本体系与实用内容向广大读者进行较全面的介绍，同时为符合高职高专教科书的特点，除了在书中运用许多图表、案例进行说明外，还在每章内容的前后附有概括性的本章学习要点、学习内容、小结及关键术语和概念等说明性文字。

本书的特色之一——国际性，是指本书在学科理论体系上基本承袭美、日等工业国家物流配送中心运营管理理论的主流体系，引入其先进的配送管理理念，使我国配送业从理念、策略到技术等方面尽快适应国际化市场竞争的需要。

本书在布局谋篇、叙述推理及措辞文风等方面坚持本土化，旨在使先进工业国家关于物流配送经营管理的体系能恰当地结合我国各方面的条件，同时使其能更好地被我国企业和广大读者所理解并接受。

本书的另一特色——实用性，主要是引用大量新颖并能助人"对号入座"的国内外有关物流配送中心运营管理的案例和配套实战的图表进行由浅入深的说明，力求带实际问题学而思、论利行。

本书由谢声副教授、物流管理师吴潆芸老师和詹荣富老师共同编写，广东潮汕学院魏跃进主任、广州番禺学院陈春梅处长、广州金桥学院曾春发和孙良老师、广州珠江学院李子辉和谢幼贞等老师对本书的修改提出了宝贵的意见。

本书编者对不断督促、鼓励和给予我们多方面帮助的广州私立华联学院的校领导和工商管理系的领导表示衷心感谢；对我们的朋友——海尔总部配送处的王兴先生、康师傅公司周俊处长等表示感谢。

本书承蒙多位教授学者和暨南大学出版社潘雅琴副编审等的大力支持、鼓励才得以出版，在此表示诚挚的敬意。

由于编者学术水平与实践经验有限，加之现代物流配送中心发展变化迅捷之甚，书中难免有遗漏和错误之处，敬请专家和广大读者不吝赐教、批评指正。

编　者

2006 年 1 月于广州

目　录

1　现代物流配送的产生与发展

2　物流配送基础知识

3 配送模式与配送策略

4　配送作业

5　物流中心与配送中心

6　库存管理与配送

7 配送中心与运输管理

8 电子商务与配送

9 现代配送中心的选址和设计

10 现代物流配送中心的规划与战略

1 现代物流配送的产生与发展

◉**本章学习要点**
>   1. 物流发展趋势
>   2. 配送产生的原因
>   3. 配送的发展阶段及趋势

◉**本章学习内容**
>   1. 世界现代物流的发展趋势
>   2. 现代配送制的形成与产生
>   3. 现代配送在物流系统中的地位与作用
>   4. 社会经济与现代配送的发展趋势

◉**本 章 案 例**
◉**本 章 小 结**
◉**关 键 术 语 和 概 念**
◉**思 考 与 练 习**
◉**补 充 阅 读**

1.1 世界现代物流的发展趋势

物流一词最早起源于美国，1905 年阿奇·萧在《市场流通中的若干问题》一书中就提到物流一词，并指出"物流是与创造需求不同的一个问题"，译自英文 physical distribution（实体分配）"物的流通"，简称 PD，指商品实体的储存与运输，即商品实体的空间位移。到 20 世纪 80 年代物流的概念使用 logistics（后勤）取代 PD，现代物流观念才予以确立。

1.1.1 世界物流的发展特点

随着经济全球化、全球市场一体化步伐的加快，科学技术——尤其是信息技术、通讯技术的发展，跨国公司运作的变化所导致的本土化生产、全球采购、全球消费趋势的加强，使现代物流的发展呈现出许多新的特点。

1. 电子物流快速兴起

近年来，基于 Internet 的电子物流（e-Logistics）迅速兴起。企业通过互联网加强了企业内部、企业与供应商、企业与消费者、企业与政府部门的联系和沟通，相互协调，相互合作，消费者可以直接在网上获取有关产品或服务信息，实现网上购物。

网上"直通方式"使企业能迅速、准确、全面地了解需求信息，实现基于顾客订货的生产模式（build to order，B to O）和物流服务。此外，e-Logistics 可以在线追踪发出的货物、在线规划投递路线、在线进行物流调度、在线进行货运检查等。e-Logistics 将是 21 世纪物流发展的主导模式。

2. 物流发展呈现出集约化与协同化的趋势

目前，世界物流发展呈现出集约化和协同化的趋势，主要表现在两个方面：一是物流园区的建设。日本是最早建立物流园区的国家，至今已建立 120 个大规模的物流园区，平均占地约 74 万平方米；荷兰的14 个物流园区，平均占地 4.5 万平方千米；德国不来梅的货运中心占地在 100 万平方米以上；纽伦堡物流

图 1-1

园区占地达 7 万平方千米。二是物流企业的兼并、合作、建立战略联盟。全球化发展和世界市场一体化，推动了大型物流企业展开跨越国境、连横合纵式的并购，大力拓展国际物流市场，争取更大的市场份额。如德国邮政公司在最近两年间并购欧洲地区物流企业达 11 家，现在它已发展成为年销售额达 290 亿美元的欧洲巨型物流企业。

新的物流联合企业、跨国公司将充分发挥互联网的优势，及时、准确地掌握全球的物流动态信息，调动自己在世界各地的物流网点，构筑起全球一体化的物流网络，节省时间和费用，将空载率压缩到最低限度，战胜竞争对手，为货主提供优质服务。

3. 物流服务的优质化和全球化

物流服务的优质化和全球化呈现出两种趋势：一是物流成本已不再是客户选择物流服务的唯一标准，人们更多地注重物流服务的质量。二是许多大型制造部门正在朝着把全球供应链上所有的服务商统一起来，并利用最新的计算机体系加以控制的方向发展。

4. 第三方物流快速发展

最近，联邦快递的供应链服务部、德勤公司和佐治亚科技学院联合对全球跨国公司在北美、非洲、西欧和亚太地区购买和使用第三方物流服务的情况进行了调查。有 400 家来自计算机和外设、电子元器件、通信、工业电子和医疗领域的公司接受了调查。调查结果显示，在北美，有近一半的制造商采用第三方服务商所提供的供应链和物流管理系统，而不是自己开发 IT 管理系统。其中，35% 的制造商将其供应链技术开发外包给电子元器件分销商，16%的公司外包给物流公司。

而西欧的情况是 29% 的被调查者声称在物流外包方面首选物流公司，亚太地区的调查结果与此相近，56% 的被调查者声称，他们首选内部 IT 资源，32% 的被调查者选择物流公司，

15%的被调查者要求分销商开发供应链管理技术。

总体而言，目前世界制造业使用第三方物流服务需求仍呈现增长趋势。

5. 绿色物流是物流发展的又一趋势

21世纪，人类面临着人口膨胀、环境恶化、资源短缺的三大危机，绿色物流将备受关注。绿色物流是指为了使顾客满意，连接绿色供给主体和绿色需求主体，克服空间和时间阻碍的有效、快速的绿色商品和服务流动的绿色经济管理活动过程。绿色物流从环境的角度对物流体系进行改进，形成了环境共生型的物流管理系统。这种物流管理系统建立在维护地球环境和可持续发展的基础上，改变原来经济发展与物流、消费生活与物流的单向作用关系，在抑制传统直线形的物流对环境造成危害的同时，采取与环境和谐相处的态度和全新理念，去设计和建立一个环形的循环物流系统，使达到传统物流末段的废旧物质能回流到正常的物流过程中来。一般称这种废旧物质的回流为逆向物流（reverse logistics）。现代绿色物流强调全局和长远的利益，强调对环境全方位的关注，体现了企业的绿色形象，是一种全新的物流形态。

因此，对于企业来说，首先，要尽量实施联合一贯制运输。物流业对环境影响最大的莫过于运输特别是公路运输造成的废气排放、噪音和交通阻塞等，而联合一贯制运输是指以件杂货为对象，以单元装载系统为媒介，有效地巧妙组合各种运输工具，从发货方到收货方始终保持单元货物状态而进行的系统化运输方式。通过运输方式的转换可削减总行车量，包括转向铁路、海上和航空运输。联合一贯制运输是物流现代化的支柱之一。其次，要开展共同配送，减少污染。共同配送是以城市一定区域内的配送需求为对象，人为地进行有目的、集约化的配送。它是由同一行业或同一区域的中小企业协同进行配送。共同配送统一集货、统一送货可以明显地减少货流，有效地消除交错运输造成的交通拥挤状况，可以提高市内货物运输效率，减少空载率；还有利于提高配送服务水平，使企业库存量大大降低，甚至实现"零"库存，降低物流成本。再次，要树立企业绿色形象。比如建立绿色零售专柜或公司，以回归自然的装饰为标志，对零售柜台进行绿色包装，以吸引消费者。

对于政府来说，首先，要严格实施《环境保护法》、《固体废物污染环境防治法》以及环境噪音污染防治条例等，并不断完善有关环境法律法规。其次，要加强对现有物流体制的强化管理，并制定一些优惠政策，鼓励企业进行绿色生产、绿色经营，比如对公路运输提价，鼓励铁路运输，并构筑绿色物流发展的框架。

对于消费者来说，要积极倡导绿色需要、绿色消费，通过绿色消费方式倡导企业实施绿色物流管理，通过绿色消费行为迫使企业自律绿色物流管理，通过绿色消费舆论要求政府规制绿色物流管理。

6. 不断采用新的科学技术改造物流装备和提高管理水平

鹿特丹港位于莱茵河和马斯河入海的三角洲，濒临世界海运最繁忙的多佛尔海峡，是荷兰和欧盟的货物集散中心，有"欧洲门户"之称。目前，该港年吞吐量有超过5亿吨的记录，当之无愧地占据着世界第一大港的地位。鹿特丹港口物流的发展经验与模式主要是多样化的集装箱运输形式。鹿特丹港是欧洲最大的集装箱码头，它的装卸过程完全用计算机控制，集装箱装卸量已超过320万箱。其集装箱运输形式主要有公路集装箱运输、铁路集装箱运输和驳船集装箱运输。在鹿特丹港，新的科学技术改造物流装备得到广泛的应用。

1.1.2　现代物流今后的发展方向

（1）信息化。采用无线互联网技术、卫星定位技术（GPS）、地理信息系统（GIS）、射频标识技术（RF）等。

（2）自动化。自动导引小车（AGV）技术、搬运机器人（robot system）技术等。如图1-2所示。

图1-2　自动化装卸码头

（3）智能化。电子识别和电子跟踪技术、智能运输系统（ITS）。

（4）集成化。信息化、机械化、自动化、智能化于一体。

1.2　现代配送制的产生

1.2.1　物流配送产生的背景

众所周知，在人类社会中，生产力是最活跃的因素，特别是人们称之为"第一生产力"的科学技术尤为活跃，自古以来就一直处于不断进步、不断变化的状态之中。无数事实证明，科学技术的不断创新，生产力的不断发展，一方面提高了劳动生产率，从而使社会上的物质财富日渐增多；另一方面则扩大了社会分工，促进了生产方式的变革，最终将社会生产推上了专业化、社会化和现代化的发展轨道。回顾历史，我们可以看到，第二次世界大战结束以后，世界经济基本上就是沿着上述方向发展的。在此期间，某些工业基础比较好的国家，率先摈弃了小生产方式，建立起了社会化大生产体制，发展了市场经济。与此同时，这些国家先后经历了经济高速增长时期。当时，在这些发达国家里，生产（特别是工业生产）的规模和水平一度达到了世界领先地位，出现了"大量生产、大量消费"的现象。

由于经济的快速发展和迅速增长，发达国家的产业界发生了这样一些变化：①普遍采用新型的生产方式。据有关资料介绍，在经济高速增长时期，"即时生产方式"逐步取代了传统的作业方式，"弹性生产系统"（一种能迅速对市场需求变化作出反应的生产方式）一度得到了推广。②生产者和需求者对后勤服务日益重视，对后勤服务的要求日趋提高。概括说来就是：不但要求减少后勤服务的费用支出，而且要注意提高其服务质量。与此相联系，就物流运动而言，不但要求提高它的社会化、专业化程度，从而降低生产成本，增加企业利润；而且要求它以合理的方式运动，较好地适应生产和市场需求变化的需要。在这种形势下，物流合理化总是随即被列入了人们的议事日程，并且成为了物流业发展的方向。

从发达国家的实践情况来看，所谓的物流合理化，其实质就是通过优化管理，使物流运动朝着"低成本，高效益"的方向发展。物流合理化包括微观物流合理化和宏观物流合理化两个方面。就宏观经济而言，物流合理化包含以下内容：

（1）物流结构合理化。物流结构即指物流网点（仓库、车站、加工中心等）的布局构成，也泛指物流各个环节（装卸、运输、仓储、加工、包装、发送等）的组合情况。物流网点在空间上的布局，很大程度上影响着物流的路线、方向和流程；而物流各环节的内部结构模式又直接影响着物流运动的成效。合理的物流结构，既要求物流网点的设计有利于物流快速、高效运动，同时更要求物流各个环节的比例恰当及环节内部结构符合优化资源配置和发展专业化、社会化流通的原则。

（2）物流过程（或物流运动）优质化。物流过程优质化既包括物流单项运动（如运输、仓储、保管）的优质化（指高效率运动），同时也包括物流整体运动的优质化（指协调运转）。就前者而言，客观上要求在物流过程中制定科学的运输计划，选择合理的运输工具，确定最短的运输路线，以及确定合理的库存定额和包装标准等；就后者而言，则要求构成物流的各个单项运动协调一致，形成完整的体系，充分发挥物流整体运动的功能和作用。实践证明，物流整体运动优质化较之物流单项运动优质化意义更为重大，因为只有总体运动顺畅（表现为单项活动的协调一致、配合紧密）和高效，各个单项运动的功能才能充分发挥出来。正因为如此，随着生产社会化程度的不断提高，在流通实践中，要求建立合理的物流运动进行系统化管理的愿望越来越强烈。也正因为如此，物流运动朝着系统化、规范化方向发展的趋势日渐明显。

（3）物流体制科学化。物流体制与物流运动存在着互相影响、互相制约的关系。在一般情况下，物流运动常常受制（或制约）于物流体制。体制科学，则物流运动顺畅而富有成效；反之则相反。鉴于此，物流体制科学化对于提高物流运动的质量至关重要。然而，使物流体制实现科学化并不是一件很容易办到的事。实践经验告诉我们，欲使物流体制趋于科学化，一方面必须更新观念；另一方面必须采取有效的措施改变传统的物流运作方式和组织形式。具体来说就是，必须打破地区分割、活动分散、效益偏低的流通格局，变革物流组织及其结构，改变流通制度，转换流通方式。进一步讲，必须探索发展社会化大流通的组织制度和组织形式，选择与社会化大生产相适应的专业化、社会化的运行方式去开展物流活动。

综上所述，我们可以看出，内容十分丰富的物流合理化运动既是生产发展的客观要求，也是流通得以发展的必然趋势。

1.2.2 物流配送的产生

几十年来，发达国家为了实现物流合理化，积极进行探索，取得了一定的成效。但在经济复兴和经济高速发展时期，其流通状况尚不能令人十分满意。主要存在的问题有：①物流分散，生产企业自备车辆，出行混乱；②道路拥挤，运输效率低而流通费用上升。当时，日本曾就这方面的情况进行过大量的调查，调查的结果表明，由于社会上自备车辆多、道路拥挤及停车时间长，使得企业收集和发送货物的效率明显下降。

另据有关资料介绍，美国"20世纪财团"也曾进行过一次调查，他们提供了如下数据："以商品零售价格为基数进行计算，流通费用所占的比例达59%，其中大部分为物流费。"该调查团得出的结论是："在商品成本中，流通成本确实太大。"流通结构分散和物流费用逐年上升，严重阻碍了生产的发展和企业利润率的提高。在这种形势下，改变传统的物流方式，采用现代化的物流技术，进一步提高物流合理化的程度，自然成了一些国家实业界人士的共同要求，并且就此采取了一系列改革措施。美国企业界人士受流行于第二次世界大战期间的"战时后勤"观念与实践的影响和启发，率先把"战时后勤"的概念引入到了企业的经营管理活动中，推行新的供货方式，将物流中的装卸、搬运、保管、运输等功能一体化和连贯化，取得了很大的成效。与此同时，他们改革不合理的流通体制，改造了原有的仓库（据介绍，20世纪60年代美国的许多公司将原来的老式仓库改成"配送中心"，使老式仓库减少了90%多），统一了装卸、搬运等物流作业标准。在此期间，不少公司设立了新型的送货方式。在日本，企业界也针对物流中存在的问题开始寻求解决矛盾的方法，在制定物流中心和物流团地（节点）的同时，还积极推行"共同配送制度"。经过不断的变革，一种被日本实业界称为"配送"的物流方式和流通体制便应运而生了。

1.2.3 现代配送的形成

需要指出的是，作为一种新型的物流运动，配送首先是在变革和发展仓库业的基础上开展起来的。从某种意义上说，配送也是仓储业功能的扩大和强化。

传统仓库和仓储业是以储存和保管货物（包括生产资料和生活资料）为其职能而设置和形成的，其基本功能是保持储存货物的使用价值，以此为生产的连续运转和生产的正常进行提供物资保障。然而，当生产力已经高度发展、生产方式已经发生变革（亦即专业化、社会化大生产已经成为社会生产的主要形式）之后，仓储企业如果再单纯地只储存和保管物资，就很难进一步发展。对于生产者（或生产企业）来说，处在社会化大生产和市场竞争的条件下，生产节奏的逐步加快，社会分工的不断扩大，以及竞争的日趋激烈，迫切要求缩短流通时间和减少库存资金的占用量。与此同时，也急需社会上的流通组织提供系列化、一体化和多项目的后勤服务。正是在这样的形势下，许多经济发达国家的仓储业相对调整了内部结构，扩大了业务范围，转变了经营方式。其中，不少老式仓库演化成了商品流通中心，其功能由货物"静态储存转变为动态储存"，其业务活动由原来的单纯保管、储存货物改变成了向社会提供多种类的后勤服务，并且将货物的保管、储存、加工、分类、拣选、输送等连成了一个整体。从服务方式上看，变革以后的仓库可以做到主动为客户提供"门到门"的服务（即可以把货物从仓库一直运送到用户的仓库、车间生产线或营业场所）。至此，现代化的物流运动——配送随即形成和推行了起来。

1.3 现代配送在物流系统中的地位与作用

1.3.1 物流系统

"系统"一词来源于古希腊语中"system"一词，有"共有"和"给予位置"的含义。所谓系统，是由互相作用和互相依赖的若干组成部分结合而成，具有特定功能的有机整体。

根据物流的定义和系统的概念，我们可以说，物流系统是为完成物品实体从供应地向接收地流动而由运输、储存、装卸、搬运、包装、流通加工、配送、信息处理等基本物流活动组成的有机结合体。系统中的组成部分通常称为"子系统"或"要素"，它们是相对于某一具体系统而言的，子系统如果离开了它所从属的具体系统，就失去了要素的属性，也就没有意义了。

构成系统必须具备三个基本条件：一是必须由两个或两个以上的要素组成；二是要素与系统、系统与环境之间相互作用和相互联系；三是系统必须具有确定的功能。

系统与子系统是相对而言的，一个系统可能是另外一个更大系统的子系统，一个子系统又可划分成若干个更小的子系统。系统中子系统的划分也是相对的，一般是根据系统的性质功能和研究问题的需要，将那些相对独立的、对系统的构成和功能起重要作用的部分划分为一个子系统。

根据系统的分类可知，物流系统是一个复合系统，而且具有以下几个特点：

（1）物流系统是一个人工系统。物流是人类活动，是人们为了实现物品有目的地流动才将多个基本物流活动结合在一起，因此物流系统是人工设计和建立起来的。

（2）物流系统是人机结合的系统。物流的主体是人，人们从事物流活动必须借助物流设施、设备和工具，如仓库、运输设备、装卸设备和工具等，所以物流系统是人机结合的系统。

（3）物流系统是物质和概念共存的系统。上述物流设施、设备和工具是物质，而且物流系统中物流客体——物品，也是物质。系统中，为了使物品有效率和有效益地流动，必须制定相应的规章制度，采用科学的方法，遵循一套合理的程序，这些统称为概念。因此，物流系统是一个物质与概念共存的系统。

（4）物流系统是一个开放的具有信息反馈的系统。物流是一类经济活动，是在一定的环境中运行的。它通过实现物体流动来为用户服务，输入的是物品和信息，输出的仍是物品和信息，但物品的位置发生了变化，输出的时间和信息也发生了变化。物流系统的运行需要外部环境为其提供人、财、物、信息等基本要素，而且随着外部环境的变化以及用户需求的变化，系统通过吸纳所需要的要素来调整系统结构，改变系统功能，以适应变化了的环境，这就是系统的开发性。现代物流系统由过去为用户提供单一功能的服务发展到今天的多功能系统，这只有开放的系统才能实现。系统的输出有时满足不了用户的要求，需要根据输出与用户要求之间的差异来调整输入或改进内部机制，这就是反馈。因此，物流系统又是反馈系统。

1.3.2 配送与物流系统的相互关系

1. 配送在物流系统中的表现特点

配送是物流系统中由运输派生出的功能，是短距离的运输，它具有如下三个特点：

（1）配送是距离较短的运输，位于物流系统的最末端，处于支线运输、二次运输和末端运输的位置，即到最终消费者的物流。

（2）配送是物流系统的一个缩影，也可以说是一个小范围的物流系统。在配送过程中，也包含着其他的物流功能，如装卸、储存、包装等，是多种功能的组合。一般的配送集装卸、包装、保管、运输于一身，通过这一系列活动完成将货物送达的目的。特殊的配送则还要以加工活动为支撑，所以包括的方面更广。

但是，配送的主体活动与一般物流却有不同，一般物流是运输及保管，而配送则是运输及分拣配货。分拣配货是配送的独特要求，也是配送中有特点的活动。

　　（3）配送是物流系统中一种特殊的、综合的活动形式，是商流与物流的紧密结合，既包含了商流活动，也包含了物流中若干功能要素。从商流来讲，配送和物流的不同之处在于，物流是商物分离的产物，而配送则是商物合一的产物。配送本身就是一种商业形式。在配送具体实施时，虽然也有以商物分离的形式实现，但从配送的发展趋势看，商流和物流越来越紧密的结合，是配送成功的重要保障。

　　2. 配送在物流系统中的作用与地位

　　（1）配送（或运输）是物流网络构成的基础。如图1-3所示，物流系统是一个网络结构系统，系统中的运输、配送活动使物品在空间位置中发生位移，称线路活动，其他物流活动是在物流据点（物流中心、配送中心或车站码头）上进行的，称节点活动，线路活动和节点活动共同构成物流网络。在直供系统中，只存在起始和终端节点，无中间节点，物流的节点活动只在起始节点和终端节点上进行，即由生产企业和零售店或用户承担。从网络结构看，如果没有运输或配送这类线路活动，网络节点将成为孤立的点，网络结构也就不存在，零售店或用户需要的物品也无法得以获取。何明珂教授将物流网络分为五种类型，将没有线路活动的网络称为点状结构，并指出："在现实生活中基本上不存在点状结构。"

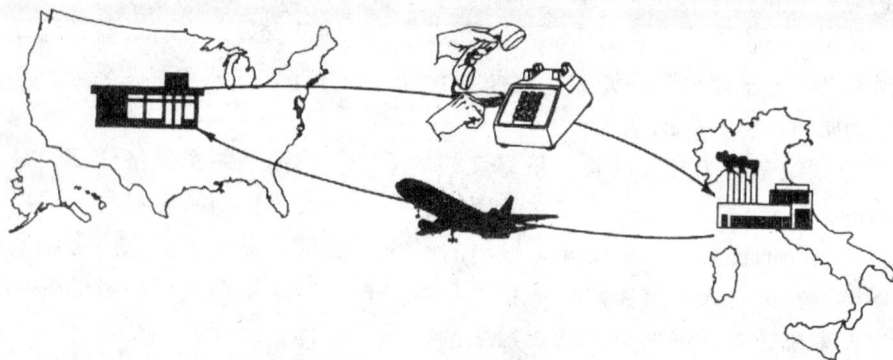

图1-3　配送网络

　　在中转物流系统中存在物流中心和配送中心，它们是中间节点，物流的节点活动主要在这些点上进行。不难理解，中间节点上的物流点活动是由于线路活动存在而发生的，如搬运、装卸是因为有了运输和配送才需要；另一方面，如果没有线路活动，中间节点上就不存在物流客体，物流活动的作用对象都不存在，那么在节点的活动自然也就不可能发生，而且这时，作为中间节点的物流中心、配送中心也就没有存在的必要。

　　由此看来，运输与配送在物流网络的构成中是一个重要的基础条件，没有这个条件，网络就不能构成，或者变得没有意义。下面关于运输、配送功能地位的分析，还可以进一步看到，随着运输、配送功能的完善和合理化，有些节点活动会变得相当次要甚至可以消除。

　　（2）配送（或运输）是物流系统功能的核心。物流系统具有三大效用，或称三大功能，即创造物品的空间效用、时间效用和形质效用。由于物流系统的功能是由各子系统来实现的，因此多数资料将物流系统的功能表述为运输功能、储存功能、搬运装卸功能、流通加工功能、包装功能和信息处理功能等。

空间效用是通过运输或配送活动来实现的，这是物流系统三大功能中不可缺少的功能之一，因为在社会化大生产条件下，产品生产和消耗在空间位置上的矛盾不但不会消除，而且随着经济的全球化反而会不断扩大，这种扩大会增加对物流业，特别是运输、配送业务的需求。

时间效用主要由仓储活动来实现，这一功能虽然在物流系统中是不可缺少的功能之一，但也有弱化的趋势。之所以弱化是基于以下几方面的原因：一是生产技术的发展和管理水平的提高，生产企业可以做到柔性化和按订单生产，缩短产品制造与消费在时间上的差距，如海尔公司可让消费者在网上订货并提出自己的要求，公司及时按要求组织生产，变库存生产方式为订货生产方式，生产出来的产品无须存放在仓库让用户来选购，因而库存量降低；二是可以通过其他物流功能的强化，降低或消除存储功能的作用，如通过流通加工和配送，将企业用户需要的原材料、零配件按品种、数量，及时准确地送到生产线进入消耗，库存也就没有失去意义，即所谓"零库存"生产；三是信息技术的发展，使生产、流通和消费的计划性更强、更周密，甚至可以做到"无缝连接"，这就大大降低了传统物流系统中为避免随机因素的影响而设置"安全库存"的必要性，或者至少可以降低"安全库存"的数量。

形质效用是指通过流通加工，改变物品的形状和性质，达到促进销售、方便运输和提高物品利用效果的目的。形质效用由流通加工厂业务来实现，它随着运输、配送功能的增强而更加完善。流通加工是一种初加工，通过这种加工可以方便地配送，如圆木经过锯加工后可以增大运输工具的积载量，钢材卷板经剪切加工后降低了对起吊设备的要求等；通过流通加工可以更好地满足用户的要求，从而促进销售，如蔬菜的洗切加工、玻璃的套裁加工等，而这些加工也需要配送作业的紧密配合才能使用户的愿望得到实现。可见，流通加工功能，一部分从属于运输、配送功能，为运输、配送服务；另一部分也需要运输、配送功能与之紧密配合。

装卸、搬运和流通加工功能主要是为运输、配送和储存功能服务的，凡是货物按需运输、配送和储存就必然离不开货物的装卸、搬运和包装，否则就不会发生装卸、搬运、包装的活动。这里的包装主要是指外包装，即主要是为了保护商品、方便运输和储存保管服务的。关于这种关系，前面讨论节点活动与线路活动的关系时已经提及。

信息处理功能实际上是一种管理功能，因为它是其他物流活动的反映，即反映服务的物流活动的状态、结构和特征。信息处理功能通过信息搜集来发现、了解和掌握物流系统的运行状况和存在的问题，通过信息加工和传递来对物流活动进行计划、协调、控制和决策，这就是管理。

因此，信息处理功能也是为其他物流功能服务的，处于从属地位。这完全符合管理学中关于企业职能分类的原则，按照那种分类原则，运输、储存、加工等属于作业职能，信息处理属于管理职能。

根据以上分析，在物流系统的各种功能中，运输、储存、流通加工是主体功能，装卸、搬运、包装和信息处理则是从属功能，且主体功能中的运输（配送）功能的主导地位更加凸显出来，成为所有功能的核心。

3. 配送是物流合理化的关键

物流合理化是指在各物流子系统合理化基础上形成的最优物流系统总体功能，即系统以尽可能低的成本创造更多的空间效用、时间效用和形质效用。或者从物流承担的主体来说，以最低的成本为用户提供更多、更优质的物流服务。物流系统是由运输、储存、装卸、搬运、包装、流通加工配送和信息处理子系统构成，所以物流合理化不是各子系统局部最优的叠加，而是根据系统论原理，各子系统合理化并相互协调产生结构效应，使物流系统总体功能达到最优。

从前面对物流功能结构的分析知道，运输、配送功能在物流系统中处于核心地位，显然，运输、配送合理化直接影响到其他物流子系统的构成，所以只有运输、配送合理化，才能使物流系统结构更加合理，功能更增强，系统总体功能更优。因此，运输、配送合理化是物流系统合理化的关键因素。

（1）快速运输使单位物品的运输费用降低，存储成本减少，物品使用价值提高。快速运输是指在一定的运输方式下运输时间尽可能缩短。运输速度本身是物流合理化的重要指标，一方面运输速度加快，使运输效率提高，单位时间内的运量增大。根据运输的速度原理，与时间有关的固定成本分摊到单位运量上的成本减少，使运输成本降低。另一方面，快速运输实际上就是缩短了生产与消费之间的距离，创造了空间效应，提高了物品的使用价值。有些鲜活商品或用户急需的物品，通过快速运输可以提高它们的使用价值。快速运输对物流系统优化的影响是通过降低储存成本来体现的。运输速度加快，使企业进货的频次提高，保证生产和消费的库存就会减少，从而降低储存成本费用。

（2）运输距离缩短，既节约运力，也使库存减少，物品使用价值提高。通过运输路线优化，使运输行程减少，节约运力，降低运输成本。运输行程减少，也能起到与运输速度提高对物流系统优化同样的作用。

（3）运输、配送方式的合理选择，通过影响其他子系统，实现物流系统的合理化。运输方式有铁路、公路、水路、航空、管道，以及在这几种基本运输方式基础上发展组合而成的几种特殊运输方式，它们各有特点，分别适合于在不同货物运输方式下采购。不同运输方式的特点主要表现在速度、规模、成本、可靠性、方便性等方面，所以不同的运输方式对其他物流子系统的影响效果和程度也是不同的，因此运输方式合理与否，间接地影响着物流系统的合理化。

1.4 社会经济与现代配送的发展趋势

1.4.1 社会经济对配送的要求

随着电子商务的兴起，人们网上购物离不开运输和配送，据《中国计算机用户》提供的信息，仅2001年9月全球网上商店的销售额比2000年提高了54%，达47亿美元。我国海尔集团率先进入"网上定制"时代，2000年3月成立电子商务公司，6月电子商务平台正式运营，到年底由电子商务平台实现的BTOC销售额达608万元，并通过它的配送系统，用户定制的产品一下线，中心城市在8小时内，辐射区域在24小时内，全国在4天之内即时送达。

另外，现代邮政和包裹快递已成为现代物流业的主要组成部分，为人们带来极大方便。人们在搬家、旅游、赠送等活动中，常会出现物品所在地与消费地不一致的矛盾，这时需要运输或配送，现代邮政和包裹快递公司通过包裹快递业务可以为用户提供快速满意的服务，即所谓的包裹快递。例如在美国，人们出去滑雪、打高尔夫球或旅游用的器具，需要委托快递公司送到滑雪场、高尔夫球场或旅游点上，返回时还需要送回家，也可以通过快递公司为他们提供快递服务。又如，节假日人们想给亲戚朋友送鲜花，自己又没时间亲自去，通过快递公司，既省时间又快捷，质量还能得到保证。由此看来，配送在社会经济活动中非常普遍，而且是复杂多样的物流活动。

1. 生产方式的变革需要准时制配送

（1）配送与准时制生产。传统生产方式是建立在对市场需求预测的基础上，即通过需求预测制定生产计划和采购计划。在传统生产方式下，一个重要的观念就是用库存来保证需求，用库存来保证生产。因为市场需求是随机的、变化莫测的，如果生产系统不能适应需求的变化，只能单纯依靠库存来保证需求就变得理所当然了。因此，生产系统要能适应需求的变化，原材料、零部件的及时供应就显得至关重要。海尔集团首席执行官张瑞敏指出："现代企业运作的驱动力是订单，如果没有订单，现代企业就不可能运作。要实现这个订单，就意味着靠订单去采购，为订单去制造，为订单去销售……"张瑞敏指的订单就是用户的需求，"强调的就是按需求组织生产制造，组织采购和销售"。张瑞敏还进一步指出："如果要实现完全按订单去销售、采购、制造，那么支持它的最重要的一个流程就是物流。"（2001年在"海尔现代物流同步模式研讨会"上的讲话）

准时制生产方式，即以订单为基础的一种生产方式。这种生产方式生产的品种多、批量小，其目的是减少浪费，特别是由于库存造成的浪费。实现准时制生产的重要条件之一是高效率、低成本的运输和配送。由于品种多、批量小、变化频繁，因此要求原材料、零部件的供应也应及时，而且必须是小批量、多批次。又由于小批量、多批次运输成本高，必须做到合理组配和寻找集运机会。同时，生产系统为了提高反应速度，适应需求的变化，还会将某些生产准备活动向外委托，即交由专业的第三方物流企业承担，如原材料的初加工、零部件检测、包装物的拆除和回收等。这就要求配送功能更加完善，能够提供多功能的增值服务，使供应物流与生产物流的衔接紧密无缝。

海尔集团2001年提出"定制冰箱"的概念，以订单为中心，依托物流技术和计算机信息管理技术，实行JIT采购、JIT配送、JIT分销与生产流程同步，采购周期由过去的10天缩减到3天，生产过程规定在1周之内。门牌号一下线，中心城市在8小时之内，辐射区域在24小时内，全国在4天之内可送达用户手中，完成客户订单的全过程仅为10天时间。如果没有高效率、低成本、多功能的运输和配送，这种生产方式是不可能实现的。

（2）配送与敏捷制造。敏捷制造是指为了适应市场的变化和用户的不同要求而作出快速、灵敏和有效反应的一种生产方式。敏捷制造以全球通信网络为基础，采用虚拟企业的组织形式，将生产企业生产所需的零部件与代理商、用户紧密地联系在一起，及时了解市场需求的变化，进行新产品的开发、设计和制造。产品变化越快，对零部件的配送要求也就越高，也就是说，如果没有高效率的配送，敏捷制造将是一句空话。图1-4为美国乐高公司的配送中心，每天可处理66 000个箱子。

（3）配送与精细生产。精细生产起源于日本丰田汽车公司，它是从企业的整体出发，合理地配置资源，科学地安排生产过程，保证质量，消除一切不能增加效用价值的活动。精细生产追求完美、零缺陷和零库存，即质量要尽可能高，库存尽可能少。在精细生产方式下，企业与用户的关系是"用户至上"、"用户第一"，与供应商的关系是合作伙伴关系，工厂按订单排出生产日程，并将日程表交给零部件生产企业组织生产和供应。日本汽车厂采用精细生产方式能在两周内将用户所需的汽车交给用户。精细生产方式要求原材料、零部件实行准时采购，使原材料、在制品和产成品的库存向零靠近。显然，为了满足精细生产的要求，与JIT方式一样，必须实行小批量、多批次、具有多功能服务的准时制配送。

图 1-4 美国乐高有限公司 225 000 平方英尺配送中心

2. 零售业态的发展需要现代配送

现代商品零售业态主要有百货商店、超级市场、大型综合超市、专业店、专卖店、便利店、仓储超市、连锁店等。这些零售业态的形成与发展，是由生产制造业的发展和消费的不断变化共同作用的结果，中间环节的物流业特别是运输和配送发挥了重要的作用。"个性化消费"是消费变化的主流，消费个性化推动商品生产朝着多品种、小批量生产方向发展（前面已经讨论），同时也促进商品流通必须不断更新服务方式，增加服务功能，从而形成了多种零售业态，满足了不同消费者个性化消费的需要。当今，零售业态发展最具代表性的是连锁店，包括连锁超市、连锁专业店、连锁方便店、连锁仓储超市等。连锁店实际上是某种零售业态的联合体，目的是追求规模效益。实现连锁的重要条件之一是商品的合理配送，做到商品的合理配送，不仅能按时、按质、按量把商品送到零售点上，而且通过在配送中心的流通加工、分割、包装、贴标等作业更方便消费者购买，还能给消费者提供购买所需要的信息，更好地满足消费者的个性化需求，从而促进商品的销售。

1.4.2 现代配送的发展趋势

需要指出的是，作为一种新型的物流运动，配送的变革和发展在某种意义上是指仓储业和运输业的强化，配送可以看作是一个模型设计，即仓库＋运输。

表 1-1 为美国物流成本的结构，从表中可以看出，运输成本和存储成本是物流成本的主要组成部分，而且从变化趋势看，运输成本越来越高于存储成本。这是由于随着现代物流系统的优化，特别是准时制生产和准时制配送的实施，使原材料和产成品的库存减少，甚至有的达到零库存，从而能大大降低储存费用。而准时制配送的批量小、频率高，输送费用必定会增大。

表 1－1　美国物流主要要素成本构成

年份	存货储囤成本	管理成本	管理成本	总成本
1974	119	116	9	244
1975	110	116	9	235
1976	116	133	10	259
1977	126	150	11	287
1978	155	175	13	343
1979	200	193	16	409
1980	243	205	18	466
1981	283	236	21	540
1982	255	240	20	515
1983	228	244	19	491
1984	257	250	20	527
1985	240	265	20	525
1986	233	271	20	524
1987	243	288	21	552
1988	266	313	23	602
1989	311	331	26	668
1990	298	352	26	678
1991	270	360	25	655
1992	243	379	25	647
1993	250	394	26	670
1994	277	425	28	730

1. 一贯托盘化运输下的配送发展

一贯托盘化运输是以托盘为基本单位，把不同尺寸大小的货物统一起来，使同一托盘在运输、储存、装卸、搬运等过程中连续使用，不需更换，以提高物流效率，降低物流成本。

目前，世界上一些经济发达国家使用托盘已普及化，美国、欧洲和澳大利亚标准托盘利用率分别达到55%、70%和95%，欧洲使用标准化的托盘已成为常识。在澳大利亚，美国的托盘可原封不动地用于国内的物流。日本一直致力于托盘标准化的工作，在国内大力推广 Tll 标准托盘，标准托盘使用率达到35%。1994 年，由日本发起的 STAPll（Spreading Tll in Asia and Pacific Region，在亚太地区推广 Tll 标准托盘）活动，陆续吸引了韩国、新加坡、泰国等国家和中国台湾地区加入到推广使用 Tll 托盘的行列。2000 年，中国内地有关部门和组织开始参与这一活动。日本一直没有放弃使 1 100mm×1 100mm 规格成为 ISO 标准托盘尺寸，并已取得初步成功。

按照等效采用国际标准的原则，一贯制托盘运输促使配送朝着标准化发展，提高了物流效率。通过使用上述国际标准规格托盘，一贯制运输下的配送满足了现代国际包裹快递业的发展需要。

但是，企业实际使用的托盘尺寸多达 32 种，而且真正进入流通领域的托盘不多，主要是在生产车间或仓库作垫板使用。托盘化的另一难题是托盘回收，因为不同流向的货源不平衡，造成不同方向上托盘的使用量不均衡，返回比较困难。

2. 智能化配送发展

所谓智能化，主要是指数字交换技术（EDI）、地理信息系统（GIS）和全球定位系统（GPS）在货物运输和配送中的应用。这些技术的应用，有利于提高运输和配送的作业效率，降低营运成本，对第三方物流企业来说，也是实施差异化战略，形成差异化服务优势的重要手段。

（1）EDI 技术的应用。利用条形码和 EDI 技术建立货物跟踪系统，货主或承运单位可及时获取有关货物状态的信息，包括货物品种、数量、交货日期、发货地、装货地、货主、运货车辆和人员等；承运主体可利用它提高管理效率，降低成本，保证服务质量。货主可利用该系统掌握货物运输状态，提前做好接运和后续工作，如果运输过程中发生偏差还可提前作出补救决策。

（2）GIS 在运输、配送中的应用。GIS 是以地理空间数据为基础，采用地理模型分析方法，适时地提供多种动态空间地理信息的计算机技术系统。该技术应用于运输和配送系统中，可进行运输和配送方案的优化决策。国外公司已经开发出利用 GIS 为物流分析提供专门分析的工具软件，该软件集成有车辆路线优化模型、最短路径模型、网络物流模型、分配集合模型和设施定位模型等，为运输合理化和制定配送计划提供决策支持。

（3）GPS 在运输、配送中的应用。GPS 是具有在海、陆、空进行全方位实时三维导航与定位能力的系统。GPS 与无线通信技术和 GIS 的结合，可以将目标的准确位置、状态和运动轨迹直观地显示在电子地图上。该技术已应用于汽车运行定位、跟踪监控、车辆调度、运输管理以及列车运行的监控和管理。

据丰田汽车公司统计，日本车载导航系统的市场在 1995—2000 年间平均每年增长 35% 以上，全世界在车载导航上的投资平均每年增长 60.8%。因此，车载导航将成为未来全球卫星定位系统应用的主要领域之一。我国已有数十家公司在开发和销售车载导航系统。湖北泰跃卫星技术发展有限公司已完成"全省长途运输车辆监控调度系统中心"的建设，2001 年 9 月，该公司为湖北捷龙货运安装了该公司自主开发的 GIX3 系统，运行两个月的结果表明，它大大提高了运营和管理效率。

3. 配送增值服务功能发展

配送增值服务是在基本服务的基础上，根据用户的特殊要求而增加的服务，是一种"定制"服务，是物流企业实施差异化战略的重要手段。物流企业为了取得竞争优势，不断增强增值服务功能。如为零售商提供商品配送时，除按质、按量、准时将商品送达指定地点外，还将送达的商品按营业要求进行合理摆放，以减少营业人员的营业准备时间；宅急便配送不仅进行物质产品的输送，还为用户提供修理、检查等服务项目，使用户在接受配送服务的同时也获得修理服务的满足。

4. 新型"绿色"配送发展

物流的发展，使运输工具增多，而现在的汽车等运输工具都是主要的环境污染源，特别是实行小批量、多批次、准时制配送，会使环境污染更加严重。这些运输工具的污染主要表现在两个方面：一是排气造成的大气污染；二是噪声、振动造成的污染。为了减少环境污染，研究人员正在开发新的运输工具，有些已经面世，如电动汽车、以甲醇为原料的汽车、电力和汽油两用车等，但因经济问题还未大量投入使用。

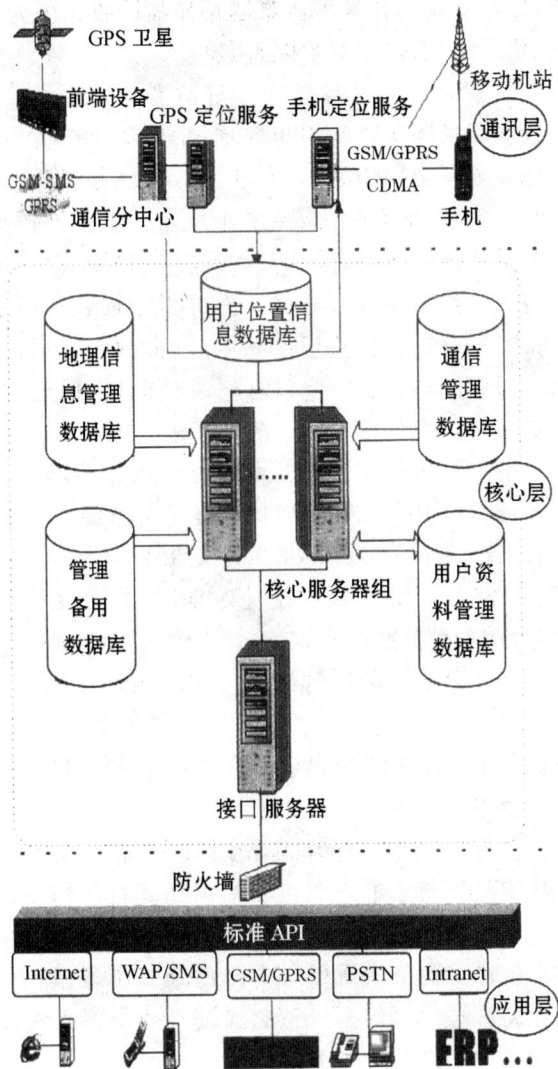

图 1 - 5　GPS/GIS 的工作原理

【本章案例】

日本物流配送业的经验与启示

现代化物流配送是社会化大生产和国民经济发展的客观要求，它的发展状况对经济发展、商品流通和大众消费起着重要的促进或制约作用。日本政府十分注意物流配送基地的建设，考虑到其国土面积较少，国内资源和市场有限，商品进出口量大，因而他们在大中城市、港口、主要公路枢纽都对物流设施用地进行了规划，形成了大大小小比较集中的物流团地。在这些物流团地中，集中了多个物流企业，如日本横滨港货物中心等，这样便于对物流团地的发展进行统一规划，合理布局。日本横滨港货物中心（Y－CC）是日本最大的现代化综合物流中心，仓储面积约为 32 万平方米，具有商品储存保管、分拣、包装、流通加工以及商品展示、洽谈、销售、配送等多种功能，配备有保税区、办公区、信息管理系统等。其优良的物流设施，完善的功能为物流配送的发展提供了良好的条件。在日本的物流配送企业作业中，铲车、叉车、货物升降机、传送带等机械应用程度较高，计算机管理系统应用比较普遍，如配置的计算机管理系统投资就达 70 亿日元。

日本物流配送社会化、组织化、网络化程度比较高。生产企业、商品流通企业不是都自设仓库等流通设施，而是将物流业务交给专业物流企业去做，以达到减少非生产性投资、降低成本的目的。如日本岗山市的一些企业就把生产需要的原材料和产成品放在专业物流企业的仓库里，交由他们去保管和运送，自己不设仓库。日本菱食公司的配送中心面向 1.2 万个连锁店、中小型超市和便利店配送食品，他们自己不设配送中心，全部交由菱食公司的配送中心实行社会化配送，统一采购，而且供货一般都是通过当地的物流配送企业或代理商按需要配送，各大型超市只有很小的周转库，仅保持两三天的销售商品库存。其次，许多物流配送企业的运输车辆等也是根据需要向社会租用，同样是出于减少投资、降低成本的考虑。

日本的大型物流企业比较注重网络的发展，在日本物流配送行业排名第五的日立物流株式会社，1998 年总资产达 155 亿日元，销售收入 2 040 亿日元，毛利 43 亿日元。它在日本国内设有 124 个网点，在海外 15 个国家设有 62 个网点，在中国的上海和香港都设有合资公司或办事处。由于拥有比较完善的物流配送网络，在发展和承揽业务、满足客户需要、降低物流成本等方面具有较大优势。

日本的物流配送企业还十分注重不断提高物流服务质量，降低物流成本，增强在市场上的竞争力，注意研究探索物流配送的新技术、新方法，引进美国等国家的物流新技术和先进方法，如引进美国的物流管理软件等。仓库里有可拆卸式货架、移动式商品条码扫描设备等，技术先进，方便实用，物流配送企业中的商品条码和计算机管理系统应用非常普遍，实现了商品入库、验收、分拣、出库等物流作业全过程的计算机管理与控制，提高了效率，加强了管理。日本的流通企业比较注重商品流通中对商品的加工增值服务，按照消费者和客户的需要，对商品进行分拣、包装、拼装，使生产企业或进口的商品更能适合本国客户和消费者的要求。这些流通领域的中间加工作业一般都是在物流配送过程中，在物流企业的仓库里进行的。这些中间作业主要进行商品的分拣、拼配（一般的物流配送企业都有这个功能）；改换商品的商标标签（如日本菱光仓库就将进口的商品更换成日文商标标签），以适合国内销售要求；变更包装，将大规格、大箱包装的商品变成小规格、小箱包装，便于零售，方便顾客。

此外，日本物流配送企业都比较注重降低人工成本，提高劳动效率。如日本辰已物流株式会社的早岛仓库有两栋仓库，仓储面积总计为 2 万多平方米，年仓储收入约 3 亿日元，但全部员工包括经理、货物保管、管理、装卸、文秘等仅有 10 人，人员少，劳动效率却比较高。日立物流株式会社的千叶仓库客户晚上订的服装，第二天早上就可以送到，最多一天要配送 1 万多件。菱光仓库株式会社只有 90 人，每月收发并进行装箱、掏箱、检验、包装等作业的集装箱达 200 个。这主要得益于日本物流装卸大部分都实现了机械化作业。

启 示

目前，我国物流配送业的发展与国外发达国家相比还比较落后，如物流仓储设施和物流装备陈旧、不配套；物流社会化、组织化程度低；缺乏对发展现代物流配送的足够认识等，与我国经济发展水平也不相适应。因此，有必要学习、借鉴发达国家的经验，抓住时机，加快我国物流配送业的发展。

1. 重视商品物流配送，把发展现代物流配送作为促进经济发展和商品流通的重要推动力

我国经过几十年的建设与发展，尤其是改革开放以来，生产力水平有了很大的提高，商品流通发展快，而作为联结商品生产、销售、消费基础环节的商品物流配送则相对发展较慢，而国外发达国家早已把降低物流成本视为"第三利润源"。发展现代商品物流配送，对促进社会化大生产的发展，促进商品销售，方便消费，搞活搞好商品流通，发展电子商务，增加就业等都有十分积极的意义。我国政府应当重视发展现代商品物流配送的重要作用，积极推动我国物流配送业的发展，研究制定物流配送业的发展规划，在大城市和主要交通枢纽形成一批大型物流配送中心，并为加快物流配送业的现代化出台必要的引导、扶持政策。

2. 加快我国物流配送设施的发展与建设，积极进行物流配送中心的技术改造

长期以来，我国物流配送的基础设施投入较少，发展比较缓慢，尽管近几年也新建了一些较先进的仓储物流设施，但从总体上看，我国物流仓储设施仍较陈旧落后，还有较多20世纪五六十年代建造的仓库仍在使用，而且仓储物流设施结构不合理，货场、低档通用库多，适合当前社会要求的冷藏、调温等专用库少。应当加快我国物流配送基础设施的建设和技术改造，鼓励和吸引社会各方投资物流行业，国家也应增加这方面的投入，对物流配送设施的建设给予一些低息或贴息贷款支持。

3. 努力提高我国商品物流的社会化、组织化、专业化程度

我国物流配送业的发展水平低，还表现在物流配送企业的小和散，社会化、组织化程度低，在物流配送的各环节上衔接配套差，服务功能不完善，能做到"一站式"服务的企业少。生产企业、流通企业和物流储运企业中的"大而全"、"小而全"现象仍然存在。物流企业大多数规模较小，缺乏覆盖面较广的物流配送服务网络。应当借鉴国外的做法，注意提高物流配送的社会化、网络化程度。一是大力发展社会化物流服务体系，支持社会化物流企业的发展，提高物流配送的规模化效益。二是提高物流网络化、组织化程度，通过适当方式将物流相关企业组织起来，形成较为完善的物流服务网络。物流企业更要注意网络建设，不断完善网络服务功能。三是充分利用全社会物流配送设施资源，鼓励兼并、重组、联合，优先进行技术改造，尽量避免物流设施的重复建设和资源浪费。

4. 加快我国物资、商业批发企业的转型改造，完善物流配送功能

目前发达国家的贸易、批发企业，单纯仅做商流业务的很少，多数规模较大、实力较强的批发贸易企业，一般兼具物流配送功能，如日本的菱食株式会社就是将批发贸易与商品物流配送结合在一起的。我国目前商品流通领域的发展现状也已表明，单纯仅做商流的批发贸易企业处境比较困难，现在也有一些批发贸易企业将商流和物流结合起来，进行批发业务的同时提供物流配送服务，这是批发企业发展的一个趋势。商品批发企业、物资流通企业应认清这一发展趋势，进行营销方式改革，实现经营方式的转换，积极完善物流配送服务功能，利用自身条件或组织社会资源开展商品物流配送业务，以适应客户的需要。

5. 注重开发物流配送技术和装备，降低物流成本，提高物流配送效率

过去，由于我国对商品物流发展重视不够，导致物流科技和装备方面的研究开发相对薄弱，今后应当进一步重视物流配送科技开发，提高物流装备的现代化程度，并重视物流理论的研究与交流，加快推动我国商品物流的合理化、现代化进程，不断研究降低商品物流成本，注重提高效率。

6. 积极引进外资，推动中外合资物流配送企业的发展

随着我国对外开放的发展，各行各业对外开放的步伐都在加快，而物流配送业对外开放的步伐还不够大。入世后，物流配送业的对外开放应进一步扩大，并积极探索建立中外合资的物流配送企业，以引进国外先进物流技术和管理经验，带动我国物流配送业的发展，提高我国物流配送业的现代化水平。

【本章小结】

本章介绍了物流与配送的发展及趋势。首先介绍了世界物流发展的四个阶段，并指出配送的产生背景是人们对物流合理化要求的结果，然后解释配送与社会经济的相辅相成关系，对人们生活的影响，最后提出配送未来的发展方向。

【关键术语和概念】

现代物流发展　配送合理化　物流系统　智能化　精益化　配送发展趋势

【思考与练习】

1. 现代配送制形成和产生的原因是什么？
2. 你认为配送发展的趋势将会怎样？

【补充阅读】

1. 王少泰. 现代物流管理. 北京：中国工人出版社，2001
2. 何明珂. 现代配送中心：推动流通创新的趋势. 北京：中国商业出版社，2003

2 物流配送基础知识

◉ **本章学习要点**

　　1. 配送的概念与运输有什么异同
　　2. 配送与物流的关系如何
　　3. 配送的目的是什么
　　4. 配送合理化的标志是什么
　　5. 配送的类型有哪几种
　　6. 配送的业务模式有哪些

◉ **本章学习内容**

　　1. 配送的概述
　　2. 配送与运输的相互关系
　　3. 配送的基本环节
　　4. 配送合理化
　　5. 配送的类型

◉ **本 章 案 例**
◉ **本 章 小 结**
◉ **关 键 术 语 和 概 念**
◉ **思 考 与 练 习**
◉ **补 充 阅 读**

2.1 配送的概述

2.1.1 什么叫配送

1. 国外的配送

　　关于配送，目前尚无统一的定义，有的从功能上给出定义，有的则包括作业过程，有的还对作业范围和作业地点进行了规定。英文中没有与"配送"对应的词,美国配送的英文原词是"delivery",是送货的意思,即强调的是将货物送达购货人。日本对配送最具权威性的解释应该是《日本工业标准(JIS)物流用语》,该标准对配送的定义是:"把货物从物流据点送至购货人。"这一定义强调的也是"送货"。1991 年,日本出版的《物流手册》对配送的定义是"与城市之间和物流据点之间的运输相对而言,将面向城市内和区域范围内需要者的运输,称之为配送"。这一解释从性质上把配送看成是一种运输形式,并局限在一个区域(城市)范围内。

上述发达国家关于配送的定义,都强调以送货为主,这一认识是没有异议的。发达国家对配送的定义或解释,仅强调送达,并不十分强调配送,这是因为在买方市场环境中"配"是完善"送"的经济行为,是进行市场竞争和提高自身经济效益的必然延伸,既然是一种必然行为,就不需要再强调其必要性。

2. 我国的配送

"配送"一词,是日本引进美国物流科学时对英文原词"delivery"的意译,我国转学日本,也直接用了"配送"这个词,这形成了我国的一个新词汇——配送。

我国出版的《现代物流学》对配送的定义是:配送是以现代送货形式实现资源的最终配置的经济活动;按用户订货要求,在配送中心或其他物流节点进行货物配备,并以最合理方式送交用户。我国物流专家王泰之从两个方面对配送进行了定义:一是从经济学资源配置的角度,对配送在社会再生产过程中的位置和配送的本质行为予以表述,"配送是以现代化送货形式实现资源的最终配置的经济活动";二是从配送的实施形态角度予以表述,"配送是按用户订货要求,在配送中心或其他物流节点进行货物配备,并以最合理方式送交客户"。

2001 年颁布的《中华人民共和国国家标准——物流术语》中对配送下的定义是:"在经济合理区域范围内,根据用户的要求,对物品进行拣选、加工、包装、分割、组配等作业,并按时送达指定地点的物流活动。"

根据"物流术语"对配送所下的定义,配送的内涵包括以下几个要点:

(1)以用户需求为出发点。配送必须根据用户的要求进行配货和送货,用户的要求包括配送品种、配送数量、送达时间、送达地点、物品安全、经济性、环保、方便等多个方面。即使是一个经济组织内部的配送(如大型企业集团、连锁公司等),配送中心也应把被配送的部门或下属单位当成用户,并根据他们的要求进行配送。"以用户需求为出发点",这是配送的基本观念,但用户的需求必须是合理的,过分强调"按用户要求"是不妥当的,这是因为用户受自身某些因素的局限,有些要求实际会损害自我或双方的利益。

(2)"配"与"送"的有机结合。以"送"为主,配送属于运输范畴,其功能主要是输送,是创造空间效用,配是为送服务的,是为了更好地送。这是配送与一般送货的主要区别。一般送货只是将用户自己取货改变为货主主动送货,强调服务方式的改变,其功能并没有发生变化;使用户感到更加经济和方便,甚至能做到与用户的生产或销售"无缝连接",把配送变成用户内部生产经营的一部分。

(3)在经济合理的范围内进行。所谓经济合理,是指既要满足用户的需要,也要有利于实现配送的经济效益。一般配送物品的批量小、批次多,所以远距离物品配送规模经济性较差,运力浪费严重。因此,配送不宜在大范围内实施,通常仅局限在一个城市或地区范围内进行。

(4)处于末端的线路活动。在一个物流系统中,线路活动不可缺少,有时可能有多个线路活动相互衔接成一个物流链，但如果有配送活动存在，则配送是末端的线路活动。

2.1.2 现代配送的特点

配送趋向现代化，主要表现在以下几个方面：

1. 设置配送中心，集中进行配送

在长期的流通实践中，很多从事送货活动的企业（厂商）或批发商意识到，在货物运距较远、顾客较多，且需求日趋复杂的情况下，直接从工厂或仓库装货，并且直接将装备好的货物送至客户手中并不十分经济；采用直达送货的办法开展配送，有时会浪费运力，增加物流成本。为了更有效地组织物流活动，许多厂商（或批发商）纷纷在流通枢纽地设置了配送中心，并以配送中心为基地开展配送活动。

采用设置物流节点（即配送中心）的办法开展配送活动，从原则上说，是为了谋求高效率地向社会提供后勤服务。具体说来，则是出于以下几点考虑：

（1）控制物流费用。配送货物时，不再从工厂（或企业）直接装货和直接发货，而是先由配送中心集货，然后统一安排送货活动。这样做有利于合理规划运输路线，并可通过计划运输达到控制费用的目的。

（2）集中存储物资，保持合理的库存。设置配送中心，实践中将若干个"自备仓库"储存、保管的货物适当加以集中。这样可以避免因仓库重叠、分散而导致储存物资积压和浪费。

（3）提高服务质量，扩大销售。在物资消费较为集中的地区设置配送中心组织配送活动，便于及时、全面地了解客户需求，从而可以掌握第一手材料，为服务和扩大销售创造有利条件。

（4）防止出现迂回运输和相向运输等现象。在通常情况下，品种繁多的商品是由分散在全国各地的众多工厂生产出来的，若分头从各个工厂直接将商品配送到消费点（或客户手中），势必会出现迂回运输和相向运输现象，进而会导致交通拥挤，增加运输费用。而选择适当的地方设置配送中心，以配送中心为基地进行集货和理货，然后统一运送货物，因各项活动相对集中，便于制定统一计划，这样可以减少甚至消除不合理的运输现象。

2. 实行了计划配送制度

近些年，在一些国家，由于物流量急剧增加而道路拥挤，致使交通状况一度恶化。与此相关，也带来了运输效率下降、运输成本增加的不良后果。对于这些国家的厂商和物流者来说，其配送服务水平也日趋降低（如速度慢、准确性差）。针对这些情况，为了提高为顾客服务的水平，在市场竞争中处于优势地位，许多企业在实践中推行了高效率的"路线发送"和"时间表式的发送"等计划配送制度。其操作方法是：按照地区和配送货物的数量将配送服务对象（即顾客）进行划分，然后在此基础上确定配送的时间间隔和到达目的地的具体时间。上述按照确定的时间间隔（如当日或隔日）进行配送，有人称之为"路线发送"；而按照规定的到货时间进行配送，则称之为"行车时间表式的配送"。在日本出版的专业书籍中，又把上述这两种配送方式分别称为"定路线配送"和"定时配送"。

实践告诉我们，无论是"定时"，还是"定路线"，作为计划配送，都包含着制定计划和实施计划两个过程。其中，在制定配送计划时，先要根据客户提出的要货要求制定出按地区、按时间运输货物的运输计划，然后再制定全盘性的配送计划；在计划实施过程中（或者说，在计划实施阶段），配送主体尚需与生产部门或销售部门密切磋商，其目的是使配送计划与

生产计划和库存计划紧密衔接，提高计划配送的可靠性。

计划配送，一方面能够使每日的配送量相对稳定，从而有利于减少配送活动的波动；另一方面又可以提高配送设备（如运输工具）的利用率，避免浪费投资。

3. 开展了共同配送活动

共同配送最早产生于日本。20 世纪 60 年代中期，随着日本经济的振兴和产品产量及消费量的日益扩大，交通运输量也在迅猛增加。当时，由于道路拥挤，交通混乱，严重地困扰了配送活动的顺利开展。特别是在中小企业独立配送的形势下，配送效率很难提高。面对这种现实，很多企业迫切希望联合行动，共同组织配送活动。经过不断探索，在流通实践中推行了共同配送方式。

共同配送，实质上就是在同一个地区，许多企业在物流运动中相互配合、联合运作，共同进行理货、送货等活动的一种组织形式。实际操作时有两种具体做法：①共同投资建立"共同配送中心"，使装卸、保管、发送等职能全面协作化，以求更有效地完成货物分类和理货、发送等工作。②共同（或联合）运输、共同发送。后者有两种类型：其一，以物流业者为主体所组织的共同运送；其二，以需要提供运输服务的厂商和批发商牵头组织的共同配送。在日本企业界曾提出过在整个地区共同进行配送活动的设想，以此谋求解决城市交通问题。

上述这种共同配送也被称为"综合系统"。其做法是将地区范围内小批货物的杂乱性、迂回或相向的运输加以整顿，使之综合，并在小批货物运输频繁的地区配置仓库，在仓库之间进行混装运输，以求共同配送货物。在流通实践中实行"共同配送"，能提高对客户（如零售店）的服务水平，从而可以扩大销售和服务对象，而且有利于减少重复性运输，缓解交通紧张状况。

正因为如此，许多国家的政府都在积极向企业推广这种配送组织形式。在这方面，日本企业界提出了很多设想，有的设想现在已经成为了现实。据有关资料介绍，在日本，配送共同化主要存在以下几种具体方式：

（1）成批集货方式。采用这种方式的行为主体主要有东京崛留街的批发商。装卸批发商向地方发送的货物由特别指定的"固定运输路线卡车运输业的 32 家公司"，由后者送货至顾客处。据称，采用这种方式搞配送，使进出东京崛留街地区的"固定运输路线卡车运输业者"的数量减少了 70%，从而大大缓解了交通拥挤状况，降低了物流费用。

（2）对百货店和批发商店采取共同交货方式。在日本推行的共同交货制度，实际上是"委托代办"式的共同交货。其做法是：由货主（交货业者）从委托的运输业者中挑选出"特定的运输业者"，由后者将商品集中运往配送中心，然后按照百货店、批发商及各个商铺的要求在配送中心进行分类和配装货物，最后委托运输业者送货。货物检验工作有时在百货店内进行，有时由运输业者会同商店检验员在配送中心完成。

（3）中小运输企业的共同运输。日本运输业中的企业多为实力弱小的零散企业。在提高运输效率的呼声中，这些小企业以成立运输集团的形式开展共同运输活动，并由此实现了共同配送的愿望。其中比较大型的事例是"首都系统运输集团 SST"所开展的共同运输活动。SST 成立以后，将市区划分成了若干个集货区和货物发送区，集团所属的 24 个中小运输企业按照分工负责的原则，分别将所在区域内的货物集中，并将集中的货物的一部分运到设在后乐园的运输终端，由其他地区的运输业者接过货物并将货物运送到客户的收货处。对于每一个向（运输）终端运货的运输业者来说，既负责集中货物和运输货物，也要把属于配送到本区内的货物带回来进行发送。

（4）配送技术现代化。近一二十年来，随着科学技术的不断进步和新技术的开发及广泛应用，配送技术也日趋现代化。从世界范围来看，目前，在配送作业中以托盘化、集装箱化为代表的集装箱系统已经普遍建立起来，由此大大提高了配送作业中的装卸和运输效率。近几年来，在欧美和日本，配送作业相继采用了自动分拣技术和自动配货技术，并相应建立起了自动化的操作系统，如由高层货架、流动货架、自动取货机、传送带、图像识别机、计算机等组合而成的自动化配送系统。在日本，许多企业在编制计划及推行配送时，进一步应用了更为先进的 VSP 方法。VSP 是 IBM 公司研制的计算机软件。据介绍，应用 VSP 设计的运输计划有如下功效：从几个配送据点向多家客户发送货物时，只要向计算机输入现有车辆台数、所需时间、运距和货物需要量等数据，它便能输出效率最高的送货路线和必须配备的车辆台数。

2.1.3　现代配送的目标

物流系统化的目的在于以速度（speed）、可靠（safety）、低费用（low）的 2S1L 原则实现以最少的费用提供最好的物流服务。现代企业把物流系统化的目的定义为：①按交货期将所订货物适时而准确地交给用户；②尽可能地减少用户所需的订货断档；③适当配置物流据点，提高配送效率，维持适当的库存量；④提高运输、保管、搬运、包装、流通加工等作业效率，实现省力化、合理化；⑤保证订货、出货、配送的信息畅通无阻；⑥使物流成本降到最低。

密歇根大学的斯麦基教授倡导的物流系统的目的则是 7R 原则：优良的质量（right quality）、合适的数量（right quantity）、适当的时间（right time）、恰当的场所（right place）、良好的印象（right impression）、适宜的价格（right price）、适宜的商品（right commodity）。

将物流系统化的目的细化，即是物流系统所追求的作业目标。在物流系统设计方面，每一个厂商都必须同时实现至少六个不同的作业目标。这些作业目标构成了物流配送表现的主要方面，其中包括快速响应、最小变异、最低库存、整合运输、质量以及生命周期支持等。

1. 快速响应

快速响应关系到一个厂商是否能及时满足顾客服务需求的能力。信息技术提高了在最短的可能时间内完成物流配送作业和尽快交付所需存货的能力，这样就可以减少传统上按预期的顾客需求过度地储备存货的情况。快速响应的能力把作业的重点从根据预测和对存货储备的预期，转移到以从装运到装运的方式对顾客需求作出反应方面上来。不过，由于在还不知道货主需求和尚未承担任务之前，存货实际上并没有发生移动，因此，必须仔细安排作业。

2. 最小变异

变异是指破坏系统表现的任何意想不到的事件，它可以产生于任何一个领域的物流作业，如顾客收到订货的期望时间被延迟，制造中发生意想不到的损坏，货物到达顾客所在地时发现受损，或者把货物交付到不正确的地点……所有这一切都将使物流作业时间遭到破坏，对此必须予以解决。物流配送系统的所有作业领域都容易遭受潜在的变异，减少变异的可能性关系到内部作业和外部作业。传统的解决变异的办法是建立安全储备存货或使用高成本的溢价运输。当前，这类解决办法的费用和相关风险已被信息技术的利用所取代，以实现积极的物流控制。在某种程度上，变异已减少至最低限度，作为经济上的作业结果是提高了物流配送生产率。因此，整个物流配送表现的基本目标是要使变异减少到最低限度。

3. 最低库存

最低库存的目标涉及资产负担和相关的周转速度。通过整个物流系统进行存货配置的金融价值是物流作业总的负担。结合存货可得性的高周转率，意味着分布在存货上的资金得到了有效的利用。因此，保持配送中心最低库存的目标是要把存货配置减少到与顾客服务目标相一致的最低水平，以实现最低的物流总成本。随着经理们谋求减少存货配置的设想，类似"零库存"之类的概念已变得越来越流行。重新设计系统的现实是，作业上的缺陷一直要到存货被减少到其最低可能的水平才会显露出来。虽然消除一切存货的目标很具吸引力，但必须记住，存货在一个配送系统中能够并且确实有助于某些重要的利益。当存货在制造和采购中产生规模经济时，它能提高投资报酬率。其目标是要将存货减少和控制在最低可能的水平上，而同时实现所期望的作业目标。要实现最低存货的目标，配送系统设计必须控制整个公司而不仅是每个业务点的资金负担和周转速度。

4. 整合运输

最重要的物流成本之一是运输成本。运输成本与产品的种类、装运的规模以及距离直接相关。许多具有溢价服务特征的物流系统所依赖的高速度、小批量装运的运输，是典型的高成本运输。要减少运输成本，就需要实现整合运输。一般来说，整个装运规模越大、运输距离越长，则每单位运输成本就越低。这就需要有创新的规划，把小批量的装运聚集成集中的、具有较大批量的整合运输。这种规划必须得到超越整个供应链的工作安排的帮助。

5. 质量

第五个物流配送目标是要寻求持续的质量改善。全面质量管理已成为全行业各方面承担的主要义务。对质量管理承担全面义务是对物流复兴作出贡献的主要动力之一。如果一个产品变得有缺陷，那么服务承诺就没有什么价值。物流配送的各种费用一旦支出，也就无法收回。事实上，当质量不合格时，像物流配送表现的那样典型的需要就会被否定，并且还需要重做一遍。物流配送本身必须履行所需要的质量标准。管理上面临的实现"零的缺陷"的物流表现的挑战被这样的事实强化了，即物流配送作业必须在 24 小时的任何时间、跨越广阔的地域来履行；质量上面临的挑战则被这样的事实强化了，即绝大多数的物流工作是在监督者的视线外完成的。由于不正确装运或运输中的损坏导致重做顾客订货所花费用，远比第一次就正确地履行所花的费用多，因此，配送是发展和维持全面质量管理不断改善的主要组成部分。

6. 生命周期支持

配送系统设计的最后一个目标是生命周期支持。很少有哪些商品在出售时不作些保证，说其产品在特定的时期内将表现得如广告所说的那样。在某些情况下，必须回收那些已流向顾客的额外存货。产品回收是由于不断地提高具有强制性的质量标准、产品有效期的到期和因危害而产生的责任等引起的顾客对产品的不满意所造成的结果。逆向物流需求也产生于某些法律规定。比如有些法律规定，对某些饮料容器和包装材料禁止任意处理，或鼓励回收，以致回收的数量不断增加，最终导致逆物流的增加。逆向物流作业最重要的意义是，当存在潜在的健康责任时（例如一种易污染产品）需要进行最大限度的控制。在这个意义上，产品回收规划就与不论代价大小都必须最大限度地执行的顾客服务战略相类似了。逆向物流作业需求的范围从最低的总成本，例如为再循环而开始回收空瓶至完成紧急回收时止。其中重要之处在于，如果不仔细地审视逆向的物流需求，就无法制定良好的物流战略。

有些产品，例如复印设备，最初的利润来自出售供给品和提供售后服务。服务支持物流的重要性直接随产品买主的变化而变化。对于营销耐用消费品和工业设备的厂商来说，对生命周期支持所承担的义务构成了全方位、多要求的作业需求，这也是最大的物流作业成本之一。因此，厂商必须仔细地设计一个物流系统生命周期支持的能力。如先前提到的那样，由于全世界对环境问题的注意，逆向物流能力需要具有再循环利用各种配料和包装材料的能力。生命周期支持，用现代的话来说，其含义就是"从摇篮到摇篮"的物流支持。

2.2　配送与运输的相互关系

根据国务院发展研究中心市场经济研究所对北京开展配送情况进行的调查显示：对配送不了解的生产企业为70%，大中型商业企业为60%，小型商业企业为70%；另外对上述三者调查中，认为配送中心具有仓储功能的分别为33%、40%、16.6%；认为配送中心具有送货功能的分别为33%、60%、35%。由此可见，企业对物流和配送熟悉的并不多，大家头脑中依然是传统的运输。

在物流的几大环节中，由于运输与配送同属于物流系统中的线路问题，都是为了实现物品的位置转移这一功能，有人主张运输包括配送，有人主张不包括，究其原因是配送与运输含混不清，难以准确划分。

配送不是单纯的运输或输送，而是运输与仓储等其他活动共同构成的有机体。配送处于"二次运输"、"末端输送"的地位，与运输相比，更直接面向并靠近用户。运输一般是干线输送或直达送货，批量大，品种相对单一；配送同运输的区别不单单表现在数量、种类、距离、复杂程度等方面，更需要有现代化技术和装备的支撑。

2.2.1　运输及其功能

运输是指人或物借助运力在空间上产生的位置移动。所谓运力，是由运输设施、路线、设备、工具和人力组成，具有从事运输活动的系统。关于人的运输称客运，货物运输称货运。我国《物流术语》对运输的定义是："用设备和工具，将物品从一地点向另一地点运送的物流活动。其中包括集货、搬运、中转、装入、卸下、分散等一系列操作。"

运输的功能主要是实现物品远距离的位置移动，创造物品的"空间效用"，或称"场所效用"。所谓"空间效用"，是指物品在不同的位置，其使用价值实现的程度是不同的，也就是效用价值不同。通过运输活动，将物品从效用价值低的地方转移到价值高的地方，使物品的使用价值得到更好的实现，以创造物品的最佳效用价值。商品生产的目的是为了消费，一般来说，商品的生产与消费的位置是不一致的，即存在位置的背离，只有消除这种背离，商品的使用价值才能实现，这就需要运输。人们在生活中，由于搬家、旅行等活动，也会出现物品所处位置与消费之间的矛盾，也要通过运输来消除这种矛盾。

运输除了创造空间效用外，还创造时间效用，具有一定的存储功能。所谓创造时间效用，是指物品处在不同的时刻，其使用价值实现的程度不同，效用价值也不同，通过存储保管，将物品从效用价值低的时刻延迟到价值高的时刻再进入消费，使物品的使用价值得到更好的实现。因为运输货物需要时间，特别是长途运输需要更长的时间，在这个过程中货物实际是储存在运输工具上，为避免货物损坏或丢失，还要为运输工具内的货物存储创造一定的条件，这在客观上创造了物品的时间效用。在中转供货系统中，物品经过运输节点（车站、码头）

时，有时需要短时间的停留，这时候如果将货物卸入仓库，然后再装上车发运，其费用还不如让其在运输工具中暂时存储起来更合算。在这种情况下，利用运载工具作为临时仓库进行短暂时间的储存是合理的。

2.2.2 配送与运输的区别

物流活动根据物品是否产生位置移动可分为两大类，即线路活动和节点活动。产生位置移动的物流活动称为线路活动，不发生位置移动的物流活动称为节点活动。节点活动是在一个组织内部的场所中进行，不以创造空间效用为目的，主要是创造时间效用或形质效用，如在工厂内、仓库内、物流中心或配送中心内进行的装卸、搬运、包装、存储、流通加工等，都是节点活动。

运输活动必须通过运输工具在运输路线上移动才能实现物品的位置移动，它是一种线路活动。配送以送为主，属运输范畴，也是线路活动。如图 2-1 所示。

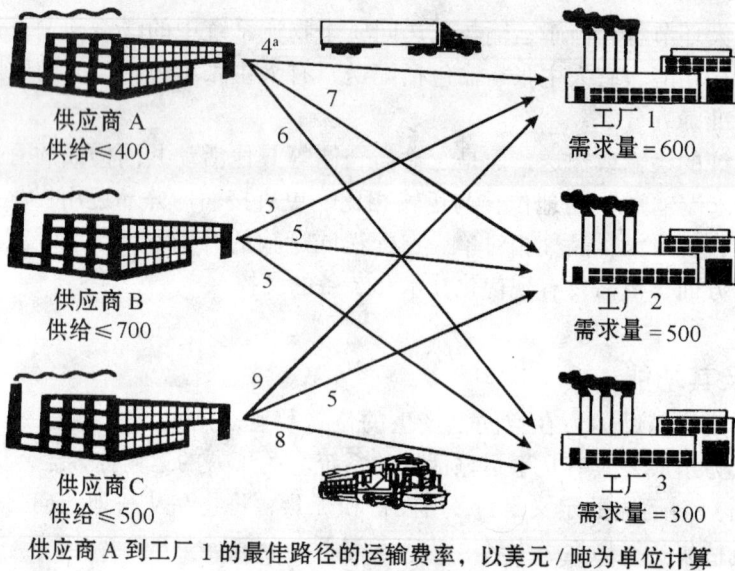

供应商 A 到工厂 1 的最佳路径的运输费率，以美元／吨为单位计算

图 2-1 运输／配送线路

1. 运输与配送的区别

运输和配送虽然都是线路活动，但它们也有区别。运输与配送的区别主要表现在以下三个方面：

（1）活动范围不同。运输是在大范围内进行的，如国家之间、地区之间、城市之间等；配送一般仅局限在一个地区或一个城市范围之内。

（2）功能上存在差异。运输是实现以大批量、远距离的物品位置转移为主，运输途中客观上存在着一定的存储功能；配送以实现小批量、多品种物品的近距离位置转移为主，但同时要满足用户的多种要求，如多个品种、准时到货、多个到货地点、小分量包装、直接到生产线、废弃物回收等。为了满足用户的上述要求，有时需要加工、分割、包装、存储等功能，因此，配送具有多功能性。

（3）运输方式和运输工具不同。运输可采用各种运输工具，只需根据货物特点、时间要求、到货地点以及经济合理性进行选择即可；配送则由于功能的多样化，运输批量小、频率高，只适于采用装载量不大的短途运输工具，主要是汽车。

2. 运输与配送的互补关系

运输和配送虽同属于线路活动，但由于功能上的差异使它们并不能互相替代，而是形成了相互依存、互为补充的关系。物流系统创造物品空间效用的功能是要使生产企业制造出来的产品最后到达消费者手中或进入消费，否则产品生产的目的就无法达到。从运输和配送的概念以及它们的区别可以看出，仅有运输或只有配送是不可能达到上述要求的，因为根据运输的规模原理和距离原理（运输规模原理和距离原理稍后讨论），大批量、远距离的运输才是合理的，但它不能满足分散消费的要求；配送虽具有小批量、多批次的特点，但不适合远距离输送。因此两者必须互相配合、取长补短，方能达到理想的目标。一般来说，在运输和配送同时存在的物流系统中，运输处在配送的前面，先通过运输实现物品长距离的位置转移，然后交由配送来完成短距离的输送。

为了更直观地了解运输与配送的关系，下面以中转供货系统为例予以说明。

生产企业生产的产品可有两种途径到达用户手中，一种是直接供货，即产品不经过中转环节直接送到用户手中，直接供货方式对那些批量大、距离远，或是大型产品才合适，如大型机电设备，大批量消耗的钢材、水泥等均采取直接运输方式。但是如果用户需求量不大，或在时间上很分散，而且又不是大型产品，这时就应该采取配送方式。如图 2-2 所示，图中 B 的弧线表示巡回送货。

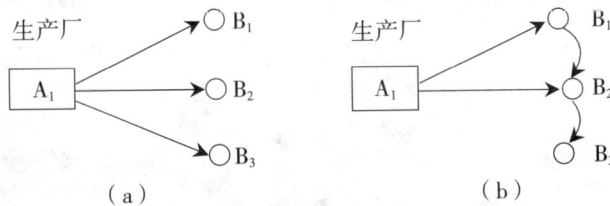

（a）　　　　　　　　　　　　（b）

图 2-2　直接供货

产品从生产厂到达用户手中的另一途径是中转供货，即产品要经过物流中心或配送中心后再运送到用户手中，如图 2-3 所示。

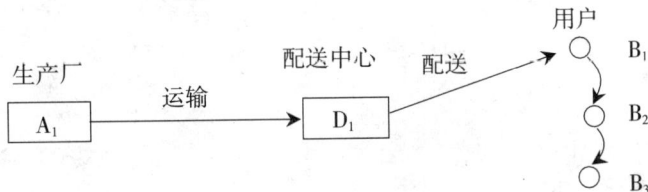

图 2-3　中转供货

中转供货方式中，产品的转移是由两次线路活动（实际中还可能有多次）来完成的，从生产厂到配送中心（如果是多次线路活动，则在生产厂与配送中心之间还要经过物流中心）由于运送的批量小，采用运输方式是合适的；而从配送中心到用户之间，一般运量小、批次多，则采用配送方式较为有利。

从以上的讨论可以看出，运输和配送要根据产品特点和用户需求的情况来选择。在一个物流系统中，运输和配送至少有一种形式存在，当两种形式同时存在时，配送处于末端位置。这正像商流活动中的批发环节与零售环节的关系一样，批发和零售至少有一个环节存在，并由它完成商品交易功能。当零售环节存在时，它一定处在商流过程的末端，商品经过零售环节后即退出流通领域。实际上，配送正是为商流中的零售交易提供的一种配套的物流作业方式。

2.2.3 配送与其他

1. 配送和供应或供给的区别

配送和一般概念的供应或供给的区别是：配送不是广义概念的组织物质订货、签约、结算、进货及对物质分配的供应，而是一种"门到门"的服务，可以将货物从物流节点一直送到用户的仓库、营业场所、车间乃至生产线的起点。

2. 配送和运送、发放、投送的区别

配送和运送、发放、投送的区别是：配送是在全面配送的基础上，充分按用户要求，包括种类、数量、时间等所进行的运送。

2.3　配送的基本环节

从总体上看，配送是由备货、理货和送货三个基本环节组成的，其中每个环节又包含着若干项具体的活动。如图 2-4 所示。

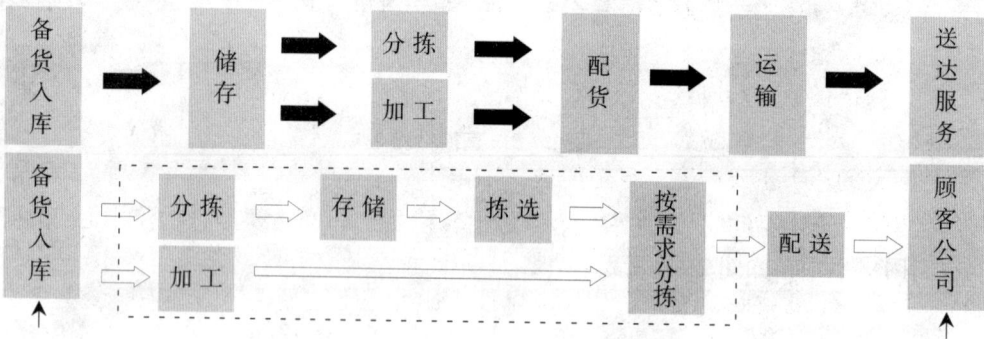

图 2-4　物流配送的基本要素与流程

2.3.1　配送的功能要素

1. 备货

备货即指准备货物的系列活动，是配送的准备工作或基础工作，包括筹集货源、订货或购货、集货、进货及有关的质量检查、结算、交接等。配送的优势之一，就是可以集中用户的需求进行一定规模的备货。备货是决定配送成败的初期工作，如果备货成本太高，会大大降低配送的效益。

（1）筹集货物。在不同的经济条件下，筹集货物（或组织货源）是由不同的行为主体去完成的。若生产企业直接进行配送，那么，筹集货物的工作自然是由企业自己去组织。在专业化流通体制下，筹集货物的工作会出现两种情况：其一，由提供配送服务的配送企业直接承担，一般是通过各生产企业订货或购货完成此项工作；其二，选择商流、物流分开的模式进行配送、订货、购货，筹集货物的工作通常是由货主（如生产企业）自己去做，配送组织只负责进货和集货（集中货物）等工作，货物所有权属于业主（接受配送服务的需求者）。然而，不管具体做法如何不同，就总体活动而言，筹集货物都是由订货（或购货）、进货、集货及相关的验货等一系列活动组成的。

（2）储存货物。储存货物是购货、进货活动的延续。配送中的储存有储备及暂存两种形态。

配送储备是按一定时期的配送经营要求，形成的对配送的资源保证。这种类型的储备数量较大，储备结构也较完善，视货源及到货情况，可以有计划地确定周转储备及保险储备的结构及数量。配送的储备保证有时在配送中可单独设库解决。储备形态的储存是按照一定时期配送活动要求和根据货源的到货情况（到货周期）有计划地确定的，它是使配送持续运作的资源保证。用于支持配送的货物储备有两种具体形态，即周转储备和保险储备。然而不管是哪一种形态的储备，相对来说，数量都比较多。所以，货物储备合理与否，会直接影响配送的整体效益。

另一种储存形态是暂存，是具体执行日配送时，按分拣、配货要求，在理货场地所作的少量储存准备。这种形态的货物储存是为了适应"日配"、"即时配送"需要而设置的，其数量多少对下一个环节的工作方便与否会产生很大影响，但不会影响储存活动的总体利益。因为总体储存效益取决于储存总量，所以，这部分暂存数量只会对工作方便与否造成影响，而不会影响储存的总效益，因而在数量上控制并不严格。暂存是分拣、配货之后，形成的发送货物的暂存，这个暂存主要是调节配货与送货的节奏，暂存时间不长。

备货是决定配送成败与否、规模大小的最基础的环节。同时，它也是决定配送效益高低的关键环节。如果备货不及时或不合理，成本较高，就会大大降低配送的整体效益。

2. 理货

理货是配送的一项重要内容，也是配送区别于一般送货的重要标志。理货包括货物分拣、配货和包装等项作业活动。

货物分拣是采用适当的方式和手段，从储存的货物中分出（或拣选）用户所需要的货物。分拣及配货是完善送货、支持送货的准备性工作，是不同配送企业在送货时进行竞争和提高自身经济效益的必然延伸，因此，也可以说是送货向高级形式发展的必然要求。有了分拣及配货就会大大提高送货的服务水平，所以，分拣及配货是决定整个配送系统水平的关键要素。分拣货物一般采取两种方式来操作。

（1）摘取式分拣。就是像在果园中摘果子那样去拣选货物。具体做法是：作业人员拉着集货箱（或称分拣箱）在排列整齐的仓库货架间巡回走动，按照配送单上所列的品种、规格、数量等将客户所需要的货物拣出并装入集货箱内。在一般情况下，每次拣选只为一个客户配装。目前，由于一些物流公司推广和应用了自动化分拣技术，装配了自动化分拣设施等，大大提高了分拣作业的劳动效率。

（2）播种式分拣。这种分拣方式类似于田野中的播种操作。具体做法是：将数量较多的同种货物集中运到发货场，然后，根据每个货物的发送量分别取出货物，并分别投放到每个代表用户的货位上，直到配货完毕。为了完好无损地运送货物和便于识别配备好的货物，有些经过分拣、配备好的货物尚需重新包装，并且要在包装物上贴上标签，记载货物的品种、数量、收货人的姓名、地址及运抵时间等。

3. 送货

送货是配送活动的核心，也是备货和理货工序的延伸。在物流运动中，送货实际上就是货物的运输（或运送），因此，常常以运输代表送货。配送运输属于运输中的末端运输、支线运输，和一般运输形态或所谓的干线运输是有很大区别的。

干线运输的干线是唯一的运输线，多表现为对用户的"末端运输"和短距离运输，并且运输的次数比较多。配送运输由于配送用户多，一般城市交通路线又较复杂，多为长距离运输（"一次运输"）。由于配送中的送货（或运输）需要面对众多的客户，并且要多方向运输。如何组合成最佳路线，如何使配送和路线有效搭配等，是配送运输的特点，也是难度较大的工作。因此，在送货过程中，常常进行运输方式、运输路线和运输工具的选择。按照配送合理化的要求，必须在全面计划的基础上，制定科学的、距离较短的配送路线，选择经济、迅速、安全的运输方式和适宜的运输工具。通常，配送中的送货（或运输）都把汽车（包括专用车）作为主要的运输工具。

4. 流通加工

在配送过程中，根据用户要求或配送对象（产品）的特点，有时需要在未配送之前先对货物进行加工（如钢材剪裁、木材截锯等），以求提高配送质量，更好地满足用户的需要。融合在配送中的货物加工是流通加工的一种特殊形式，其主要目的是使配送的货物完全适合用户的需要和提高资源的利用率。

5. 送达服务

配好的货运送到用户手中还不算配送工作的完结，这是因为送达货和接货往往还会出现不协调，使配送前功尽弃。因此，要圆满地实现运到之货的移交，并有效地、方便地处理相关手续，完成结算，还应该讲究卸货地点、卸货方式等。送达服务也是配送独具的特殊性。

2.3.2 配送的基本作业

配送功能决定了配送的基本作业，配送的基本作业是配送功能的实现，只有进行规范的配送，才能更好地实施配送。以下为配送的基本作业：

1. 订单处理作业

配送中心的交易始于客户的询价、业务部门的报价，然后是订单的接收，业务部门需查询出货日的库存状况、装卸能力、流通加工负荷、包装能力、配送负荷等是否能满足客户需求。当无法按客户需求交货时，业务部门需进行协调。由于配送中心不随货收款，因此在订单处理时，需根据企业对客户的信用状况进行查核。另外，需要统计该时段的订货数量，并调整、分配出货程序及数量。退货数据也在此阶段处理。此外，业务部门还需制定报价计算方式，进行报价资料管理，制定客户订购最小批量、订货方式或订购结账截止日期。

2. 采购作业

接受订单后，配送中心需向供货厂商或制造厂商订购商品。采购作业包括商品数量需求统计，向供货厂商查询交易条件，然后根据所需数量及供货厂商提供的经济订购批量提出采购单。采购单发出后则进行入库进货的跟踪。

3. 进货入库作业

开出采购单后，入库进货管理员即可根据采购单上预定入库日期进行入库作业调度、入库月调度，在商品入库当日进行入库资料查核、入库质检，当质量或数量不符时即进行适当修正处理，并输入入库数据。入库管理员可按一定方式指定卸货及托盘堆叠。对于退回商品的入库还需经过质检、分类处理，然后登记入库。商品入库后有以下两种作业方式：

（1）商品入库上架，等候出库需求时再出货。商品入库上架需由计算机或管理人员按照仓库区域规划管理或商品生命周期等因素来指定储放位置并登记，以便日后进行库存管理或出货查询。

（2）直接出货。此时管理人员需按照出货需求将商品送往指定的出货码头或暂时存放地点。入库搬运过程中需由管理人员选用搬运工具、调派工作人员，并安排工具、人员的工作进程。

4. 库存管理作业

库存管理作业包括仓库库区管理及库存控制。仓库库区管理包括商品在仓库区摆放方式、区域大小、区域分布等规划，商品进出仓库的控制——先进先出或后进后出，进、出货方式的制定——商品所需搬运工具、搬运方式，仓储区货位的调整及变动。库存控制则需按照商品出库数量、入库所需时间等来制定采购时间，并制定采购时间预警系统；制定库存盘点方法，定期打印盘点清单，并根据盘点清单内容清查库存数、修正库存账目、制定盘盈盘亏报表。仓库区的管理还包括包装容器的使用与保修。

5. 补货及拣货作业

统计客户订单即可知道商品真正的需求量。在出库日，当库存数满足出货需求量时即可根据需求数量打印出库拣货单及各项拣货提示，进行拣货区域的规划布置，使拣货不至于缺货。此外，还包括补货量及补货量时点的制定、补货作业调度和补货作业人员调派。

6. 流通加工作业

在配送中心的各项作业中，流通加工能提高商品的附加价值。流通加工包括商品的分类、过磅、拆箱重包装、贴标签及商品组合包装。这就需要进行包装材料及包装容器的管理、组合包装规划的制定、流通加工包装工具的选用、流通加工作业的调度、作业人员的调派。

7. 出货作业

处理完成商品拣取及流通加工作业后，即可进行商品出货作业。出货作业包括：根据客户订单为客户打印出货单据，制定出货调度，打印出货批次报表、出货商品上所需地址标签及出货核对表；由调度人员决定集货方式、选用集货工具、调派集货作业人员，并决定运输车辆大小与数量；出库管理人员或出货管理人员作出货区的规划布置及出货商品的摆放方式。

8. 退货作业

退货作业是指配送中心办理出库手续并已发货出库的物质，因某种原因未使用而又退回到仓库的作业。处理退货要消耗物流管理人员大量的精力，如办理退货手续后，做好登记和认真检查，经过维护保管后再存入物流中心（仓库）。另外，加强废旧物资的回收计划，建立健全物资回收管理机构，必要时要进行加工等。

9. 配送作业

配送作业包括商品装车并实际配送。完成这些作业需要事先规划配送区域的划分或配送路线的安排，由配送路线选用的先后次序来决定商品装车顺序，并在商品配送途中进行商品跟踪、控制及配送途中意外状况的处理。

10. 会计作业

商品出库后可根据出货数据制作应收账单，并将账单转入会计部门作为收款凭据；商品入库后，则由收货部门制作入库商品统计表，以作为供货厂商催款稽核之用，并同会计部门制作各项财务报表供制定经营政策及管理参考。

11. 经营管理及绩效管理业务

除上述作业外，还需要管理人员通过各种考核评估来实现配送中心的效率管理，并制定经营决策及方针。

经营管理和绩效管理可先由各个工作人员提供各种信息与报表，包括出货销售统计数据、客户对配送服务的反馈报告、配送商品次数及所需时间报告、配送商品的失误率、仓库缺货率分析、库存损失率报告、机具设备损坏及维修报告、燃料耗材等使用量分析、外雇人员、机具设备成本分析、退货商品统计报表、人力使用率分析等。然后根据各项活动及活动间的相关性，将作业内容相关性较大者或数据相关性较大者组成同一组群，并将这些组群视为计算机管理系统下的大结构。

在实践中，某些有特殊性质、形状的货物，其配送活动有许多独特之处，例如，液体状态的物质资料的配送就不存在配货、配装等工序，金属材料和木材等生产资料的配送常常附加流通加工工序，据此，在配送的一般流程的基础上，又产生了配送的特殊流程。其作业程序如下：

（1）进货→储存→分拣→送货，多用于各类食品的配送工序。

（2）进货→储存→送货，多用于煤炭等散货的配送流程。

（3）进货→加工→储存→分拣→配货→配装→送货，是木材、钢材等原材料配送经常采用的作业工序。

（4）进货→储存→加工→储存→装配→送货，多用于机电产品中的散件、配件的配送流程。

2.4 配送合理化

2.4.1 配送合理化的基本思想

在配送活动各种成本之间经常存在着此消彼长的关系，配送合理化的一个基本思路就是"均衡"的思想，从配送总成本的角度权衡得失。不求极限，但求均衡，均衡造就合理。例如，对配送费用的分析，均衡的观点是从总配送费用入手，即使某一配送环节要求高成本的支出，但如果其他环节能够降低成本或获得利润，就认为是均衡的，即是合理可取的。在配送管理实践中，切记配送合理化的原则和均衡的思想，这有利于我们做到不仅注意局部的优化，更注重整体的均衡，这样的配送管理对于企业最大的经济效益才是最有成效的。

2.4.2 不合理配送的表现形式

配送决策的优劣，不能简单判断，也很难有一个绝对的标准。例如，企业的效益是配送的重要衡量标志。但是，在决策时常常考虑各个因素，有时要做赔本的买卖。所以，配送决策是全面、综合的决策。在决策时要避免由于不合理配送所造成的损失。但有时某些不合理现象是伴生的，要追求大的合理，就可能派生小的不合理，所以，这里只单独论述不合理配送的表现形式，但要防止绝对化。

1. 资源筹措的不合理

配送是利用较大批量筹措资源。通过筹措资源规模效益来降低筹措的成本，使配送资源筹措成本低于客户自己筹措资源成本，从而取得优势。如果不是集中多个客户需要进行批量筹措资源，而仅仅是为某一两个客户代购代筹，对客户讲，就不仅不能降低资源筹措费用，相反却要多支付一笔配送企业的代筹代办费，因而是不合理的。

资源筹措不合理还有其他表现形式，如配送量计划不准，资源筹措过多或过少，在资源筹措时不考虑建立与资源供应者之间长期稳定的供需关系等。

2. 库存决策不合理

配送应充分利用集中库存总量低于各客户分散库存总量的优势，大大节约社会财富，同时降低客户实际平均分摊的库存负担。因此，配送企业必须依靠科学的管理来实现低的总量库存，否则就会出现单是库存转移，而未解决库存降低的不合理现象。

配送企业库存决策不合理还表现在储存量不足，不能保证随机需求，失去了应有的市场。

3. 价格不合理

总的来讲，配送的价格应低于不实行配送时、用户自己进货时产品购买价格加上自己提货、运输、进货之成本总和，这样才会使用户有利可图。有时候，由于配送有较高的服务水平，价格稍高，用户也是可以接受的，但这不是普通的原则。如果配送价格普遍高于用户自己进货价格，损害了用户利益，就是一种不合理的表现。价格制定过低，使配送企业处于无利或亏损状态下运行，会损害配送企业，也是不合理的。

4. 有关配送与直达的决策不合理

一般的配送总是增加了环节，但是这个环节的增加，可降低用户平均库存水平，它不但抵消了增加环节多付出的支出，而且还能取得剩余效益。但是如果用户需要的批量大，则可以直接通过社会物流系统均衡批量进货，较之通过配送中心中转送货则可能更节约费用，所以，在这种情况下，不直接进货而通过配送，就属于不合理范畴。

5. 途中不合理运输造成的不合理

配送与用户自提比较，尤其对于多个小用户来讲，可以集中配装一车送几家，这比一家一户自提，可大大节省运力和运费。如果不能利用这一优势，仍然是一户一送，而车辆达不到满载（即时配送过多、过频时也会出现这种情况），则属于不合理。此外，不合理运输的若干表现形式，在配送中都可能出现，会使配送变得不合理。

6. 对产品配送的经营观念不合理

在配送实施中，由于有许多经营观念不合理，使配送优势无从发挥，相反却损坏了配送的形象。这是在开展配送时尤其需要注意的不合理现象。例如，配送企业利用配送手段，向客户转嫁资金、库存困难；在库存过大时，强迫客户接货，以缓解自己的库存压力；在资金紧张时，长期占用客户资金；在资源紧张时，将客户委托的资源挪作他用获利等。

2.4.3 配送合理化的判断标志

关于配送的合理与否，很难定出统一的标准，因为与配送相关的因素十分繁杂，各个企业的情况也千差万别。

1. 库存标志

库存是判断配送合理与否的重要标志。具体标志有以下两个：

（1）库存总量。库存总量在一个配送系统中，从分散于各个用户转移给配送中心，配送中心库存数量加上各用户在实行配送后库存量之和应低于实行配送前各用户库存量之和。

此外，从各个客户的角度判断，把各客户在实行配送前后的库存量相比较，也是判断配送合理与否的标准。某个客户的库存量上升而总量下降，也属于一种不合理现象。

库存总量是一个动态的量，上述比较应当是在一定经营量前提下进行。在用户生产有了发展之后，库存总量的上升则反映了经营的发展，必须扣除这一因素，才能对总量是否下降作出正确判断。

（2）库存周转。由于配送企业的调剂作用，以低库存保持高的供应能力，库存周转一般总是快于原来各企业库存周转。

此外，从各个用户角度判断，各用户在实行配送前后的库存周转比较，也是判断合理与否的标准。

为取得共同比较基准，以上库存标志，都以库存储备资金为标准来计算，而不以实际物质数量计算。

2. 资金标志

总的来讲，实行配送计划应有利于企业资金占用降低及资金运用的科学化。具体标志有以下三个：

（1）资金总量。用于资源筹措所占用的流动资金的总量，随储备总量的下降及供应方式的改变必然有一个较大的降低。

（2）资金周转。从资金运用来讲，由于整个节奏加快，资金充分发挥作用，同样数量的资金过去需要较长时期才能满足一定供应要求，配送之后，在较短时期内就能达此目的。所以资金周转是否加快，是衡量配送合理与否的标志。

（3）资金投向的改变。资金分散投入还是集中投入，是资金调控能力的重要反映。实行配送后，资金必然应当从分散投入改为集中投入，以增加调控作用。

3. 成本和效益标志

总效益、宏观效益、微观效益、资源筹措成本都是判断配送合理的重要标志。对于不同的配送方式，可以有不同的判断侧重点。

由于总效益及宏观效益难以计量，在实际判断时，常以按国家政策进行经营、完成国家税收及配送企业及用户的微观效益来判断。对于配送企业而言（投入确定了的情况下），企业利润反映了配送合理化程度。对于用户企业而言，在保证供应水平或提高供应水平（产出一定）前提下，供应成本的降低，反映了配送的合理化程度。成本及效益对合理化的衡量，还可以具体到储存、运输配送具体环节，从而使得企业在有关方面的判断更为精细。

4. 供应保证标志

实行配送，各用户的最大担心是害怕供应保证程度降低，这是个心态问题，也是承担风险的实际问题。配送的重要一点是必须提高而不是降低对用户的供应保证能力。供应保证能力可从以下三个方面判断：

（1）缺货次数。实行配送后，对各用户来讲，该到货而未到货以致影响用户生产及经营的次数，必须下降才算合理。

（2）配送企业的集中库存量。对每一个用户来讲，其数量所形成的保证供应能力高于配送前单个企业保证程度，从供应保证来看才算合理。

（3）即时配送能力及速度是用户出现特殊情况的特殊供应保障方式，这一能力必须高于未实行配送前用户紧急进货能力及速度才算合理。

特别强调的一点是，配送企业的供应保障能力，是一个科学的合理的概念，而不是无限的概念。具体来讲，如果供应保障能力过高，超过了实际的需要，属于不合理。所以追求供应保障能力的合理化也是有限度的。

5. 社会运力节约标志

末端运输是目前运能、运力使用不合理，浪费较大的领域，因而人们寄希望于配送来解决这个问题。这也成了配送合理化的重要标志。

运力使用的合理化是依靠货运力的规划和整个配送系统的合理流程、与社会运输系统的合理流程和与社会运输合理衔接实现的。送货运力的规划是任何配送中心都需要花力气解决的问题，而其他问题有赖于配送及物流系统的合理化，判断起来比较复杂，可以作简化判断如下：

（1）社会车辆总数减少，而承运量增加为合理。

（2）社会车辆的空驶减少，而配载率增加为合理。

（3）一家一户的自提自运减少，而社会化物流运输增加为合理。

6. 用户企业仓库、供应、进货人力物力节约标志

配送的重要观念是以配送代劳用户。因此，实行配送后，各用户库存量、仓库面积、仓库管理人员减少为合理。真正解除了用户的后顾之忧，配送的合理化程度则可以说是一个高水平了。

7. 物流合理化标志

配送必须有利于物流合理。物流合理化的问题是配送要解决的大问题，也是衡量配送本身的重要标志。这可以从以下几方面判断：

（1）是否降低了物流费用。

（2）是否减少了物流损失。

（3）是否加快了物流速度。

（4）是否发挥了各种物流方式的最优效果。

（5）是否有效衔接了干线运输和末端运输。

（6）是否不增加实际的物流中转次数。

（7）是否采用了先进的技术手段。

2.4.4 配送合理化可采取的做法

（1）推行一定综合程度的专业化配送。

（2）推行加工配送。

（3）推行共同配送。

（4）实行送取结合。

（5）推行准时配送系统。

（6）推行即时配送。

2.5 配送的类型

为满足不同产品、不同企业、不同流通环境的要求，可以采用各种形式的配送，配送的

形式大致有以下几种：

2.5.1　按配送主体不同分类

选择由谁来做配送，根据国内外的发展经验及我国配送理论与实践，目前主要形成了以下几种配送模式：

1. 配送中心配送

组织者是专职配送的配送中心，规模较大，有的配送中心需要储存各种商品，储存量也较大。有的配送中心专门配送规模较小的货物，货源靠附近的仓库补充。

配送中心的专业性较强，和客户有固定的配送关系，一般实行计划配送，需配送的商品有一定的库存量，一般情况下很少超出自己的经营范围。配送中心的设施及工艺流程是根据配送需要专门设计的，所以配送能力强，配送距离较远，配送品种就多，配送数量就大。承担工业生产用主要物质的配送及向配送商店实行补充配送等，配送中心配送是配送的重要形式。从实施配送较为普遍的国家看，配送中心配送是配送的主体形式，不但在数量上占主要部分，而且是某些小配送单位的总据点，因而发展较快。

配送中心配送覆盖面较宽，配送规模大。因此，必须要有一套配套的大规模实施配送的设施，如配送中心建筑、车辆、路线等，一旦建成便很难改变，灵活机动性较差，投资较高，在实施配送时难以一下子大量建设配送中心。因此，这种配送形式有一定的局限性。

2. 仓库配送

仓库配送是以一般仓库为据点进行的配送形式，它可以是把仓库完全改造成配送中心，也可以是以仓库原功能为主，在保持原功能的前提下，增加一部分配送职能。因为不是专门按配送中心要求设计和建立的，所以仓库配送规模较小，配送的专业化程度低。但它可以利用原仓库的储存设施及能力、收发货场地、交通运输线路等，开展中等规模的配送，并且可以充分利用现有条件而不需要大量投资。

3. 商店配送

组织者是商业部门或物质部门的门市网点，这些网点主要承担商品的零售，规模一般不大，但经营品种较齐全。除日常零售业务外，还可根据客户的要求将商品经营的品种配齐，或代客户订购一部分本商店平时不经营的商品，和商店经营的品种一起配齐送给客户。这种配送组织者实力有限，往往只是小量、零星商品的配送。这种配送是配送中心配送的辅助及补充。商店配送有以下两种形式：

（1）兼营配送形式。商店在进行一般销售的同时兼行配送的职能。商店的备货，可用于日常销售及配送，因此，有较强的机动性，可以将日常销售与配送相结合，互为补充。这种形式在一定铺面条件下，可取得更多的销售额。

（2）专营配送形式。商店不进行零售销售而专门进行配送。一般情况是商店位置条件不好，不适合门市销售而又有某方面经营优势及渠道优势，可采取这种方式。

4. 生产企业配送（自营配送）

自营配送是指企业物流配送的各个环节由企业自身筹建并组织管理，实现对企业内部及外部配送的模式。这种形式有利于企业供应、生产和销售的一体化作业，系统化程度相对较高，既可满足企业内部原材料、半成品及成品配送的需要，又可满足企业对外进行市场拓展的需求。其不足之处表现在，企业为建立配送体系的投资规模将会大大增加，在企业规模较小时，配送的成本和费用也相对较高。生产企业配送不是配送的主体。

一般而言，采取自营配送模式的企业都是规模较大的集团公司。有代表性的是连锁企业的配送，其基本上都是通过组建自己的配送系统来完成企业的配送业务，包括对内部各场、店的配送和对企业外部顾客的配送。

企业内部的配送大体有三种情况：①大型企业内部配送。大型企业由于原材料采购量大，为了控制成本，减少采购费用，有效地运用资金，由企业总部统一进货、统一库存、统一向各分厂或车间配送。②企业在消费地建若干个配送中心，在配送中心集中的核心地区建物流基地，各生产工厂的产品先批量地运往物流基地，在物流基地经过大致分类后，再运给周围的配送中心，然后再从配送中心配送至终端客户。③连锁型企业内部配送。由连锁企业统一进货、加工后，定点、定时、定量地向各连锁商店配送。这种配送由于货物品种、规格、形状、包装、容器等基本一致和匹配，更容易做到有计划、低成本的配送。

2.5.2 按配送时间及数量不同分类

1. 定时配送

定时配送是指按规定的时间间隔进行配送，如几天或几小时一次等。每次配送的品种及数量可按计划执行，也可在配送前以商定的联络方法（如电话、计算机终端输入等）通知配送的品种及数量。这种方式时间固定，容易安排工作计划，容易计划使用的车辆，对客户来讲，也容易安排接货力量（人力、设备等）。但是，由于配送货物种类经常变化，配货、装货的难度较大，在要求配送数量变化较大时，也会使配送运力安排出现困难。

定时配送包括日配、隔日配送、周配送、旬配送、月配送、准时配送等。下面介绍两种比较重要的具体形式。

（1）日配（当日配送）。日配是定时配送中施行较广泛的方式，尤其在城市内的配送，日配占了绝大多数比例。

日配的时间要求，大体上，上午的配送订货下午送达，下午的配送订货第二天早上送达，送达时间在订货的24小时之内。或者是客户下午的需要保证上午送达，上午的需要保证前一天下午送达，在实际投入使用前24小时内送达。

日配方式广泛而稳定地开展，就可使客户基本上无须保持库存，不以传统库存作为生产或销售经营的保证，而以日配方式实现这一保证。

日配方式特别适合以下几种情况：①消费者追求新鲜的诸种食品，如水果、点心、肉类、蛋类、蔬菜等。②客户是多个小型商店，追求周转快，随进随出，因而需要采取日配方式快速周转。③由于客户条件的限制，不可能保持较长期的库存，如以采用零库存方式的生产企业、"黄金宝地"位置的商店以及缺乏储存设施（如冷冻设施）的客户。

（2）准时配送。这是使配送与生产企业生产保持同步的一种方式。这种方式比日配和一般定时方式更为精细准确，配送每天至少一次，甚至几次，以保证企业生产的不间断。

这种方式追求的是供货时间恰好是客户生产所用之时，从而货物不需在客户仓库中停留，而可直接运送到生产场地，它和日配方式比较，连"暂存"这种方式也可取消，可以绝对地实现零库存。

准时配送要求有高水平的配送系统来实施。由于要求迅速反应，因而不大可能对多客户进行周密的共同配送计划。这种方式适合装配型的重复大量生产的客户，这种客户所需配送的物质是重复、大量且无大变化的，因而往往是一对一的配送，即使时间要求可以不那么精确，也难以集中多个客户的需求实行共同配送。

2. 定量配送

定量配送是指在规定的时间范围内进行配送。这种方式数量固定，备货工作较为简单，可以按托盘、集装箱及车辆的装载能力规定配送的定量，能有效利用托盘、集装箱等集装方式，也可做到整车配送，配送效率较高。由于时间不严格限定，可以将不同客户所需货物凑齐整车后配送，运力利用也较好。对客户来讲，每次接货都处理同等数量的货物，有利于人力、物力的准备。

3. 定时、定量配送

定时、定量配送是指按照规定的配送时间和配送数量进行配送。这种方式兼有定时、定量两种方式的优点，但特殊性强，计划难度大，适合采用的对象不多，不是一种普通的方式。

4. 定时、定路线配送

指在规定的运行路线上制定到达时间表，按运行时间表进行配送。配送的车辆每天按照固定的行车路线，按照规定的时间进行配送，恰似配送班车，按部就班、准时准点。这种配送方式的服务对象是商业区的繁华地段，人多、路窄、交通拥挤、商店集中。

5. 即时配送

即时配送是指完全按照用户突然提出的配送要求的时间和数量随即进行配送的方式，是有很高的灵活性的一种应急方式。采用这种方式的品种可以实现保险储备的零库存，即用即时配送代替保险储备。

2.5.3 按配送商品的种类和数量不同分类

1. 单（少）品种大批量配送

工业企业需要量大的商品，单独一个品种或几个品种就可达到较大输送量，可实行整车运输，这种商品往往不需要再与其他商品搭配，可由专业性强的配送中心实行配送。由于配送量大，可使车辆满载并使用大吨位车辆。配送中心内部设置、组织、计划等工作也较简单，因此配送成本较低。如果从生产企业将这种商品直接运抵客户，同时又不至于使客户库存效益下降时，采用直送方式往往有更好的效果。

2. 多品种、少批量配送

现代生产企业除了需要少数几种主要物质外，从种类来看，处于 B、C 类的物质品种数远高于 A 类主要物质，B、C 类物质的品种数多，但单品种需要量不大，若采取直送或大批量配送方式，由于一次进货批量大，必然造成客户库存增大等问题，类似情况也存在于向零售商品店补充一般生活消费品的配送，因此这些情况适合采用多品种、少批量的配送方式。

多品种、少批量配送是按客户要求，将所需的各种货物（每种需要量不大）配备齐全，凑成整车后由配送中心送达客户。这种配送作业水平要求高，配送中心设备复杂，配货送货计划难度大，必须有高水平的组织工作来保证。所以，这是一种高水平、高技术的配送方式。

多品种、少批量配送也正符合现代"消费多样化、需求多样化"的新观念，所以是许多发达国家推崇的方式。

多品种、少批量配送往往伴随多客户、多批次的特点，配送频率往往较高。

3. 成套配送

按企业生产需要，尤其是装配型企业的生产需要，将生产每一台产品所需要的全部零配件配齐，按生产节奏定时送达生产企业，生产企业随即可将此成套零部件送入生产线装配产品。这种配送方式，配送企业承担了生产企业大部分的供应工作，使生产企业专注于生产，与多品种、少批量配送效果相同。

2.5.4　按加工程度不同分类

1. 加工配送

加工配送是配送和流通加工相结合的一种配送形式。在配送中心设置流通加工环节，或是流通加工中心与配送中心建立在一起。当社会上现成的产品不能满足客户需要，客户根据本身工艺要求需要使用经过某种初加工的产品时，可以在加工后通过分拣、配货再送货到户。

流通加工与配送相结合，使流通加工更有针对性，减少了盲目性，配送企业不但可以依靠送货服务、销售经营取得收益，还可通过加工增值取得收益。

2. 集疏配送

集疏配送是集货与配送相结合的一种配送形式。它只是改变产品数量组成形态而不改变产品本身物理、化学形态，一般与采购、干线运输相配合。如大批量进货后小批量、多批次发货，零星集货后以一定批量送货等。

2.5.5　按配送专业化程度不同分类

1. 综合配送

综合配送是指配送商品种类较多，不同专业领域的产品在一个配送网点中组织对客户的配送。这类配送由于综合性较强，故称之为综合配送。

综合配送可以减少客户为组织所需全部物质进货的负担，只需和少数配送企业联系，便可解决多种需求。因此它是对客户服务意识较强的配送形式。

综合配送的局限性在于，由于产品性能、形状差别很大，在组织时技术难度较大。因此，一般只是在性状相同或相近的不同类产品方面实行综合配送，差别过大的产品难以综合化。

2. 专业配送

专业配送是按产品性状不同适当划分专业领域的配送方式。专业配送并非越细分越好，实际上同一性状而类别不同的产品，也是有一定综合性的。专业配送的主要优势是可按专业的共同要求优化配送设施，优选配送机械及配送车辆，制定适用性强的工艺流程，从而大大提高配送各环节工作的效率。现在已形成的专业配送主要有中小件杂货的配送、金属材料的配送、燃料煤的配送、水泥的配送、木材的配送、平板玻璃的配送、化工产品的配送、生鲜食品的配送。

2.5.6　按经营形式不同分类

1. 销售配送

配送企业是销售性企业，或销售企业作为销售战略的一环所进行的促销型（SP）配送。配送对象和用户不固定，根据市场占有率而定。因为受市场影响，这种方式随机性强，计划性差，比如各种类型的商店配送。

2. 供应配送

用户为了自身的供应需要所采取的配送方式。一般是自建配送据点，集中组织大批量进货（取得批量折扣），然后再分别配送。此方式能保证供应水平，提高供应能力，降低供应成本。例如，大集团内部、连锁店等都采用此种配送方式。

3. 销售—供应—体化配送

对于基本固定的用户、基本确定的配送产品，销售企业可在自己销售的同时，承担用户有计划供应者的职能，既是销售者又是用户的供应代理人。用户解除自己的供应机构，能够获得稳定的供应，大大节约本身供应需要的人力、物力、财力；销售者能获得稳定的用户和销售渠道，有利于扩大销售数量和本身的稳定持续发展。

4. 代存代供配送

用户将自己的货物委托给配送企业代存、代供甚至代订，然后组织配送。商品的所有权、使用权等固定属性都属于用户，用户和配送企业间是委托代理人的法律关系，商物分流，配送企业只能在物流环节赢利。

【本章案例】

高效配送——7-ELEVEN 的配送管理模式

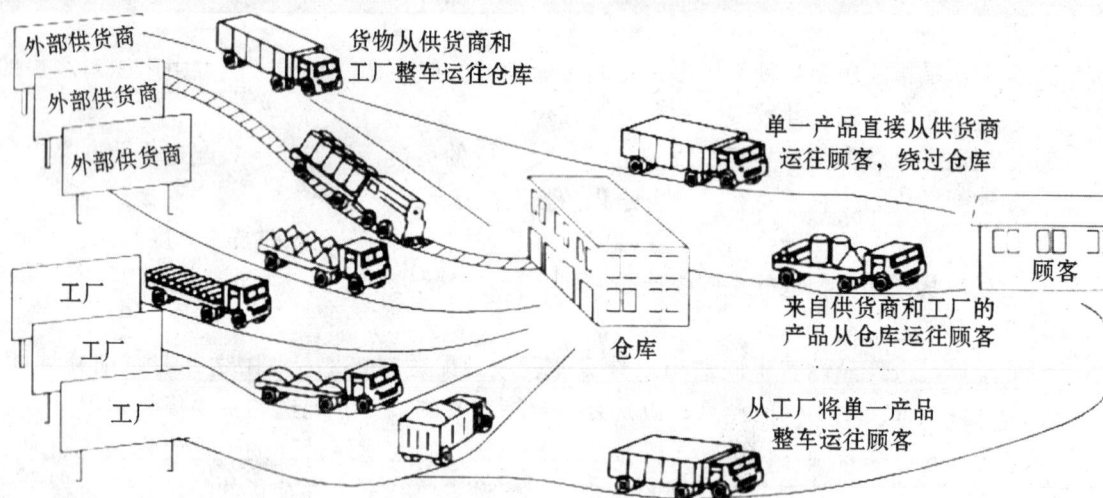

图2-5 高效配送——7-ELEVEN 的配送管理模式

1927 年创立于美国的 7-ELEVEN，初名为南方公司，主要业务是零售冰品、牛奶、鸡蛋，除经营日常必需的商品外，还协助附近社区居民收取电费、煤气费、保险费、水费和有线广播电视收视费，甚至快递费、国际通信费，对附近生活的居民切实起到了便利的作用。到了 1964 年，又推出了当时便利服务的"创举"，即将营业时间延长为从早上 7 点至晚上 11 点，这就诞生了传奇性的名字：7-ELEVEN。1999 年 4 月 28 日美国南方公司正式更名为 7-ELEVEN，70 多年来 7-ELEVEN 发展成为全球最大的便利连锁店，在全球 20 多个国家拥有 2.1 万家左右的连锁店，仅在中国台湾地区就有 2 690 多家，美国 5 750 多家，泰国 1 520 多家，日本是最多的，有 8 470 多家。每天平均超过 2 000 万人次，来自不同种族、不同肤色、不同生活习惯的顾客，接受 7 - ELEVEN 提供的 24 小时全天候便利服务。2000 年 7 月 7 日，美国总裁 Jim Keves 在纽约证券交易中心以贵宾身份按下第一声宣布交易开始的铃声，正式宣告美国 7 - ELEVEN 从那斯达克交易市场晋升到全球最活跃的纽约证券交易市场，肯定了 7 - ELEVEN 的全球竞争力。

一家成功的便利店背后一定有一个高效的物流配送系统，7 - ELEVEN 从一开始就采用在特定区域高密度集中开店的策略，在物流管理上也采用集中的物流配送方案，这一方案每年大概能为 7 - ELEVEN 节约相当于商品原价 10% 的费用。

一家普通的 7 - ELEVEN 连锁店一般只有 100 ~ 200 平方米大小，却要提供 2 000 ~ 3 000 种食品，不同的食品可能来自不同的供应商，运送和保存的要求也各有不同，每一种食品又不能短缺或过剩，而且还要根据顾客的不同需要随时调整货物的品种，种种要求给连锁店的物流配送提出了很高的要求。为此 7 - ELEVEN 不断调整配送管理模式。7 - ELEVEN 的配送管理模式先后经历了三个阶段三种方式的变革。

1. 特定批发商的集约配货模式

起初，7 - ELEVEN 并没有自己的配送中心，它的货物配送是依靠批发商来完成的。以日本的 7 - ELEVEN 为例，早期日本 7 - ELEVEN 的供应商都有自己特定的批发商，而且每个批发商一般都只代理一家生产商，每个批发商就是联系 7 - ELEVEN 和其供应商间的纽带，也是 7 - ELEVEN 和供应商间传递货物、信息和资金的通道。供应商把自己的产品交给批发商以后，对产品的销售就不再过问，所有的配送和销售都会由批发商来完成。对于 7 - ELEVEN 而言，批发商就相当于自己的配送中心，它所要做的就是把供应商生产的产品迅速有效地运送到 7 - ELEVEN 手中。为了自身的发展，批发商需要最大限度地扩大自己的经营，尽力向更多的便利店送货，并且要对整个配送和订货系统作出规划，以满足 7 - ELEVEN 的需要。

渐渐地，这种分散化的由各个批发商分别送货的方式无法再满足规模日渐扩大的 7 - ELEVEN 的需要，7 - ELEVEN 开始和批发商及合作生产商构建统一的集约化的配送和进货系统。在这种系统之下，7 - ELEVEN 改变了以往由多家批发商分别向各个便利点送货的方式，改由一家在一定区域内的特定批发商统一管理该区域内的同类供应商，然后向 7 - ELEVEN 统一配货，这种方式称为集约化配送。集约化配送有效地降低了批发商的数量，减少了配送环节，为 7 - ELEVEN 节省了物流费用。

2. 配送中心的网络配送模式

集约配货的特定批发商的出现提醒了 7 - ELEVEN，何不自己建一个配送中心？与其让别人掌控自己的经脉，不如自己把自己的脉。7 - ELEVEN 的物流共同配送系统就这样浮出水面，共同配送中心代替了特定批发商，分别在不同的区域统一集货、统一配送。配送中心有一个计算机网络配送系统，分别与供应商及 7 - ELEVEN 店铺相连。为了保证不断货，配送中心一般会根据以往的经验保留 4 天左右的库存，同时，中心的计算机系统每天都会定期收到各个店铺发来的库存报告和要货报告，配送中心把这些报告集中分析，最后形成一张张向不同供应商发出的订单，由计算机网络传给供应商，而供应商则会在预定时间之内向中心派送货物。7 - ELEVEN 配送中心在收到所有货物后，对各个店铺所需要的货物分别打包，等待发送。第二天一早，派送车就会从配送中心鱼贯而出，择路向自己区域内的店铺送货。整个配送过程就这样每天循环往复，为 7 - ELEVEN 连锁店的顺利运行修石铺路。

不仅如此，成立配送中心的优点还在于 7 - ELEVEN 从批发商手上夺回了配送的主动权，7 - ELEVEN 能随时掌握在途商品、库存货物等数据，对财务信息和供应商的其他信息也能握于股掌之中。对于一个零售企业来说,这些数据都是至关重要的。

有了自己的配送中心,7-ELEVEN 就能和供应商谈价格了。7-ELEVEN 和供应商之间定期会有一次定价谈判,以确定未来一定时间内大部分商品的价格,其中包括供应商的运费和其他费用。一旦确定价格,7-ELEVEN 就省下了每次和供应商讨价还价这一环节,少了口舌之争,多了平稳运行,7-ELEVEN 为自己节省了时间,也节省了费用。

3. 细化配送的管理模式

配送的细化随着店铺的扩大和商品的增多越来越复杂,配送时间和配送种类的细分势在必行。以中国台湾地区的 7-ELEVEN 为例,全省的物流配送就细分为出版物、常温食品、低温食品和鲜食食品四个类别的配送,各区域的配送中心需要根据不同商品的特征和需求量每天作出不同频率的配送,以确保食品的新鲜度,以此来吸引更多的顾客。新鲜、即时、便利和不缺货是 7-ELEVEN 配送管理的最大特点,也是各家 7-ELEVEN 店铺的最大卖点。

和中国台湾地区的配送方式一样,日本 7-ELEVEN 也是根据食品的保存温度来建立配送体系的。日本 7-ELEVEN 对食品的分类是:冷冻型(20℃),如冰激凌等;微冷型(5℃),如牛奶、生菜等;恒温型,如罐头、饮料等;暖温型(20℃),如面包、饭食等。不同类型的食品会用不同的方法和设备配送,如各种保温车和冷藏车。由于冷藏车在上下货时经常开关门,容易引起车厢温度的变化和冷藏食品的变质,7-ELEVEN 还专门用一种两仓式货运车来解决这个问题,一个仓中温度的变化不会影响到另一个仓,需冷藏的食品就始终能在需要的低温下配送了。

除了配送设备,不同食品对配送时间和频率也会有不同的要求。对于有特殊要求的食品如冰激凌,7-ELEVEN 会绕过配送中心,由配送车早、中、晚三次直接从生产商门口拉到各个店铺。对于一般的商品,7-ELEVEN 实行的是一日三次的配送制度,早上 3~7 点配送前一天晚上生产的一般食品,早上 8~11 点配送前一天晚上生产的特殊食品,如牛奶、新鲜蔬菜,下午 3~6 点配送当天上午生产的食品,这样一日三次的配送频率在保证了商店不缺货的同时,也保证了食品的新鲜度。为了确保各店铺供货的万无一失,配送中心还有一个特别的配送制度来和一日三次的配送相搭配。每个店铺都会随时碰到一些特殊情况造成缺货,这时只要向配送中心打电话告急,配送中心就会用安全库存对店铺紧急配送,如果安全库存也已告急,中心就转而向供应商紧急要货,并且在第一时间送到缺货的店铺手中。

总之,配送管理模式的不断改进,特别是配送中心成立和配送时间种类的细分是7-ELEVEN便利店成功的重要因素。

【本章小结】

本章介绍了物流配送的基础知识。首先介绍了配送的概念、物流配送的特点及目的,并解释了配送与运输之间的关系。然后介绍配送合理化的检验指标,针对配送的不同目的和不同功能等予以分类,最后对配送的几种模式作了详细的解释。通过对这些内容的学习,将有助于掌握配送的基础知识和概念。

【关键术语和概念】

配送　配送合理化　定时配送　定量配送　定时、定量配送　销售配送　供应配送　销售—供应一体化配送　共同配送

【思考与练习】

1. 配送与物流及运输的关系如何?

2. 如何做到配送合理?

3. 你怎样理解共同配送?

【补充阅读】

1. 孙宏岭. 高效率配送中心的设计与经营. 北京: 中国物资出版社, 2002

2. 何明珂. 现代配送中心: 推动流通创新的趋势. 北京: 中国商业出版社, 2003

3. ［日］菊池康也. 物流管理. 丁立言译. 北京: 清华大学出版社, 2001

3 配送模式与配送策略

⦿**本章学习要点**

    1. 配送的功能有哪些

    2. 配送的几种具体模式是什么

    3. 如何实施配送策略

    4. 怎样解决共同配送问题

⦿**本章学习内容**

    1. 配送功能及其要素

    2. 配送网络

    3. 配送模式

    4. 配送增值服务

    5. 配送策略及共同配送

⦿**本 章 案 例**

⦿**本 章 小 结**

⦿**关 键 术 语 和 概 念**

⦿**思 考 与 练 习**

⦿**补 充 阅 读**

【案例演练】

EMS 邮政速递

    每天，经过快速汽车网集中到节点城市的 EMS 跨区域邮件，会在凌晨 1：10 至 3：00 由中国邮政航空飞机运载着飞往上海，对其进行集中分拣和交换，按照这些邮件目的地确定它应该前往的节点城市，并由各个节点城市的返程飞机在清晨 7：40 至 8：55 运达。之后，这些熬夜乘坐

"全夜航"飞机的 EMS 邮件会再次通过地面的快速汽车网送往它们的最终目的地。

而在飞机起飞的压力下，EMS 对业务流程进行着系统性的再造，这意味着局部的最优一定要屈服于整体的时间承诺。如果北京的飞机能够在凌晨正常出航，运送 EMS 邮件的车辆就必须在午夜零点驶出位于天桥的速递快件处理中心，而这也要求工作人员在夜晚 23∶30 之前完成邮件的内部处理过程——最终，北京 EMS 邮件的内部处理作业时间被压缩一半。内部作业时间的压缩，使得往返于快速汽车网中的车辆也要确定时限，这样不仅跨区域的业务效率得到监督，作为跨区域业务基础的中短途递送和同城递送的运作也受到了督促。

以往，各个环节都会有自己的安排方式。现在，包括收件、转运、内部处理和投递等环节在内，都对流程进行了综合协调，将不必要的多余环节剔除或整合。

图 3-1　EMS 邮政速递

通过这种约束条件下的时限倒推，EMS 在不断地提高运作的效率和运营的能力。最终，EMS 在 136 个城市之间由"次日递"向"次晨达"转化。

至此，"次晨达"业务正在三大经济圈之间实现了联通，EMS 成为国内首家大范围、跨区域开办"次晨达"精品业务的快递企业。在跨区域的快递市场上，EMS 通过"次晨达"业务树立了自己的竞争优势。

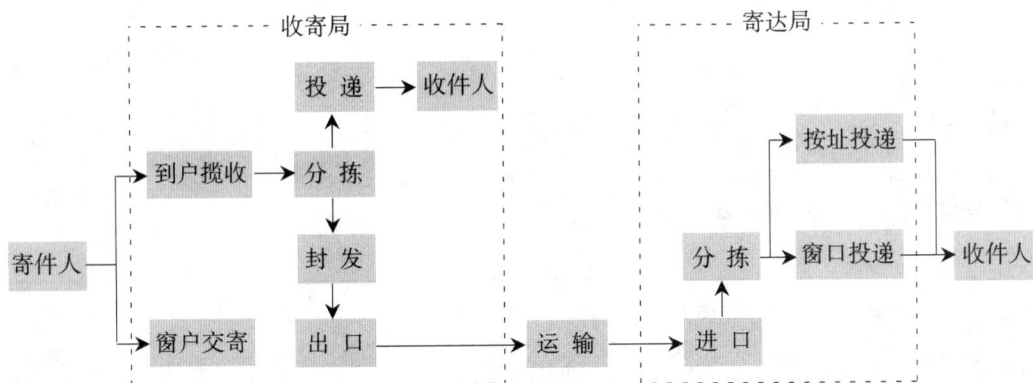

图 3-2　EMS 的速递模式

3.1　配送功能及其要素

配送系统是物流系统的一个子系统，而且是直接面对用户提供物流服务的子系统。由于服务的对象不同，配送物品的性质不同，加上用户要求的多样化，特别是定制化服务的需求，使得配送系统的网络结构、配送模式和服务方式也呈现多样化。正确地选择配送系统模式和服务方式，对提高物流效率和经济效益有着重要影响。

3.1.1 配送功能

配送本质上是运输,创造空间效用自然是它的主要功能。但配送不同于运输,它是运输在功能上的延伸。相对运输而言,配送除创造空间效用这一主要功能之外,其延伸功能可归纳为以下几个方面:

1. 完善了运输系统

现代大载重量的运输工具,固然可以提高效率,降低运输成本,但只适于干线运输,因为干线运输适用于长距离、大批量、高效率、低成本的运输。支线运输一般适用于小批量运输,如果使用载重量大的运输工具则是一种浪费。支线小批量运输频次高、服务性强,要求比干线运输具有更高的灵活性和适应性,而配送通过与其他物流环节的结合,可实现定制化服务,能满足这种要求。因此,只有配送与运输密切结合,使干线运输与支线运输有机统一起来,才能实现运输系统的合理化。

2. 消除交叉输送

交叉输送,如图 3-3 所示,在没有配送中心的情况下,由生产企业直接运送货物到用户,即使采取直接配送方式,交叉运输也是普遍存在的。由于交叉运输的存在,使输送路线长、规模效益差、运输成本高。如果在生产企业与客户之间设置配送中心,采取配送方式,如图 3-4 所示,则可消除交叉运输。因为设置配送中心以后,将原来直接由各生产企业送至各客户的零散货物通过配送中心进行整合再实施配送,缓解了交叉输送,输送距离缩短,成本降低。

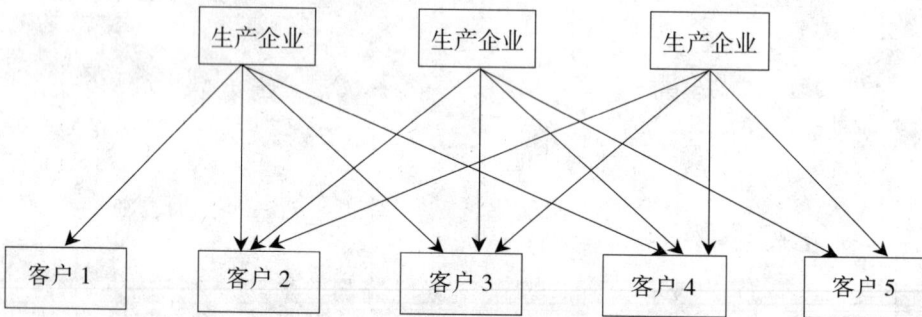

图 3-3 交叉输送

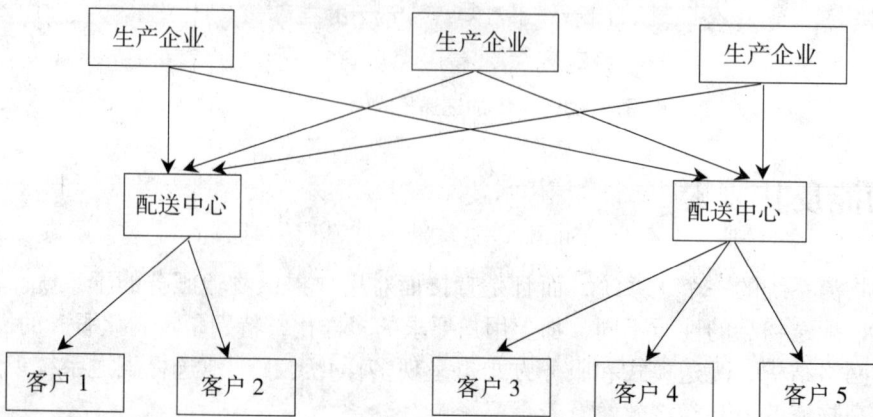

图 3-4 消除交叉输送

3. 提高了末端物流的经济效益

缓解交叉输送采取配送方式，通过配货和集中送货，或者与其他企业协商实施共同配送，可以提高物流系统末端的经济效益。

4. 实现低库存或零库存

配送通过集中库存，在同样满足客户需求的情况下，可使系统总库存水平降低，这样既降低了存储成本，也节约了运力和其他物流费用。尤其是采用准时制配送方式后，生产企业可以依靠配送中心准时送货而无须保持自己的库存，或者只需保持少量的保险储备，这就可以实现生产企业的"零库存"或低库存，减少资金占用，改善企业的财务状况。

5. 简化手续，方便用户

由于配送可提供全方位的物流服务，采用配送方式后，用户只需向配送供应商进行一次委托，就可得到全过程、多功能的物流服务，从而简化了委托手续和工作量，也节省了开支。

6. 提高了供应保证程度

采用配送方式，配送中心比任何单独供货企业都有更强的物流能力，可使用户减少缺货风险。如巴塞罗那大众物流中心承担着为大众、奥迪、斯柯大、斯亚特等大众系统四个品牌的汽车零部件的配送任务。四个品牌的汽车在控车下线前两个星期，有关这些车辆88 000种零配件在这里可以全部采购到。假如用户新买的车坏了，只要在欧洲范围内，24小时内就会由专门的配送公司把用户所需要的零部件送到手中。

3.1.2　配送活动及环节

配送实际是一个物品集散过程，这一过程包括集中、分类和散发三个步骤。这三个步骤由一系列配送作业环节组成，通过这些环节的运作，使配送的功能得以实现。因此，通常将这些作业环节称为配送功能要素。配送的基本功能要素主要包括集货、分拣、配货、配装、送货、流通加工等。

1. 集货

集货是配送的首要环节，是将分散的、需要配送的物品集中起来，以便进行分拣和配货。为了满足特定用户的配送要求，有时需要把用户从几家甚至数十家供应商处预订的物品集中到一处。集货是配送的准备工作。配送的优势之一，就是通过集货形成规模效益。如深圳中海物流公司为IBM公司配送时，先将IBM公司遍布世界各地的160多个供应商提供的料件集中到香港中转站，然后通关运到深圳福田保税区配送中心，这是一个很复杂的集货过程。

2. 分拣

分拣是将需要配送的物品从储位上拣取出来，配备齐全，并按配装和送货要求进行分类，送入指定发货地点堆放的作业。分拣是保证配送质量的一项基础工作，它是完善送货、支持送货的准备性工作。成功的分拣，能大大减少差错，提高配送的服务质量。

3. 配货

配货是将拣取分类完成的货品经过配货检查，装入容器并做好标记。

4. 配装

配装也称配载，指充分利用运输工具（如货车、轮船等）的载重量和容积，采用先进的装载方法，合理安排货物的装载。在配送中心的作业流程中安排配载，把多个用户的货物或同一用户的多种货物合理地装载于同一辆车上，不但能降低送货成本，提高企业的经济效益，还可减少交通流量，改善交通拥挤状况。

配装是配送系统中具有现代特点的功能要素，也是配送与送货的重要区别之一。

5. 送货

送货是将配好的货物按照配送计划确定的配送路线送达用户指定地点，并与用户进行交接。如何确定最佳路线，如何使配装和路线有效结合起来，是配送运输的特点，也是难度较大的工作。

6. 流通加工

在配送过程中，根据用户要求或配送对象（产品）的特点，有时需要在未配货之前先对货物进行加工（如钢材剪裁、木材截锯等），以求提高配送质量，更好地满足用户需要，融合在配送中的货物加工是流通加工的一种特殊形式，其主要目的是使配送的货物完全适合用户需要和提高资源的利用率。

3.2 配送网络

配送系统是一个网络结构的系统，它与物流系统一样，是由物流节点活动和线路活动构成的，节点活动的场所（节点）包括物流中心、配送中心、物品的供方和需方；线路活动是运输工具在运输线路上的运动形成的，它反映了节点之间物品的传递关系。所以配送网络通常用节点和节点之间物品的传递关系来表示。配送网络是配送作业的基本条件，不同类型的节点和不同的网络结构决定了配送模式和配送方法，从而产生不同的配送效果。因此，我们在讨论配送模式和配送策略之前，先了解一下物流配送网络结构是非常必要的。

3.2.1 集中型配送网络

集中型配送网络是指在配送系统中只设一个配送中心，所有用户需要的物品均由这个配送中心完成配送任务。在这种系统中，因为只有一个配送中心，配送决策由这个中心作出，配送的商品也只经过这一个中心进出，所以从这一点看是一种集中控制和集中库存的模式。如一个城市范围内中小型连锁公司自己设置的为所属连锁店配送商品的配送系统一般只设一个配送中心，就属于这种配送网络类型。如图 3 - 5 所示。

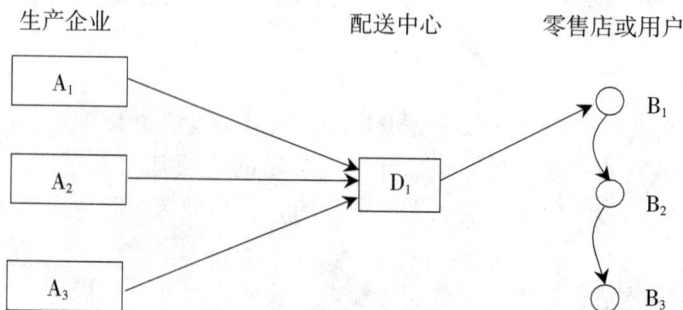

图 3 - 5 集中型配送网络

集中配送库存集中，有利于规模经济的实现，也有利于库存量的降低，但也存在外向运输（从配送中心到顾客的运输成本）增大的趋势，具体表现在如下几个方面：

（1）管理费用少。相对于分散配送系统，由于规模大，管理的固定费用下降，因此管理费用低。

（2）安全库存降低。在相同服务水平下，集中比分散需要的安全库存小，所以总平均库存降低。

（3）用户提前期长。由于集中型系统中，配送中心离用户远了一些，因此使用户的提前期变长。

（4）运输成本中外向运输成本（从配送中心到顾客的运输成本）相对高一些，因为配送中心离用户的距离与分散型系统相比要远一些。但内向运输成本（从生产厂到配送中心的运输成本）相对会低一些。

3.2.2 分散型配送网络

分散型配送网络是指在一个配送系统中（通常指在一个层次上）设有多个配送中心，而将用户按一定的原则分区，归属某一个配送中心。如图 3-6 所示。大城市中的大型连锁公司自己设置的为所属连锁店配送商品的配送系统通常要设置多个配送中心才能满足需要，就属于这种配送网络类型。

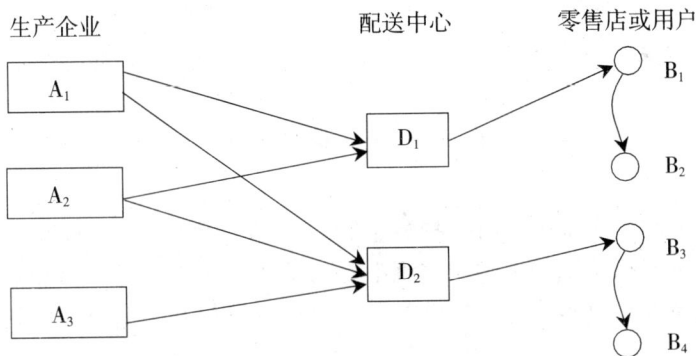

图 3-6　分散型配送网络

这种结构的配送特点是：
（1）由于配送中心离用户近，外向运输成本低。
（2）从供应商向配送中心送货时，由于要向多个配送中心送货，规模经济自然没有集中型好，故内向运输成本（从供应商到配送中心的运输成本）大。
（3）由于库存分散，安全库存增大，总平均库存也增大。
（4）由于配送中心离用户相对近一些，因此用户的提前期会相应缩短。

3.2.3 多层次配送网络

多层次配送网络是在系统中设有两层或更多层次的物流中心和配送中心，其中至少有一层是配送中心，而且是靠近用户。大型第三方物流企业、大型零售企业或从供应链来看的物流系统，它们的配送网络通常采用这种结构。日本许多大型第三方物流企业和大型零售企业多在大城市40千米的圈外建立大规模的广域物流中心，与原有配送中心共同构成多层次的配送网络结构，目的是既要满足用户高度化的服务需求，还要提高物流效率。随着企业规模的大型化，配送规模扩大，经营品种增多，以高频率、小批量为前提的高水平配送需要使库存集约化，需要最大限度地追求连托架、货柜、散货都能高效率快速处理的机械化、自动化、信息化的物流设施，同时也为了追求低成本物流战略，这种大型广域物流中心应运而生。图3-7为含有广域物流中心的两层配送网络。日本以综合商店为中心的大批量销售的连锁型零售业，90%以上都拥有这种广域物流中心。

多层次配送的网络系统，因为与供应商和与用户的距离都较近，所以内向运输成本（从供应商到配送中心的运输成本）和外向运输成本（从配送中心到用户的运输成本）相对都会有所降低。

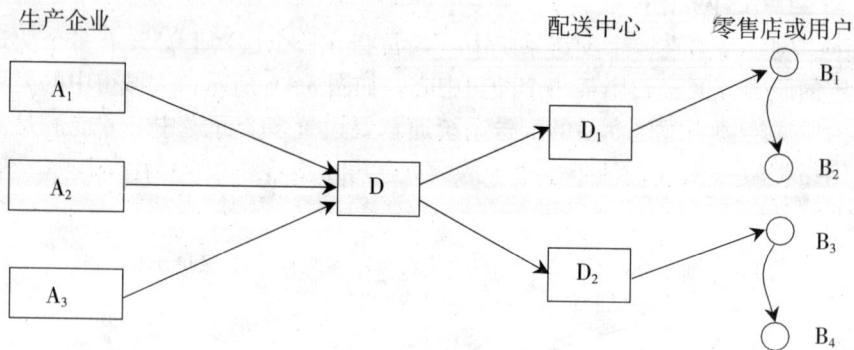

图3-7 多层次配送网络

在多层次配送的网络系统中，有些物流中心或配送中心只是充当物品中转的协调点，而不是商品的储存点，商品从制造商到达物流中心或从物流中心到配送中心停留只有几个小时，这是为了缩短商品储存的时间和零售店的提前期。因此，这种多层次的系统并不一定会增加商品的库存量。

3.2.4 几种典型的配送网络

1. 工业生产资料配送网络

工业生产资料是工业企业生产过程中所消耗的生产资料，包括原材料、燃料、设备和工具等。工业生产资料的配送也可称为供应配送或供应物流，它是为生产企业提供原材料、零部件等物品而进行的配送。工业生产资料配送服务的对象都是企业，供方是提供原材料的零部件的企业，需方是消耗原材料和零部件的企业。生产企业消耗生产资料一般用量比较大，计划性强，可替换性小，进入消耗可能要经过初加工。为了降低物流成本，保证生产的顺利进行，需方企业对配送系统在品种、数量、到达时间、到达地点的要求会比较高，特别是采用准时制生产的企业，要求物流配送系统能严格按生产计划和进度将所需生产资料直接配送到生产现场进入消耗。

深圳中海物流公司为IBM、美能达等企业提供的物流服务属生产资料配送。中海物流公司创办于 1994 年，1995 年正式开展配送业务，是深圳市福田保税区的第一家现代综合物流企业。1998 年，中海物流公司与美国著名的国际商用机器公司（IBM）成功签约，为该公司提供供应和国际市场销售两个方向的配送，1999 年又与香港美能达公司（MINOLTA）签约，承担了该公司更加复杂的配送业务。

IBM 公司的生产企业地处我国广东，它需要的零部件来自世界上 160 多个供应商。IBM 企业实行准时制生产方式，其零部件供应物流的香港至企业段，由中海物流公司承担。零部件从供应商到达生产企业的物流运作程序是：IBM 采购中心根据需要向供应商发出订单，各供应商发货并通知中海物流配送中心，中海物流配送中心在香港接货，必要时在香港的中海物流中转站进行分拣、配装，再根据交货指令完成运输、报关、检疫、验货后进入深圳福田保税区的配送中心仓库；IBM 生产企业根据生产线上的需要，向中海物流配送中心发出提货信息，配送中心经过拣选、配货装车、运输和报关，即时送货到工厂。产成品在国际市场销售的程序是：将生产企业生产的成品和不合格零部件反向送回到配送中心，对产成品，根据IBM 的客户订单进行分拣、配货装车、报关，运送到香港，通过海运、航空发送到 IBM 的客户；对不合格零部件，按产成品同样的程序反向配送到原供应商。

中海物流公司对美能达公司的配送，尤其是对美能达本部生产企业的配送与 IBM 类似，不同的是，供应商供给的零部件，有一部分还要经过中国国内的供应商加工成半成品后方能供给本部企业，这一部分物流业务也由中海物流公司承担。图 3－8 为深圳中海物流配送中心的配送网络图。

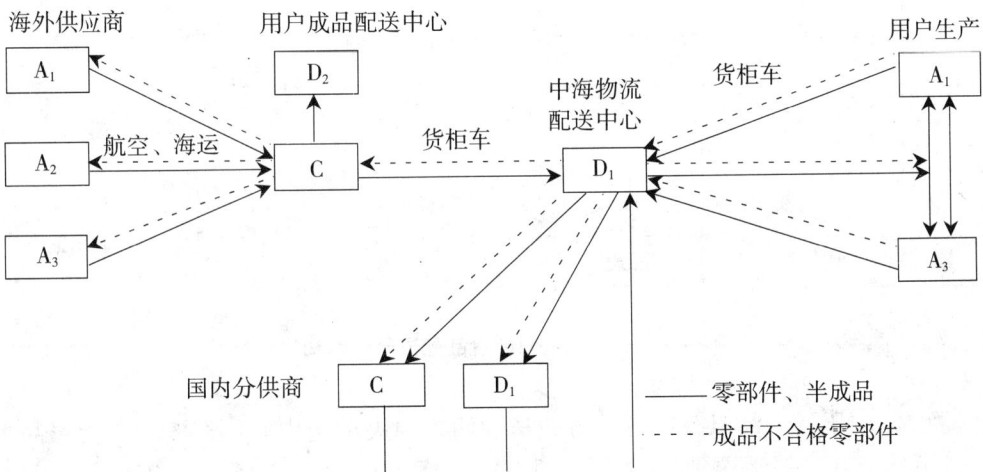

图 3-8　深圳中海物流配送中心的配送网络

2. 生活消费品配送网络

生活消费品是由工农业企业提供的个人消费品，包括五金、家电、家具、纺织品、化妆品、工艺品、食品、饮料、果蔬、药品等。

生活消费品的配送网络结构和流程与工业生产资料的配送没有什么本质区别，只是配送的用户是零售店而不是生产企业，零售店只能根据对市场的预测来确定需求计划，因而计划的精度没有生产企业根据生产进度来确定原材料和零配件需求计划那样高。另外，零售店一般会保留一定数量的商品库存，也与生产资料配送中生产企业期望做到"零库存"配送的要求是不一样的。因此，工业生产资料的配送与生活消费资料的配送，在配送作业与用户需求衔接的严密程度方面，前者比后者的要求要高一些。

图 3-9 为意大利巴里勒公司的食品配送网络结构图，它是一个分散型配送系统。

巴里勒是意大利的一家通心粉制造商，1989 年巴里勒已有 25 家生产企业，1990 年巴里勒公司已成为世界上最大的通心粉制造商，其通心粉占意大利市场份额的 35% 和欧洲市场份额的 22%。

巴里勒的产品分为两大类：一类是"新鲜"产品，包括新鲜通心粉（具有 21 天的货架寿命）和新鲜面包（只有一天的货架寿命）；另一类是"干货"产品，包括干通心粉和长期货架面包产品，如甜饼、饼干、面粉、面包条和烤面包等，其货架寿命为 4~18 个月（干通心粉和烤面包）或 10~12 周（甜饼）。巴里勒的干产品有 800 种不同包装的商店保存单位。

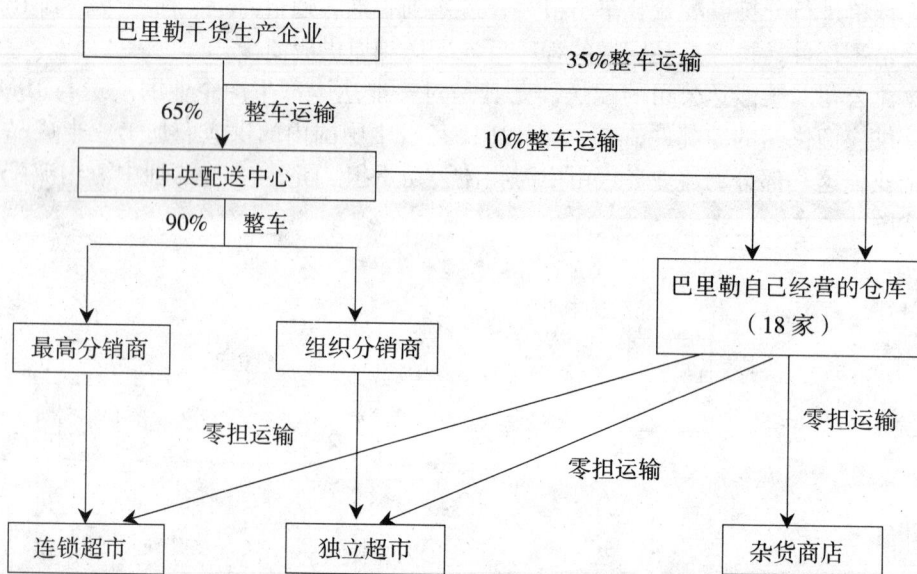

图 3-9 巴里勒公司的食品配送网络结构

巴里勒 65% 的干货产品以整车运输方式送到两个中央配送中心，35% 的干货产品由生产厂以整车运输方式直接运送到 18 家巴里勒自己经营的仓库，这 18 家仓库比中央配送中心低一个层次，它直接对连锁超市、独立超市和杂货商店以零担运输方式配送，而且中央配送中心还向这 18 家仓库中转调运产品。图中"最高分销商"实际上是连锁超市的配送中心，它们仅向连锁超市配送。"组织分销商"是向独立超市配送的配送中心，但不属于独立超市，而且它还对其他大量独立超市充当中心采购组织。最高分销商和组织分销商不仅只是接受巴里勒中央配送中心的供货，一般要接受 200 多个不同供应商的供货。显然，巴里勒配送模式在上层中央物流中心和下一层的自营仓库与其他主体的配送中心都是分散型系统模式。

3. 包裹快递配送网络

包裹快递又称住宅配送，日本称宅急便。它是在全国或全球范围内构筑一个多层次配送网络的基础上,各网点以小货车为工具收取用户(个人或组织)需要寄送的物品,并集中到发送地中转站,在中转站进行分拣、配货、配载,然后经区间运输送到接收地中转站,再通过接收地网点用小货车送到收货人手中。包裹快递原是为住宅区居民提供快捷、便利的包裹运输服务的一种物流方式,后来发展成一种专门的快递业务。

包裹快递是一种特殊的配送业务,与供应配送和销售配送的主要区别在于:

(1)配送的使命不同,即客体不同。包裹快递不同于供应、配送和销售配送,不是直接为生产经营服务,而是为人们的工作、生活提供方便,即使命不同。包裹快递配送的客体主要是小包裹和信函之类,如机械小配件、录像带、贸易小样品、礼品、私人小行李、信函、票据、合同、资料等。随着物流业的发展和市场竞争的加剧,包裹快递也在逐渐向生产经营领域里的物流业务延伸,如电子商务和网络营销方式下的销售配送业务,有时候就是由快递公司承担的,B to C 模式销售给个人的消费品交由快递公司配送,具有更大的优势。

(2)功能差异。由于使命不同,功能上存在差异。供应配送和销售配送为了保证生产和市场需求,配送过程通常具有存储和加工功能;而包裹快递用户要求的是尽可能快地实现物品空间位置的转移,因而主观上不希望出现停滞,即包裹快递配送是不需要存储功能和加工功能的。

(3)服务对象广泛,网络覆盖面广。供应配送和销售配送的服务对象主要是工商企业;包裹快递的服务对象要广泛得多,不仅包括工商企业,还包括政府机关、事业单位、社会团体,更多的还是广大居民,凡有人群的地方都需要这类业务,因而包裹快递的配送网络的覆盖范围应尽可能宽。目前,快递业务已遍及世界五大洲95%以上的国家和地区。

图3-10为日本宅急便配送网络图。日本宅急便诞生于1976年,是从大和运输的宅急便开始的,据说开始服务第一天的营业量只有两件货,第一年度总共30万件。宅急便后来在日本迅速发展,并采用专用投递车、大型集散站点、货物追踪信息系统等。开发了高尔夫、滑雪宅急便,即为出外打高尔夫球和滑雪的运动者提供高尔夫球杆、滑雪板的配送服务。现在,日本住宅配送的货物80%来自企业,家庭到家庭的货物只占20%,住宅配送正快速打进产品直送和邮寄销售的物流业务之中。

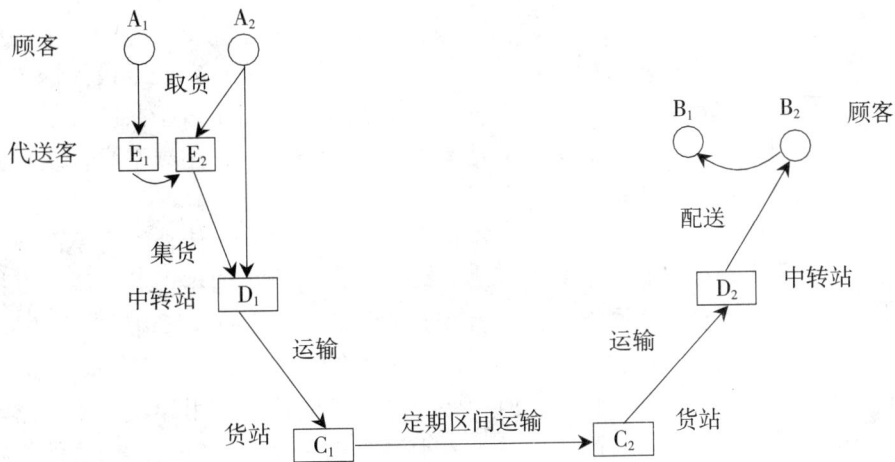

图3-10 日本宅急便配送网络

（4）包裹输送速度快。"快"是包裹快递的最本质特征，也是用户最基本的要求。美国联邦快递向用户承诺的服务时间是在 24 小时和 48 小时以内把用户的包裹送到收件人手中。

美国的包裹快递业务发展最为迅速，实力最强大，全球快递业四大巨头——联邦快递（Fedex）、联合包裹（UPS）、敦豪（DHL）和天地快运（TNT），前三家均属美国。联邦快递公司成立于 1971 年，为世界 500 强企业，现服务网络已遍布世界 210 多个国家和地区，1999年已拥有 630 架飞机（300 多架为租用）的包裹机队，运输车辆 5 万余辆，包裹速递量达900 007 件左右；联合包裹运输服务公司成立于 1907 年，目前服务网点分布世界 200 多个国家和地区，建有 2 400 多个分送中心，1999 年已拥有 610 架飞机（租用 300 多架）的包裹运输机队，15.7 万辆运输车辆，年包裹投递量 47 003 万件，营业额 270 亿美元；敦豪公司成立于 1969 年，现在全世界设有 21 个服务站。

世界快递四大巨头从 1986 年开始进军中国市场，都在我国设立了分公司，20 世纪 90 年代以来，它们的国际速递业务都以 20% 以上的速度增长。但我国自己的包裹快递业务发展迟缓，中国邮政 EMS 2001 年 8 月 1 日才在国内开办了包裹快递业务。

3.3 配送模式

配送网络确定以后，配送模式与服务方式就成为降低配送成本、提高服务水平的关键。而且，配送模式与服务方式还会对物流系统的库存和其他物流环节产生影响。因此，正确地选择配送模式和服务方式对于改善配送效果、提高物流系统的效率和效益有着重要意义。

3.3.1 直接配送模式

直接配送模式实际上不设配送中心，即用户或零售商需要的商品直接从供应商配送到指定的地点。这种模式的优势在于无须中介仓库，而且在操作和协调上简单易行；运输决策完全是地方性的，一次运输决策不影响别的货物运输。同时，由于每次运输都是直接的，从供应商到零售商的运输时间较短，减少了中间环节，避免了配送中心的费用。但这种模式同时也带来三个方面的问题：一是由于库存分散在用户或零售商的仓库里，不能集中调度，无法利用风险分担效应来降低整个系统的库存量，会使存储成本增高；二是不设配送中心，用户离供应厂商的距离远，用户也必须保持较大的库存量；三是不利于组织共同配送，运输的规模效益难以形成。因为当一个供应商供货的量不大时，运输工具的空载率高，或者派较小的车辆送货，这样规模效益都比较低。

如果零售店的规模足够大，对供应商和零售店来说，每次的最佳补给规模都与卡车的最大装载量相接近，那么直接运输网络就是行之有效的。但对于小的零售店来说，直接运输网络的成本过高。如果在直接运输网络中使用满载承运商，由于每辆卡车相对较高的固定成本，从供应商到零售店的货运必然是大批量进行的，这必然会导致供应链中库存水平提高。相反，如果使用非满载承运，尽管库存量较少，但却要花费较高的运输费用和较长的运输时间。如果使用包裹承运，运输成本会非常高。而且，由于每个供应商必须单独运送每件货物，因此供应商的直接运送将导致较高的货物接收成本。如图 3 – 11 所示。

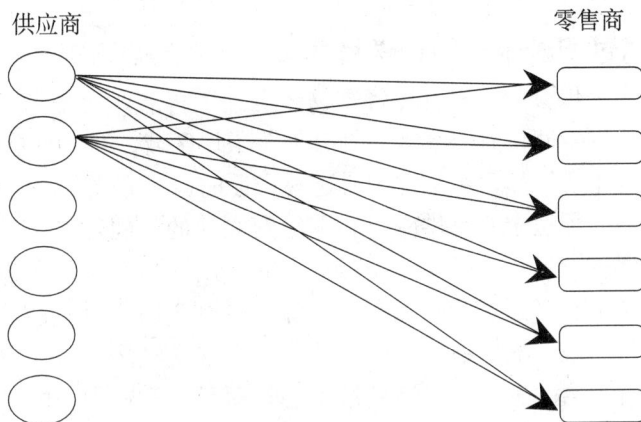

图 3 - 11　直接配送模式

3.3.2　送奶线路的直接配送模式

送奶线路是指一辆卡车将从一个供应商那里提取的货物送到多个零售店时所经历的线路，或者从多个供应商那里提取货物送至一个零售店时所经过的线路。在这种运输体系中，供应商通过一辆卡车直接向多个零售店供货，或者由一辆卡车从多个供应商那里装载要运送到一家零售店去的货物。一旦选择这种运输体系，供应链管理者就必须对每条送奶线路进行规划。

直接运送具有无须中介仓库的好处，而送奶线路通过多家零售店在一辆卡车上的联合运输降低了运输成本。例如，由于每家零售店的库存补给规模较小，这就要求使用非满载进行直接运送，而送奶线路使多家零售店的货物运送可以在同一辆卡车上进行，从而更好地利用了卡车并降低了运输成本。直接向商店供货的公司，如 Frito-lay 零售公司，利用送奶线路可能降低运输成本。如果有规律地进行经常性、小规模的配送，而且一系列的供应商或零售店在空间上非常接近，送奶线路的使用将显著地降低成本。比如说，丰田公司利用送奶线路运输来维持其在美国和日本的即时制造系统。在日本，丰田公司的许多装配厂在空间上很接近，因而可以使用送奶线路从单个供应商那里运送零配件到多个工厂。而在美国则相反，丰田公司利用送奶线路将多个供应商的零配件运往位于肯德基州的一家汽车装配厂。如图 3 - 12 所示。

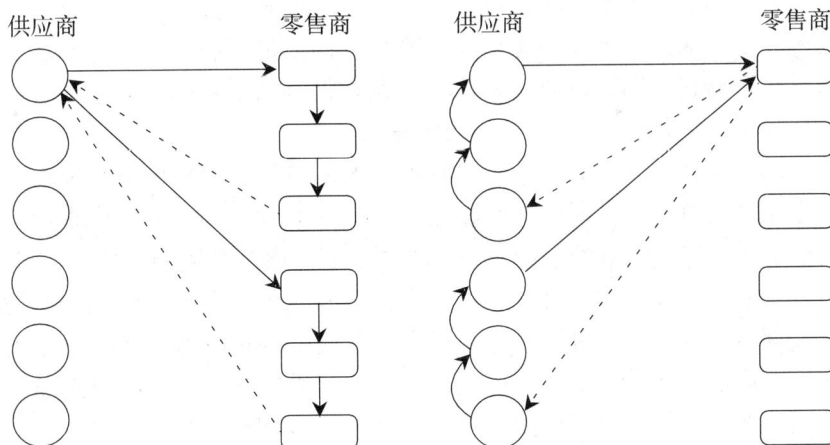

图 3 - 12　送奶线路的直接配送模式

3.3.3 所有货物通过配送中心的配送模式

在这种运输系统中,供应商并不直接将货物运送到零售店,而是先运到配送中心再运到零售店。零售供应链依据空间位置将零售店划分为若干户区域,并在每个区域建立配送中心。供应商将货物送至配送中心,然后由配送中心选择合适的运输方式,再将货物送至零售店。

在这一运输体系中,配送中心是供应商和零售商之间的中间环节,发挥着两种不同的作用。一方面进行货物保管;另一方面则起着转运点的作用。当供应商和零售店之间的距离较远、运费高昂时,配送中心(通过货物保存和转运)有利于减少供应链中的成本耗费。通过使进货地点靠近最终目的地,配送中心使供应链获取了规模经济效益,因为每个供应商都将中心管辖范围内的所有商店的进货送至该配送中心。而且,配送中心的送货费不会太高,因为它只为附近的商店送货。

如果零售店要求区域内大批量地进货,那么配送中心就保有这些库存,并为零售店更新库存进行小批量送货。例如,沃尔玛商店在从海外供应商处进货的同时,把产品保存在配送中心,因为配送中心的批量进货规模远比附近的沃尔玛零商店的进货规模大。如果商店的库存更新规模大到足以获取进货规模经济效益,配送中心就没有必要为其保有库存了。在这种情形下,配送中心通过把进货分拆成运送到每一家商店的较小份额,将来自许多不同供应商处的产品进行对接。当配送中心进行产品对接时,每一辆进货卡车上装有来自同一个供应商并将运送到多个零售店的产品,而每一辆送货卡车则装有来自不同供应商并将被送至同一家商店的产品。货物对接的主要优势在于无须进行库存,并加快了供应链中产品的流通速度。货物对接也减少了处理成本,因为它无须从仓库中搬进搬出,但成功的货物对接常常需要高度的协调性和进出货物步调的高度一致。

货物对接适用于大规模的可预测商品,要求建立配送中心,以在进出货物两个方面的运输都能获取规模经济。沃尔玛已经成功地运用货物对接,减少了供应链中的库存量,而且没有引起运输成本增高。沃尔玛在某一区域内建立了许多由一个配送中心支持的商店。因此,在进货方面,所有商店从供应商处的进货能装满卡车并获取规模经济。而在送货方面,为了获取规模经济,他们把从不同供应商运往同一零售店的货物装在一辆卡车上。如图 3-13 所示。

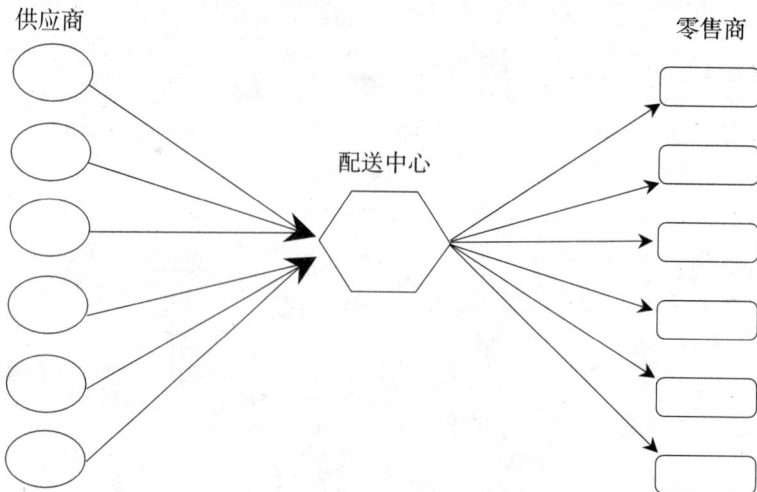

图 3-13　所有货物通过配送中心的配送模式

3.3.4 通过配送中心使用送奶线路的配送模式

如果每家商店的进货规模较小，配送中心就可以使用送奶线路向零售商送货了。送奶线路通过联合的小批量运送减少了送货成本。比如说，日本的 7 - ELEVEN 公司将来自新鲜食品供应商的货物在配送中心进行对接，并通过送奶线路向商店送货。因为单个商店依据所有供应商的进货还不足以装满一辆卡车，货物对接和送奶线路的使用使该公司在向每一家连锁店提供库存商品时降低了成本。同时，使用货物对接和送奶线路要求高度的协调以及对送奶线路进行合理规划和安排。如图 3 - 14 所示。

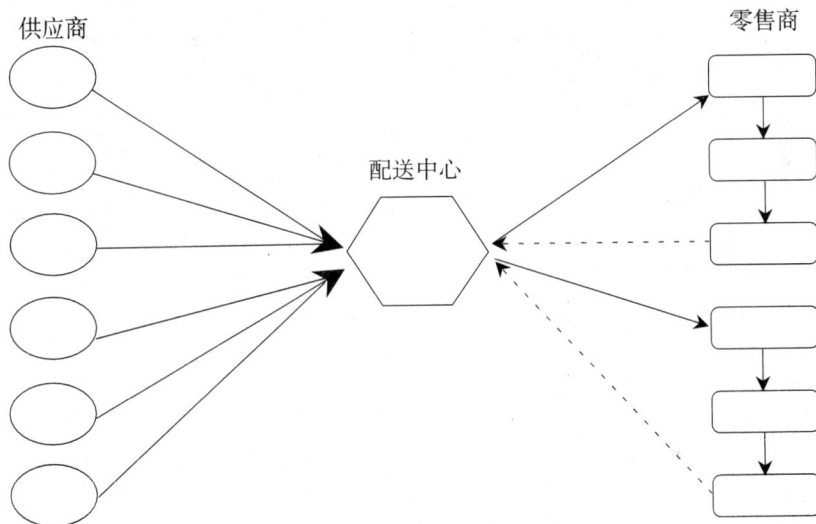

图 3 - 14　通过配送中心使用送奶线路的配送模式

3.3.5 量身定做的配送模式

以上几种运输体系减少了运输费用，增强了供应链的反应能力。量身定做的配送模式是上述运输体系的综合运用。它在运输过程中综合运用货物对接、送奶线路、满载和非满载承运，甚至在某些情况下使用包裹递送，目的是视具体情况，采用合适的配送方案。送到大规模商店的大批量产品可以直接运送，送到小商店的小批量产品可以通过配送中心运送。这种运输体系的管理是很复杂的，因为大量不同的产品和商店要使用不同的运送程序。量身定做的运输网络的运营，要求较多的信息基础设施及其引致的投资，以便进行协调。但同时，这种配送网络也可以有选择地使用送货方法，减少运输成本和库存成本。

每种配送模式都有其特点，表 3 - 1 概括了以上不同运输网络的优缺点。

表 3-1　不同运输网络的优缺点

网络结构	优　点	缺　点
直接运输	●无须中间仓库 ●简单的协作	●库存水平高（由于货物批量大） ●巨大的接收费用
利用送奶线路的直接运送	●小批量货物较低的运输成本 ●较低的库存水平	●协调的复杂性加大
所有货物通过配送中心库存的运送	●通过联合降低了进货运输成本	●增加了库存成本 ●增加了配送中心的处理费用
所有货物通过配送中心对接运送	●必备库存水平很低 ●通过联合降低了运输成本	●协调的复杂性加大
通过配送中心使用送奶线路的运送	●小批量货物有较低的送货成本	●协调的复杂性进一步加大
量身定做的运输网络	●运输选择与单个产品和商店	●协调的复杂性最大

3.3.6　流通加工型配送模式

流通加工型配送，是为了促进销售、方便用户，或是为了提高物流效率，在配送中心对物品进行生产辅助性加工后再进行配送的配送模式。显然，流通加工型配送，在配送中心必须有较强的流通加工能力。流通加工的内容包括分割、包装、计量、检验、贴标等。由于加工对象和加工目的不同，流通加工的具体内容也多种多样，如金属剪切、原木开木下料、配煤、水泥搅拌、食品冷冻保鲜、蔬菜洗切等。流通加工一般在配送环节之前进行。从提高物流效率的角度看，流通加工是进行合理化配送的重要条件，因此，流通加工与配送的关系十分密切。有些文献资料对配送进行的定义中就包括了流通加工。流通加工作为配送的重要条件，其作用主要表现在以下几个方面：

（1）通过分割加工，可实现小批量、多批次的配送，有利于降低用户库存或实现零库存配送。例如，钢材卷板每卷30吨，许多企业不仅一次消耗量没有这么大，而且也没有开卷能力，只有通过剪切加工，然后配送到生产现场，才能既解决用户开卷能力缺乏的问题，也能根据用户的消耗速率做到准时配送。

（2）包装、贴标是实现分拣自动化的重要手段。

（3）流通加工有利于提高运输工具的配载和装卸效率。如原木下料加工后，体积变小，重量减轻，车辆空间能更好地利用，经捆扎后的货物可提高搬运活性，装卸、搬运效率提高。

（4）流通加工可净化物流环境，有利于实现绿色物流。

（5）流通加工可增强配送增值服务的功能，增加了配送的附加值。

3.4 配送增值服务

3.4.1 配送基本服务及能力要求

1. 配送基本服务

物流本身是一种服务性活动，而运输、配送是物流功能的核心，特别是配送，它是多种物流功能的整合，所以物流的服务性特点在配送活动上体现得最为充分。

配送服务分为基本服务和增值服务，配送基本服务是配送主体据以建立基本业务关系的客户服务方案，所有的客户在一定的层次上予以同等对待；增值服务则是针对特定客户提供的特定服务，它是走出基本服务范围的附加服务。

服务是一种活动，它以必要的成本为顾客提供一定的效用价值。服务是有成本的，而且服务的成本与服务水准呈正相关关系。如果某商店愿意承担必要的资源，那么几乎任何水平的物流服务都是能达到的。从当今的物流环境看，物流服务的限制因素主要不是技术，而是经济。高水准的物流服务可以形成物流服务优势或物流优势，但成本很高。所以归根到底，物流服务是服务优势和服务成本的一种平衡。服务不是越高越好，而是以用户满意为目标，但是，不同用户对服务水平的要求是不一样的，我们把支持大多数顾客从事正常生产经营和正常生活的服务称为基本服务，而把针对具体用户进行的独特的、超出基本服务范围的服务称为增值服务。

2. 配送基本服务的能力要求

配送基本服务要求配送系统需具备一定的基本能力，这种能力是配送主体向用户承诺的基础，也是用户选择配送主体的依据。配送需要一定的物质条件，包括配送中心、配送网络、运输车辆、装卸搬运设备、流通加工能力、计算机信息系统以及组织管理能力。配送基本能力是这些设施、设备、网点及管理能力的综合表现，是形成物流企业竞争优势的基础。每个承担配送业务的物流企业，都应该创造条件，形成这种能力。

衡量一个物流企业或者一个配送主体的配送能力，应该从两个方面加以考虑：一是规模能力，包括配送中心的存储能力、吞吐能力、运输周转能力、流通加工能力等；二是服务水准能力，包括配送物品的可得性、作业绩效、可靠性等。对配送规模能力的衡量和评价，在物流中心设计的有关资料中有详细的分析，本书仅从服务水准能力方面进行讨论。

（1）可得性。配送物品的可得性是指用户对物品的需求是否能得到满足的角度提出来的服务水平，即满足率。在配送系统中，满足率可通过多种途径实现或提高，传统的做法是通过对用户需求的预测来设定库存，用一定的库存量保证用户需求的满足，库存量增大，满足率就高，否则就低。现代配送系统可通过生产延迟、物流延迟等方式，在不增加库存量的情况下也可达到提高满足率的效果。

对用户来说，可得性常常用缺货频率和缺货率两个指标来衡量，因为满足率不能完全说明服务水平的状态。

①缺货频率。是指用户在一段时期内多次订货中缺货的次数，缺货频率越高，说明配送系统对用户的生产经营或生活影响越频繁，给用户造成的损失越大。

②缺货率。是用缺货数量所占用户需求量的比重来衡量的，它反映了缺货的程度，有时虽然缺货次数不多，但每次缺货的量可能比较大，缺货率高，对用户的生产经营或生产影响

也大。

（2）作业表现。是指配送活动对所期望的时间和可接受的变化所承担的义务，它表现为作业完成的速度、一致性、灵活性、故障与恢复的状况等。如表 3 - 2 所示。

①作业速度。作业完成速度是反映配送系统是否能及时满足用户服务需求的能力，通常用接到用户订单或发出作业指令到用户得到货物的时间长度来衡量。作业速度指标要求配送各环节具有快速响应的能力，作业速度越快，越有利于降低用户库存，有利于缩短用户提前期，从而也有利于提高对市场预测的准确程度。

②一致性。一致性是从系统稳定性的角度对配送服务提出的要求。包括配送中心、配送网络、运输车辆、装卸搬运设备、流通加工能力、计算机信息系统以及组织管理能力。配送基本能力是这些设施、设备、网点及管理能力的综合表现，是形成物流企业竞争优势的基础。每个承担配送业务的物流企业，都应该创造条件，形成这种能力。

表 3 - 2　服务衡量变量

变　　　量	衡　量　期
订货数	时段
回收数	时段
延交订货数	时段
缺货量	时段/时点
已取消的订货数	时段/时点
已取消的产品种类	时段
恢复延交订货数	时段
建交订货年限	时段/时点
装运短缺数	时段
货损索赔数	时段
畅通无阻的次数	时段

3.4.2　配送增值服务

1. 配送增值服务的内容

增值服务是在基本服务基础上延伸的服务项目。增值服务涉及的范围很广，一般可归纳为以顾客为核心的增值服务、以促销为核心的增值服务、以制造为核心的增值服务和以时间为核心的增值服务四种。

（1）以顾客为核心的增值服务。这种增值服务向买卖双方提供利用第三方专业人员来配送产品的各种可供选择的方式，指的是处理客户向供应商的订货、直接送货到商店或客户家，以及按照零售店货架储备所需的明细货物规格持续提供配送服务。例如，日本大和公司为了在激烈的市场竞争中形成自己的竞争优势，开创了许多具有独创性的宅急便服务，包括百货店的进货和对家庭顾客的配送、通讯销售业者的无店铺销售支援系统、产地生产者的直接配送、专业店的订货配送、书刊的家庭配送等，使宅急便成为多样化、小批量定制化服务时代企业和家庭用户不可缺少的物流服务。武汉物资储运总公司承担了福州、厦门一些陶瓷生产企业向武汉汉西建材市场经销商配送瓷砖的运输和配送业务，除这一业务之外，还为陶瓷生产企业提供代收货款的业务，公司开发的计算机信息系统中还专门设计了这一代收货款的功能。

（2）以促销为核心的增值服务。这种增值服务旨在为用户提供有利于用户营销活动的服务。物流提供者服务的对象通常是生产企业或经销商，配送增值服务是在为他们提供配送服务的同时，增加更多有利于促销的物流支持。例如，为配送商品贴标、为储存的产品样品提供特别的介绍、为促销活动中的礼品和奖励商品设置专门的系统进行处理和托运等。保加利亚索菲亚服装配送中心，建有可保管众多服装制造企业的各种服装的高层自动化仓库，附设了样品陈列室、批发洽谈室等。客户在陈列室看好样品，在洽谈室订好货以后，配送中心就准时地把所需服装送达客户。

（3）以制造为核心的增值服务。这种增值服务旨在为用户提供有利于生产制造的特殊服务加以制造为核心的增值服务，实际上是生产过程的向后或向前延伸，使通过配送为生产企业提供的原材料、燃料、零部件进入生产消耗过程时尽可能减少准备活动和准备时间。例如，玻璃套裁、金属剪切、木材初加工等均属于这类增值服务。位于武汉经济开发区为神龙公司提供物流服务的锦龙公司，在为神龙公司配送零部件时，零部件进入神龙公司总装之前即拆除包装箱，并负责将这些包装箱回收和返厂。这不仅减少了汽车总装厂的生产准备活动，也净化了现场环境，提高了生产效率。

（4）以时间为核心的增值服务。这种增值服务是以对顾客的反应为基础，运用延迟技术，使配送作业在收到用户订单时才开始启动，并将物品直接配送到生产线上或零售店的货架上，目的是尽可能降低预估库存和生产现场的搬运、检验等作业，使生产效率达到最高程度。对于采用准时制（JIT）生产方式的企业实施生产"零库存"配送就是典型的以时间为核心的增值服务。

"零库存"配送的目的是为了减少生产现场的库存或完全消除库存。库存本来是为了调节供需在时间上的不一致而设置的。因为人们在生产经营和生活过程中，产品的生产和消费常常存在时间上的矛盾。为了保证未来消费的需要，必须保证一定数量的库存，特别是在未来需求是随机或不确定时，保留的库存量可能性会更大。但是，库存会占用资金，会发生管理费用，即需要一定的储存保管成本，所以库存并不是人们主观期望的。应该说，只要不影响生产经营或生活，库存量应该是越少越好，甚至不发生为最佳，但客观上很难做到。所谓"零库存"，是一种特殊的库存概念，是通过特殊的库存控制策略，实现库存量的最小化，或不保持库存；但并不是说以仓库储存形式的某种或某些物品的储存数量真正为零，如前面讨论的直通配送模式中，配送中心不保持库存，商品由生产企业运送到配送中心后，立即分拣、配货并发送到零售店，但商品在配送中心仍要停留几小时或10多个小时，事实上也是有库存的，只是储存的时间很短，可以认为是"零库存"。

"零库存"实现的主要方式是准时制。所谓准时制，是在准确测定生产的各工艺环节、作业效率的前提下按订单准确地计划，以消除一切无效作业与浪费为目的的一种管理模式。这一概念是1953年由日本丰田汽车工业公司提出，当时作为公司满足顾客需求，提高公司竞争力的主要手段，在全公司推广应用。1976年，该公司的年流通资金全年周转率高达63次，为日本平均水平的8.85倍，为美国的十多倍。

准时制的基本思想是"在需要的时候，按需要的量，生产所需要的产品"。这种思想从理论上讲，在生产的各个环节上不会出现闲置的原材料和零部件，从而也就不会有库存，因此被称为"零库存"生产方式。

准时制形成一种拉动式供应链，这种拉动式供应链必然要求进行原材料、零部件配送的物流系统也应是准时制的，即配送作业应该是小批量、高频率的准时送货，这是准时制生产的重要条件。

为了实现准时制生产和配送，通常用"看板"作为各环节之间联系与沟通的工具，故称看板管理。"看板"按用途分为提料看板、生产看板、采购看板等，配送与生产环节之间采用的看板应是提料看板。看板上标有相关作业和材料信息，后道作业向前道作业提取材料时必须出示提料看板，前道作业按看板所示的材料名、需要数量在需要的时间内向后道作业发货。

2. 增值服务的功能

（1）增加便利性。一切能够简化手续、简化操作的服务都是增值性服务。简化是相对于消费者自我服务而言的，并不是说服务的内容简化，而是指消费者为了获得某种服务，以前需要消费者自己做的一些事情，现在由物流提供商以各种方式代替消费者做了，从而使消费者获得这种服务后感到简单，而且更加方便，从而增加了商品或服务的价值。

（2）加快反应速度。快速反应已经成为物流发展的动力之一。传统的观点和做法是提高运输工具的速度或采用快速的运输方式来提高运输速度，但在需求方绝对速度要求越来越高的情况下，由于运输速度的极限，使得运输速度限制也变成了一种约束。因此必须通过其他办法来提高速度。现代物流配送的做法是优化配送系统结构和重组业务流程，重新设计适合客户要求的流通渠道，以此来减少物流环节，简化物流过程，提高物流系统的快速反应能力。

（3）降低物流成本。通过配送增值物流服务，可以寻找能够降低物流成本的解决方案。可考虑的方案包括：采取共同配送；提高规模效益；实施准时制配送，降低库存费用；进行原材料、零部件与产成品的双向配送；提高运输工具的利用率等。

（4）业务延伸。业务延伸是指向配送或物流以外的功能延伸。向上可以延伸到市场调查与预测、采购及订单处理；向下可以延伸到物流咨询、物流系统设计、物流方案的规划与选择、库存控制决策建议、货款回收与结算、教育与培训等。关于结算功能，不仅仅只是物流费用的结算，还包括替货主向收货人结算货款。关于需求预测功能，物流服务商应该根据物流中心商品进货、出货信息来预测未来一段时间内的商品进出库量，进而预测市场对商品的需求，从而指导用户订货。关于物流系统设计咨询功能，第三方物流服务商要充当客户的物流专家，为客户设计物流系统，替他们选择和评价运输网、仓储网及其他物流服务供应商。关于物流教育与培训功能，通过向客户提供物流培训服务，可以培养其与物流中心经营管理者的认同感，提高客户的物流管理水平，并将配送中心经营管理者的要求传达给客户，便于确立物流作业标准。

3.5 配送策略与共同配送

3.5.1 配送策略

配送策略是指在采用上述配送模式和服务方式的基础上，为了既能满足用户需求，又不至于增加太多成本而采取的具体措施。可供选择的主要策略有转运策略、延迟策略和集运策略。

1. 转运策略

转运是指为了满足应急需要，在同一层次的物流中心之间进行货物调度的运输。这种情况常常是由于预测不准确而进行配送以后，各需求点上的商品不能符合实际，需要进行调整而发生的商品运输。转运是零售层次上最常采用的补救办法。如前面讨论的直接连输和直通运输模式中，由于设有中间库存，末端点上的库存量一般比较大，库存分布与实际常常发生矛盾，这时就需要用转运方式予以弥补。

2. 延迟策略

在传统的物流系统中，常常通过对未来需求的预估来决定库存量的多少，以库存来保证需求，并达到一定的服务水平。在现代信息技术支持下的物流系统中，人们借助信息技术快速获得需求信息，可使产品的最后制造和配送延期至收到了客户的订单后再进行，从而使不合适的生产和库存被减少或被消除。这种推迟生产或配送的行为就是延迟，前者称为生产延迟，后者称为物流延迟。本书所指的物流延迟，实际上是指运输延迟和配送延迟。

显然，物流延迟对配送系统的结构、功能和目标都会产生积极的影响。延迟改变了配送系统的预估特性，如对生产企业零部件的"零库存"配送就是应用延迟技术的结果。

3. 集运策略

根据"二律背反"原理，一种物流技术的应用会产生一些有利的因素，但同时也会带来不足，延迟技术也是如此。延迟克服了预估造成的库存量大的不足，但它同时会影响运输规模效益的实现。集运则是为了在延迟技术下继续维持运输规模效益而采用的一种技术。

所谓集运，就是为了增大运输规模，采用相应的措施使一次装运数量达到足够大的运输策略。集运通常采用的措施有：在一定区域内集中小批量用户的货物进行配送，在有选择的日期对特定的市场送货、联营送货或利用第三方物流公司提供物流服务，使运输批量增大。

集运与我们后面将要讨论的共同配送具有相同的作用，所不同的是，共同配送是企业之间比较稳定的合作，集运则可能是一次性的。

3.5.2 共同配送的概念及型态

共同配送也称协同配送，是指"在城市里，为使物流合理化，在几个有定期运货需求的货主的合作下，由一个卡车运输者，使用一个运输系统的配送"。

表3-3 共同配送型态

	百货店型	运输业者型	组合型
型态	批发商 批发商 → 物流中心 物流中心 → 顾客 顾客 顾客 顾客 多数的同业者在每一配送地区的物流中心共同利用	制造商 ← 制造商 → 输送业者 → 批发商 ← 批发商 输送业者把制造商、批发商的货采取一贯集货配送	制造商 制造商 → 共同组合新公司 → 批发商 批发商 多数批发商共同组合设立新公司，物流中心配送作业一体化
适用情况		偏大型制造商、大盘商的型态	要掌握彼此厂商资讯，才能保证回程不空车，即帮竞争厂商降低物流成本。

共同配送是把过去按不同货主、不同商品分别进行的配送，改为不分货主且商品集中运输的集约运送方式。从现代物流的观点来看，通过提高流通全程的效率来实现流通总成本的削减是十分必要的。因此，在这一思想的指导下，企业与其供应链成员之间就物流业务、管理尽可能达成共识，将管理中不合理的地方加以纠正，双方不足的地方相互补充，以提高经营效率。

共同配送总的指导思想是，将共同的货物或商品集中在一起，一方面提高单车装载率和物流效率；另一方面，也有利于削减在途运行车辆，缓解交通，保护环境。共同配送的优势表现在：共同配送能够在提高物流效率的同时，利于小量、多频率、小单位配送业务的推广。实现共同配送提高了企业资金利用率，促进输送单位大型化和信息网络化的发展，也使车辆融通以及装载效率的提高成为可能，而且通过共同配送扩大了多频率、小单位配送的客户服务范围，提高了企业的客户服务水平。

1. 同产业间的共同配送

同产业间的共同配送是指处于相同产业的生产或经营企业，为了提高物流效率，通过配送中心或物流中心集中运输货物的一种方式。其具体做法有两种：一是在企业各自分散拥有运输工具和物流中心的情况下，视运输货物量的多少，采取委托或受委托的形式开展共同配送，亦即将本企业配送数量较少的商品委托给其他企业来运输，而本企业配送数量较多的商品，则在接受其他企业委托运输的基础上实行统一配送，这样企业间相互提高了配送效率。另一种形式是完全的统一化，即在开展共同配送前，企业间就包装和货运规格完全实现统一，然后共同建立物流中心或配送中心，共同购买运载车辆，企业间的货物运输统一由共同的配送中心进行。显然，后一种形式的共同配送，其标准化程度和规模经济都高，但在某种意义上，对于单个企业而言，缺乏相对的物流独立性。一般来说，前一种形式在零售企业中使用较为普遍，后者较适宜于生产企业。同产业共同配送的最大好处在于能提高企业间物流的效率，减少对物流固定资产的投资，更好地满足顾客降低成本的要求。同时，也应该看到，同产业企业共同配送的一个缺陷是由于运送业务的共同化和配送信息的公开化，单个企业自身有关商品经营的机密容易泄漏给其他企业，因而对企业竞争战略的制定和实施有不利的影响。因此，在发达国家中，同产业间共同配送发展仍然较为缓慢。

2. 异产业间的共同配送

异产业间的共同配送是指将不同产业企业生产经营的商品集中起来，通过配送中心或物流中心向顾客输送的一种形式。与同产业间共同配送不同，异产业间共同配送的商品范围比较广泛，属于多产业结合型的配送。异产业间共同配送克服了同产业间共同配送固有的缺点，亦即它既能保证物流效率化，又能有效防止企业信息资源的外流，使企业在效率和战略发展上同时兼顾，并能充分发挥产业间的互补优势。它存在的问题是难以把握不同产业企业间物流成本的分担，因而在某种意义上增加了企业间的谈判成本，这不仅因为商品种类不同，所涉及到的物流费用存在差异，而且还因每次商品配送结构的变化增加了费用计算的复杂性。所以异产业共同配送中，确立明确、合理的按销售额比例分摊费用的核算方法十分重要。

3.5.3 共同配送的作用与实施难点

共同配送理念的实现，从微观角度而言，企业可以得到以下几方面的好处：①达到配送作业的经济规模，提高物流作业的效率，降低企业营运成本；②不需投入大量资金、设备、土地、人力等，可以节省企业的资源；③可以集中精力经营核算业务，促进企业的成长与扩散；④扩大市场范围，消除原有封闭性的销售网络，共建共存共荣的环境。

从整个社会的角度来看，实现共同配送主要有以下好处：①减少车流总量，消除闹市卸货妨碍交通的现象，改善交通运输状况；②通过集中化处理，有效提高车辆的装载率，节省物流处理空间和人力资源，提升商业物流环境，进而改善整体社会生活品质。

总之，共同配送可以最大限度地提高人力、物力、财力、时间等物流资源的使用效率（降低成本），取得最大效益（提高服务），还可以去除多余的交错运输，并取得缓解交通、保护环境等社会效益。

共同配送是物流配送发展的总体趋势，涉及很多具体的细节问题，在实施过程中难免会出现一些困难。首先，各企业经营的商品不同，有日用百货、食品、酒类饮料、药品、服装乃至厨房用品、卫生洁具等，林林总总，不一而足。不同的商品特点不同，对配送的要求也不一样，共同配送存在一定的难度。其次，各企业的规模、商圈、客户、经营意识等也存在差距，往往很难协调一致。

3.5.4　解决共同配送的措施

为了使共同配送健康发展，实施共同配送时应注意以下几个方面的问题：

（1）参与共同配送的物流业务应相对稳定，双方应签订比较稳定的共同配送合作协议。

（2）在客户分布、商品特性、物流作业特性、经营系统等方面应具有相似性，这样便于组织管理和协调，也有利于利益分配。

（3）货主之间可以有生产、营销方面的竞争，但在物流方面应相互合作，不应存在竞争。

（4）货主和承担主体在物流信息管理方面有一定的基础，包括已建立信息管理系统、条形码的应用等。

（5）利益分配要有具体的制度和方法，应制定明确的收费或费用分摊标准。

（6）在共同配送合作协议中，应对货主保护商业秘密明确各自的权利和义务。

日本政府为了推进中小企业实施共同配送，日本中小企业厅与运输省于1993年共同制定了《中小企业流通业务效率化促进法（中小企业物流效率化法）》，从多方面对共同协会等中小企业组织中共同物流的推进在软件和硬件方面予以援助。

【本章案例】

天原的"共同配送"

在配送成本居高不下之际，共同配送似乎成了最佳脱困之道；但要真正集结这些供应商却可能不得不面临好几年的亏损，让有心进行这项工程的天原物流总经理任杰光左右为难。

2004年春节刚过，安宁市百佳公司的总结会上，坐在前排嘉宾席上的天原物流总经理任杰光看着主席台上的人若有所思。此时站在台上演讲的人名叫赵隽，是上海百佳食品有限公司安宁分公司的总经理，也是任杰光如今重点服务的客户。

台上的赵隽正在神采飞扬地作2003年度的业务总结，超额完成的销售业绩让他此刻踌躇满志。虽然百佳2002年底才进入西北市场，但毕竟有上海百佳总部强大的后援，又拥有雀巢、天喔、皇轩这样的强势品牌，他的工作显得游刃有余。

但任杰光此时若有所思的表情表示，他并不认为赵隽现在正如他所表现的那般轻松。据他所知，现在安宁百佳的仓库中，由于允期商品（临近保质期的商品）的返库和在库商品的实际盘点，有金额约30万元的临近保质期的货物需要马上处理。

任杰光知道昨天百佳的财务经理小王曾去请示过赵总，但从后来小王的表情来看，显然赵隽并没有给出明确的答复。这种结果任杰光可以预见。根据百佳总部的规定，临近保质期的食品必须马上折价处理，但食品行业如今本来的利润就已经非常微薄了，这样做的后果，很可能使安宁分公司一年的努力付之东流，任杰光想着都替赵隽心痛。

不只是百佳的财务经理，作为安宁百佳的物流服务商，任杰光也不止一次催促赵隽处理这些货物。残次品、允期品占有了本来就拥挤的库存面积。而且残次品由于包装损坏，极易遭到鼠害。

从家电行业转向食品行业，百佳这第一家也是如今唯一一家食品行业的大客户对任杰光来说意义重大。如今，他要怎么替赵隽解决这问题才好呢？

天原转行

1999年之前，任杰光还是西北某省丛辉物流公司的副总经理，这家位于省会安宁的企业主要给客户提供省内的物流服务。后来，任杰光看到市内配送业务市场需求很大，遂萌发了做市内配送业务的想法，并在1999年成立天原物流公司，购置了30多辆车，以丛辉的仓库为基础，将这个想法变成了现实。

公司成立不久就接了著名企业海尔在安宁的市内配送业务大单，如今这项合作已经持续了3年。在为海尔提供服务时，天原物流根据海尔的操作要求，制定了一套详细的服务标准并作出各项承诺。在海尔规定的各个环节中，交货、验货、输入收货记录、归档、发货、编制装运单、调整库存记录、装车、配送、交货等的准确率达到99.04%，配送时间也能控制在8小时之内。

这单业务的好处不仅让天原物流顺利地进入了市内配送市场，提高了服务水平，更大的好处是，通过与海尔的合作，天原逐步得到了海信、康佳、TCL、厦华等家电企业的欢心，将其市内配送订单纳入囊中。现在，天原物流已经拥有安宁家电市场60%的配送订单，有时自己的车不够用，任杰光还想办法从外面找一些车，租四五十辆车也是常有的事。

为了减少在收货环节产生的不必要的时间损耗，天原物流还同大多数卖场达成了"绿色通道"协议，加快验货速度。

2003年，由于家电企业的配送利润越来越低，天原物流开始进入休闲食品市内配送领域，与当时正急欲换物流服务商的百佳公司一拍即合。虽是民营企业，但上海百佳的实力不容小觑。这家食品企业以上海"天喔"品牌系列产品为主导，代理着雀巢、惠氏等国际知名品牌，以及台湾"新东阳"肉松系列、浙江"唐纳兹"系列等国内著名品牌，拥有覆盖上海、辐射全国的分销网络。

前两年，百佳食品与上市公司第一食品达成战略合作协议，增资扩股后的新公司投资规模为2亿元，注册资本1.3亿元，第一食品为第一大股东，百佳以34%的股权居次席。

这一举动带来的直接成果便是百佳食品得以迅速在武汉、安宁、成都等地建立分公司，以扩大其市场份额。并通过与家世界、家乐福、易初莲花、人人乐的关系迅速在各地攻城掠地，构建起百佳食品全国营销网络，赵隽的安宁百佳食品有限公司便是那时候建立起来的。

从最初进入安宁市场，安宁分公司总经理赵隽最头疼的问题就是物流。在外包和自营的问题上，百佳选择了外包，原因很简单，因为没有时间去构建物流体系。何况人员不需要增加，车辆不需要购置，成本也可以节省下来。但是随之而来的问题是对物流的控制显得相对薄弱了，这个问题直到现在依然存在。

2002年底的业务按部就班进行着，通过努力，百佳已经建立了分销网络的雏形，在天津家世界、爱家、好又多、众晶家乐、人人乐、麦德龙、海星等8家连锁企业中有了单品入场。随之物流的重要性和其中存在的问题就一起显现出来了。

百佳临阵换将

那时，赵隽没有时间去进行详细的物流市场调查，由于前期由飞鼠物流——一家从搬家公司转型的物流公司送过几回货，赵隽匆匆选择了飞鼠物流，但问题马上就出来了。

由于飞鼠物流没有自己的仓库，租用了本市一家国有仓储企业的仓库，国有企业下午6点准时下班，过了这个时间就无法提货，因此耽误了好几次卖场的堆头。而节假日在卖场做一次堆头就得花上一两万，百佳损失惨重。有时还会迟误了交货期，好又多超市甚至一怒之下下了退单。

由于西部地区气候原因与仓库设计缺陷，雀巢部分奶制品与饮品遭受低温，产生包装冻裂现象。在装卸过程中的野蛮装卸，也造成罐装"力多精"、"能恩"系列出现窝壳现象，卖场拒收这些窝壳产品，使百佳损失巨大。

而且飞鼠物流没有信息系统，采用人工操作，造成信息传递与反馈的延误，月底的盘库产生大量的人为误差。飞鼠自有车辆有限，又缺乏调动社会车辆的能力，在五一销售旺季时不能满足配送需求，百佳损失不小。

飞鼠物流也有着自己的苦衷。快速消费品有乳品类、干粉类、日化品、饮料类、油脂类、休闲食品类、炒货类、纸业类，每一类又拥有10个以上的品牌供货商。1 000多家供货商向超市供货，而卖场的收货部只有七八个人，下午5点左右下班，每天送货时长长的队伍让司机怨声载道。

食品安全问题也牵扯着卖场的生命线。食品原料种植和采购、生产、流通加工到配送的整条供应链稍有差错都会影响食品安全，并且食品物流较其他行业更加重要，所以超市对于食品的收货要求非常严格。通常货物会由供货商负责摆到托盘上，并拆包检查，超过保质期1/3时间的商品一律拒收。很多时候经销商、物流商的送货司机在漫长等待后依然不能提高工作效率，都不愿意给超市送货。

2003年下半年，眼看又一个销售旺季要来了，赵隽不想再有客户退单的事情发生。由于对安宁物流市场不熟悉，百佳公司委托了安宁物流协会通过详细调研，重新审视百佳供应链现有状况，并对物流规划、流程设计、作业控制、成本核算等各个方面作出了详细的调研报告。10月，在物流协会推荐的物流提供商中，百佳最终选择了"天原物流"。

物流的食品特色

与百佳的合作开始后，任杰光才了解到，存在这些问题的并不只是百佳一家，大多数快速消费品经销商都碰到过。因为食品对温度、时间甚至摆放方式等都有很具体的要求，所以，相应的食品物流也有了要求较严、投资较大的特点。

例如冷链，不管是乳制品还是肉制品，几乎都有温度的要求，很多物流公司可能不具备这样的能力，而且在物流管理上也存在分歧。而食品企业的另一个特征是产品基本集中在中低端市场，也就是各个超市、门店，它是一种极大、极分散的物流形式。就因为这种集中特性，又决定了其分销系统的深度。

食品行业是个"小生产大流通"的行业。很多产品的成本构成中都有差不多1/3来自物流成本。因此，控制物流非常关键，必须要知道市场需求多少，企业进多少货，并且准时送达。对于百佳来说，必须掌控自己的供应链控制系统，即时了解门店的销售和库存，了解每一时刻、每家店卖了多少产品，库存数量，补货数量，并基于这些数据进行调配，精确计算出最经济的物流成本。同时，食品流通快、市场相对稳定、销售场所层次多等特点决定了食品企业需要一个长期、稳定的物流支持商，天原的服务水平会长期影响百佳的运营。

这种种考虑及天原在市内家电配送方面的业绩，成了百佳最终选择天原物流的重要原因。更何况天原物流为了同百佳合作，重新制作了500平方米的无缝树脂地面解决地面起灰的问题，并配备了吸尘器对食品每天进行处理。

天原物流的配送中心南北两侧各建有4米宽的装卸月台，站台高出室外道路1米。当厢式卡车尾部停靠站台时，抱垫板与站台面基本上处于同一平面。商品的装卸作业变成了水平移动，大大减少了装卸作业环节和劳动强度。

存在的问题

随着时间的推移，新的问题又出现了。

天原物流的配送中心有自己的托盘，商品的堆剁整齐划一，本来可以整个托盘进行运输，但是由于同各个卖场没有达成托盘互换协议，造成了大量的二次搬运，从托盘搬到车上，到卖场后重新卸下，摆放到卖场的托盘上，造成食品的不必要损耗。天原物流也曾尝试同卖场达成互换协议，但由于各个卖场的托盘规格不同，新旧不一，尽管天原物流使用的是 $1.1 m \times 1.2 m$ 的国际标准托盘，最后还是没有形成结果。

超市商品中按照配送的不同要求分为 4 个温度区：冰块、冰激凌、冷冻食品等放在 $-20°C$ 的冷冻区；牛奶、乳制品、生菜等放在 $-5°C$ 的微冷区；休闲食品、杂货等放在恒温区；盒饭类、烧烤类商品放在 $20°C$ 的温暖区。

天原物流主要做恒温型商品配送，此类商品运作难度较小，利于迅速建立共同配送体系。而冷冻型、微冷型商品运作要求高，又涉及商业秘密，共同配送难度较大，天原物流一直没有对这一领域进行投资，这使得百佳的雀巢冰激凌业务一直没有开展。

天原物流的信息系统是为家电产品设置的，对于食品保质期的问题没有考虑到，所以在存货中无法辨认生产日期、到货日期、保质日期。天原只能每天调动人力，在堆积如山的品种中逐一分出允期品。

有时会从卖场产生大量的退货，首先需要确认退货，然后进行分拣，有些退货包装已经残损，需要二次包装，退回入库需要有专门的残损区。这使得退货成本直线上升，回收成本是配送成本的两倍以上。

由于安宁地区的经销商大部分采取自营物流，天原的配送客户非常有限；由于竞争的白热化，配送作业趋向于高频率、多批次、短周期、少批量的形式。这使得天原的配送成本急剧增加，由于销售季节的影响，配送作业已影响到超市与经销商的共同利益。曾经发生过这样的事情：家世界只有两袋盐津化酶的紧急订单，需要早上送到，那天又下着大雨，天原公司只好让库管打出租，来回的成本超出产品本身50倍。类似这样的情况常常发生，使天原的配送无利可图。

面对天原提出的问题，百佳公司的赵隽也很苦恼，对市场把握不准，计划频繁调整，库存要么过剩，要么不足，批号老化。公司在全国范围内频繁调货，客户要货批量减少，产品供货率减低，产品推广不理想，权利和责任难以划分，部门间横向协调较难以及配送陷入被动操作。

赵隽想起上次在中国食品供应链论坛上，中国食品物流被与会者这样形容：流通量很大，其中80%以上的生鲜食品是采取常温保存、流通和初加工手段。据统计，常温流通中果蔬约损失20%～30%、粮油15%、蛋15%、肉干耗3%，加上食品的等级间隔、运输及加工损耗，每年造成经济损失约上千亿元。总值不低于750亿元的食品在运送过程中腐烂变质。一些容易腐烂变质的食品如奶制品、海鲜等，销售价格的70%被用来补贴物流过程中的货损支出。我国食品业的供应链与物流体系甚至被定位在"昂贵、耗损大、无利可图、容易造成食物中毒"的负面形象上。

最优解决方案

在苦思解决方案之际，任杰光突然想起伊藤洋华堂的共同配送概念。

在食品、日化品等快速消费品行业，除统一、百事等大型企业外，大部分企业都在自营物流。尤其是食品行业，自营物流的成本和损失吞没了大量的销售业绩。这种隐藏在冰山后面的耗损，得不到大多数企业的充分重视，他们往往一味地追求销售额，而忽视了物流渠道的损失。最后的结果往往是辛苦一年，换回一堆过期商品。

鉴于这种情况，7－ELEVEN在1976年提出了共同配送概念，并由伊藤洋华堂同年开始在日本实施。由伊藤洋华堂牵头，将其供应商的库存加以集中，组织其进行物流的共同仓储、配送，以期大幅度减少物流时间、控制损耗、削减成本。

该计划实施后得到经销商的广泛响应，通过战略联盟，经销商与伊藤洋华堂荣辱与共，从而使伊藤洋华堂的单店效益多年排列在全球的第一位。

但现在，首先在客户规模上天原显然没法和伊藤洋华堂相比。在食品物流领域，天原的客户仅百佳一家。近两三个月，任杰光带着手下人拼命地拉业务、找客户，也仅找来伊利特、五月花、德芙三家。其他的大多数食品企业或经销商，一听说要把自己的货物和其他企业的放到一个仓库里进行统一调配，就直摆手摇头地说："这不等于是交出我们的命根子吗？"

通过安宁物流协会对于超市商品的详细调查，其配送种类中配送数量、频率较高的，家电类有TCL、海尔、美的（排除国美、苏宁专业店），乳品类有光明、银桥、三鹿、和氏（陇县）、安儿宝、多美滋、神果、维维、完达山，另外日化类、饮料类、方便食品、休闲食品、炒货类还有纸业，拿到销量前几位的客户难度都非常大。

任杰光算了一笔账，要达到业务的盈亏平衡点，天原至少得占有本市超市日配送量的60%，也就是说多家超市一天销售的商品中，60%以上都由天原来配送，这样天原才有可能通过这种模式赢利。现在商品种类繁多，自己又被绝大多数客户拒之门外，如今那个盈亏平衡点在任杰光看起来似乎遥不可及。

伊藤洋华堂从1976—2000年，通过近20年的努力，建立了高效率的物流体系，使7－ELEVEN迅速超越了自己的老师美国南方公司（美国7－ELEVEN的前身）。难道自己的公司也得花上这么长的时间吗？在达到这个收益平衡点之前，总赔钱也不是个办法呀，所有员工都等着吃饭呢。想到这里，任杰光真是愁上加愁。这个共同配送策略现在运作到底可不可行呢？

【本章小结】

本章介绍了配送的功能、配送系统的结构、配送模式和服务方式、协同配送的特点、如何实施协同配送，指出正确地选择配送系统模式和服务方式，对提高物流效率和经济效益有着重要影响。

【关键术语和概念】

配送功能　共同配送　转运策略　延迟策略　集运策略　增值服务　配送模型　配送网络

【思考与练习】

1. 配送的功能有哪些？

2. 共同配送实施有哪些障碍？如何解决共同配送方案？

【补充阅读】

1. 中国物资流通

2. 物流技术

3. 陈修齐. 物流配送管理. 北京：电子工业出版社，2004

4. 郝渊晓. 现代物流配送管理. 广州：中山大学出版社，2001

4 配送作业

◉**本章学习要点**
1. 进货的操作流程如何进行
2. 如何进行订单处理
3. 拣货有哪几种方式，它们有何区别
4. 配货、补货流程及送货流程如何

◉**本章学习内容**
1. 进货作业
2. 订单处理
3. 拣货作业
4. 补货作业
5. 配货作业
6. 送货作业

◉**本章案例**
◉**本章小结**
◉**关键术语和概念**
◉**思考与练习**
◉**补充阅读**

4.1 进货作业

　　配送作业是按照用户的要求，将货物分拣出来，按时按量发送到指定地点的过程。配送作业是配送中心运作的核心内容，因而配送作业流程的合理性，以及配送作业效率的高低都会直接影响整个物流系统的正常运行。

　　具体来说，配送作业一般包括以下几项作业流程：①进货；②搬运装卸；③储存（必要时）；④订单处理；⑤分拣；⑥补货；⑦配货；⑧送货。其流程如图 4-1 所示。以上八项作业流程，有几项在其他配套丛书中已进行了介绍，在此不再赘述。本章将着重对进货、订单处理等作业流程作进一步的说明。

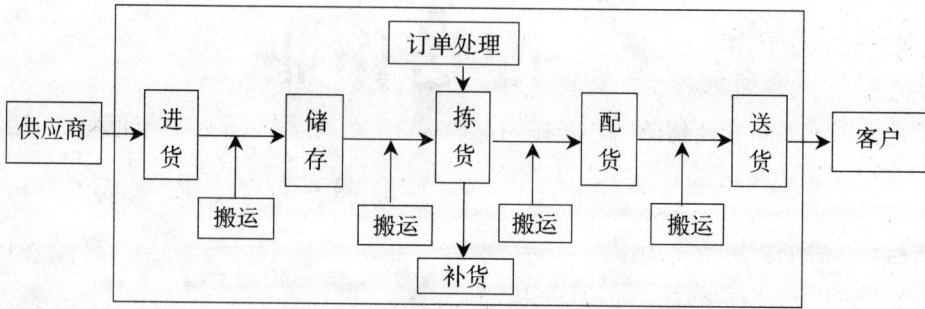

图 4-1 配送中心的基本作业流程

4.1.1 进货作业的基本流程

在配送的基本作业流程中，进货作业包括把货品等物质做实体上的领取，从货车上将货物卸下、开箱，检查其数量、质量，然后将有关信息书面化等一系列工作。进货作业的基本流程如图 4-2 所示。

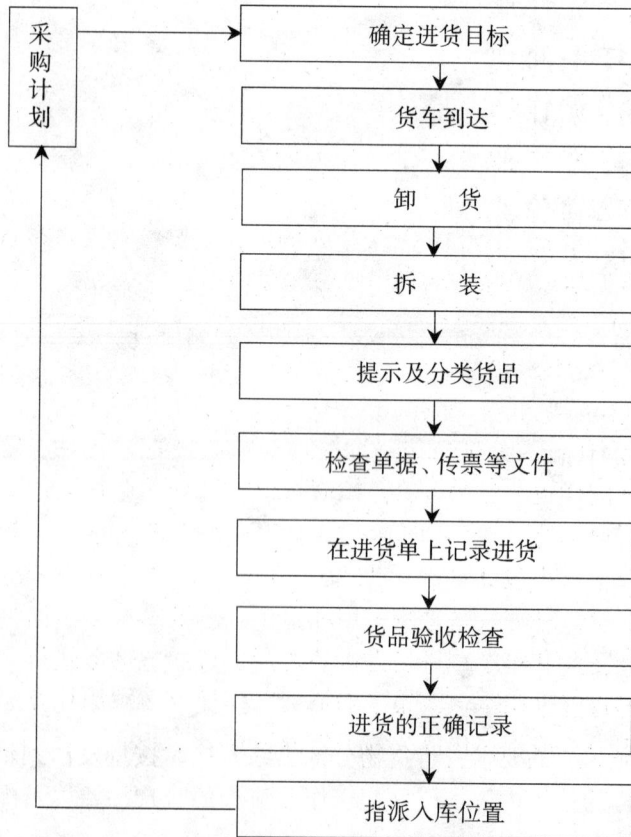

图 4-2 进货作业的基本流程

在进货作业流程中，确定进货目标的内容一般包括以下五个方面：①掌握货物的到达日期、品种、数量；②尽可能准确预测送货车的到达日程；③配合停泊信息，协调进出货车的交通问题；④为了方便卸货及搬运，计划好货车的停车位置；⑤预先计划临时存放位置。

4.1.2 进货流程安排

1. 进货流程安排的原则

为了安全有效地卸货及物流中心能按期正确地收货，安排进货流程应注意以下原则：

（1）多利用配送车司机卸货，以减少公司作业人员和避免卸货作业的拖延。

（2）尽可能将多样活动集中在同一工作站，以节省必要的空间。

（3）尽可能平衡停泊码头或车站的配车调用，例如按进出货需求状况制定配车排程，或分散安排部分耗时的进货作业，尽量避开进货高峰期。

（4）码头、车站至储区的活动应尽量保持直线流动。

（5）依据相关性安排活动，以达到距离最小化。

（6）在进货高峰期使货品能维持正常速率的移动。

（7）尽量使用同样的容器，节省更换容器的时间。

（8）详细记录进货资料，以备后续存取核查。

（9）在进出货期间尽量减少不必要的货品搬运及储存。

2. 进货考虑的因素

在安排进货流程以前，需要考虑所有相关的影响因素：

（1）进货对象及供应厂商的总数、地理分布、交通运输情况。

（2）商品种类与数量。

（3）进货车种与车辆台数。

（4）每一车的卸（进）货时间。

（5）商品的形状、特性（包括散货、单元的尺寸及重量、包装形态、有无危险性、托盘堆放的可能性、人工搬运或机械搬运、产品的保存期等）。

（6）进货所需的工作人员数。

（7）配合储存作业的处理方式。

（8）在进货时间内流经的车辆数调查。

其中，"配合储存作业的处理方式"是指配送中心储存货物时采用的托盘、箱子、小包三种方式。货车进货同样也有三种方式。因而如何在进货与储存作业之间对这三种方式进行转换是十分重要的。通常有以下三种转换方式：第一种方式是进货与储存都采用同样的方式，即进货时的托盘、箱子、小包都原封不动地转入储存区。在这种方式下，进货输送机可直接把货品运到储存区。第二种方式是进货采用托盘、箱子的形式，而储存则要求是小包或箱子的形式，这时必须把托盘和箱子在进货点拆装之后，以小包的形式放在输送机上，再送至储存区。第三种方式是进货采用小包或箱子的形式，而储存要求用托盘形式，这就必须先将小包或箱子堆放在托盘上，或把小包放入箱子后再储存。

4.1.3 货物编码

进货作业是配送中心作业的首要环节。为了让后续作业准确而快速地进行，并使货物品质及作业水准得到妥善维持，在进货阶段对货物进行有效的编码是一项十分重要的内容。

1. 货物编码的原则

（1）简易性。编码结构应尽量简单，长度尽量短，这不仅便于记忆，也可以节省机器存储空间，减少代码处理中的差错，提高信息处理效率。

（2）完全性。每一种货物都用一种代码表示。

（3）单一性。每一个编码只对应一种货物。

（4）一贯性。编码要统一，有连贯性。

（5）充足性。采用的文字、记号或数字应足够用来编码。

（6）可扩充性。为未来货物的扩展及产品规格的增加留有扩充的余地。使其可因需要而自由延伸，或随时从中插入。

（7）组织性。编码应有组织性，以便存档或查找账卡及相关资料。

（8）适应性。编码应尽可能反映商品的特点，易于记忆、暗示或联想。

（9）分类展开性。若货物过于繁多、复杂，使得编码庞大，则应使用渐近分类的方式来进行编码。

（10）应用性。管理计算机化已成为目前趋势，编码应与计算机配合。

2. 货物编码的方法

货物编码的种类很多，常见的有无含义代码和有含义代码。无含义代码通常可以采用顺序码和无序码来编排，有含义代码则通常是在对商品进行分类的基础上，采用序列顺序码、数值化字母顺序码、层次码、特征组合码及复合码等进行编排。配送中心常用的方法有以下几种：

（1）顺序码。又称流水编号法，即将阿拉伯数字或英文字母按顺序往下编码，常用于账号及发票编号等。在少品种、多批量配送中心也可用于货物编码，但为了使用方便，常与编码索引配合使用。例如：

编码	货物名称
1	白　酒
2	葡萄酒
……	……
n	果　汁

（2）数字分段码。即把数字进行分段，每一段数字代表具有同一共性的一类货物。例如：

编码	货物名称
1	青岛啤酒
2	珠江啤酒
3	燕京啤酒
4	……
5	……
6	黑妹牙膏
7	高露洁牙膏
8	……
9	……
10	……

（3）分组编码。即按货物特性将数字组成多个数组，每个数组代表货物的一种特性的编号方法。例如，第一组代表货物的种类，第二组代表货物的形状，第三组代表货物供应商，第四组代表货物尺寸等。至于每一个数组的具体位数应视实际需要而定。例如：

类别	形状	供应商	尺寸
07	5	006	110

（4）实际意义编码。指按照货物的名称、重量、尺寸、分区、储位、保存期限或其他特性等实际情况来编号。此方法的优点在于通过货物编号就可知货物的内容及相关信息。例如：F04915B1。

编号	意义
F0	食品类
4915	尺寸大小，表示 $4 \times 9 \times 15$
B	货物所在储区
1	第一排货架

（5）后数位编码。利用编号末尾的数字，对同类货物进一步分类的编号方法。例如：

编号	货物类别
260	服饰
270	女装
271	上衣
271.1	衬衫
271.11	白色

（6）暗示编码。用数字与文字的组合进行编号，编号本身虽不直接指明货物的实际情况，但却能暗示货物的内容。此法容易记忆又不易让外人知道。例如：

货物名称	尺　寸	颜色与形式	供应商
BY	005	WB	10

编号	意义
BY	自行车（Bicycle）
005	大小型号（5 号）
W	白色（White）
B	儿童型（Boy's）
10	供应商代号

4.1.4　货物分类

货物分类是将多品种货物按其性质或其他条件逐次区别，归入不同的货物类别，并进行有系统的排列，以提高作业效率。

1. 货物分类的原则

完全、合理的分类能使繁杂的作业变得有系统性，因而对货物进行分类应注意以下原则：

（1）从大类至小类，按统一标准、同一原则区分。

（2）根据企业自身的需要，选择适用的分类形式。

（3）有系统地展开，逐次细分，层次分明。

（4）分类明确且相互排斥，不能互相交叉。

（5）应具有安全性、普通性。

（6）应有不变性，以免货物混乱。

（7）应有伸缩性，以便有时增加新产品或新货物。

（8）应具有实用性。

2. 货物分类的方式

（1）为适应货物储存保管的需要，可按照商品的特性分类。

（2）按商品的使用目的、方法及程序分类，如把需要流通加工的分为一类，直接性原料分为一类，间接性原料分为一类等。

（3）按交易行业分类。

（4）为方便账务处理，按会计科目分类。

（5）按货物状态分类，如货物的内容、形状、尺寸、颜色、重量等。

（6）按信息分类，如货物送往目的地、顾客类别等。

3. 进货分类的应用

（1）进货分类的流程如图4-3所示。此进货分类系统先按库存单位作第一次商品分类，再按货物的颜色、性质、大小分类。

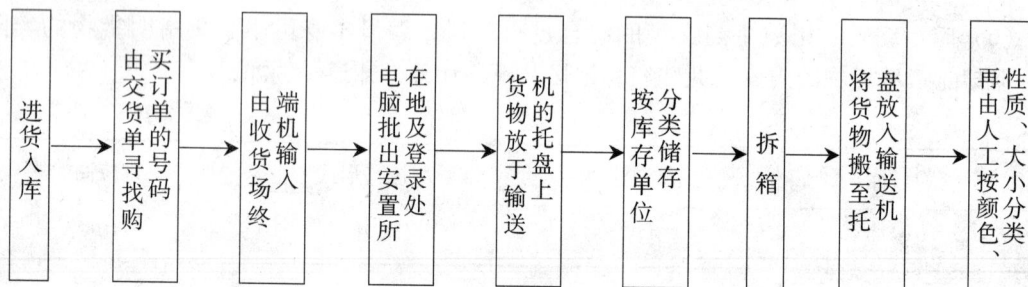

进货入库 → 由交货单的号码寻找购买订单 → 由收货场终端机输入 → 在电脑登录出批及安置处所 → 货物放于输送机的托盘上 → 按库存单位分类储存 → 拆箱 → 将货物搬至托盘放入输送机 → 再由人工按颜色、性质、大小分类

图4-3 进货分类流程

（2）颜色的应用。德国 DEXTRA 公司就用不同颜色的卡片代表不同的下层公司，卡片上再分别写上进货日期。这样很容易对后续作业（储存、拣取、分类、出货等）实行管理。

此外，也可以使用不同颜色的卡片来区别进货日期，以防货物超过安全期限。

（3）自动分类储存（条形码）的应用。对品项较多的分类储存，可分为两个阶段，上下两层输送同时进行，其步骤如下：

步骤一，首先由条形码读取机读取箱子上的物流条形码，依照品项作出第一次分类，再决定归属上层或下层的存储输送线。

步骤二，上、下层的条形码读取机再次读取条形码，并将箱子按各个不同的品项，分门别类到各个储存线上。

步骤三，在每条储存线的切离端，箱子堆满一只托盘的分量后，一长串货物即被分离出来。

步骤四，当箱子组合装满一层托盘时使其排列整齐。

步骤五，箱子在托盘上一层层地堆叠着，被送入中心部（利用推杆堆到预先设定的层数后完成分类）。

步骤六，操作员用叉式堆高机将分好类的货物依类运送到储存场所。

此系统不仅可以有效地利用空间（上、下输送线）进行分类储存，且能在1分钟内自动堆叠48箱货物，大大提高了分类作业的效率。

4.1.5 货物验收检查

货物验收是对产品的质量和数量进行检查的工作。验收工作一般分为两种：第一种是先点收货物，再通知负责检验的单位办理检验工作；第二种是先由检查部门检验品质，认为完全合格后，再通知仓储部门办理收货手续。

1. 货物验收的标准

为了准确及时地验收货物，首先必须明确验收标准。在实际进货作业过程中通常依据以下标准验收货物。①采购合同或订单所规定的具体要求和条件；②议价时的合格样品；③采购合约中的规格或图解；④各类产品的国家品质标准或国际标准。

2. 货物验收的内容

（1）质量验收。配送中心对入库货物进行质量检查的主要目的是查明入库商品的质量状况，以便及时发现问题、分清责任，确保到库货物符合订货要求。质量验收通常采用感官检查和仪器检查等方法。

（2）包装验收。货物包装具有保护商品、便利物流等功能，因此，包装验收是货物验收的重要内容。包装验收的标准与依据一是国家颁布的包装标准，二是合同或订单的要求与规定，其具体内容如下：

①包装是否安全牢固。包装验收要从包装材料、包装造型、包装方法等方面进行检验。如检验箱板的厚度，卡具、索具的牢固程度，纸箱的钉距，内封垫和外封口的严密性等。此外，还需检验商品包装有无变形、水湿、油污、生霉和商品外露等情况。

②包装标志、标记是否符合要求。商品包装标记、标志主要用于识别商品、方便转运及指示堆垛。包装标志、标记要符合规定的制作要求，起到识别和指示商品的作用。

③包装材料的质量状况。包装材料的质量和性能状况直接关系到包装对商品的保护作用，因此必须符合规定的标准。

（3）数量验收。入库商品按不同供应商或不同类别经初步整理查点大数后，必须依据送货单和有关订货资料，按商品品名、规格、等级、产地、牌号进行核对，以确保入库货物准确无误。在日常作业中，入库货物数量上的溢多短少是较常见的现象，这直接关系到配送中心的库存数量控制和流动资产管理。因此，数量验收是进货作业中非常重要的内容，通常采用计件和计量两种方法。计件法一般有标记计件法、分批清点和定额装载三种方法。计量法通常包括衡量称重和理论换算两种方法。

4.1.6 货物入库信息的处理

1. 货物信息的登录

到达配送中心的商品，经验收确认后，必须填写"验收单"（如表4-1所示），并将有关入库信息及时准确地登入库存商品信息管理系统，以便及时更新库存商品的有关数据。货物信息登录的目的在于为后续作业，如采购进货、储存、拣货、出货等环节提供管理和控制的依据。

表4－1　验收单

验收单									
供货商			采购订单号				验收员		
运单号							验收日期		
运货日期				到货日期			复核员（日期）		
序号	储位号码	商品名称	商品规格型号	商品编码	包装单位	应收数量	实收数量	备　　注	

入库货物信息通常需要录入以下内容：

（1）商品的一般特征，通常包括商品名称、规格、型号，商品的包装单位、包装尺寸、包装容器及单位重量等。

（2）商品的原始条码、内部编号、进货入库单据号码以及商品的储位等。

（3）商品的入库数量、入库时间、进货批次、生产日期、商品单价等。

（4）供应商信息，包括供应商名称、编号、合同号等。

以上信息录入后，配送中心的管理信息系统将自动更新和储存录入的信息，特别是货物入库数量的录入将增加库存商品账面结余数。更新后商品账面数与实际库存数量才一致，这样既为有效地保管货物数量与质量提供依据，也为库存货物数量的控制与采购提供参考。对作业过程中产生的单据和其他原始资料应注意根据一定的原则，如按不同的供应商或时间顺序等进行归类整理，以便留存备查。

2. 作业辅助信息的搜集与处理

在进货通道、站台、库房布局等硬件设施的设计中，需考虑许多相关因素，才能合理规划，达到既能控制适当的规模、节省投资，又能满足作业需要的目的。相关因素主要是在进货作业中对进货产生直接影响的因素，以下信息是进货系统设计的重要参考依据。

（1）进货商品的一般特征和数量分布。

（2）进货商品的包装尺寸、容器、单重的分布状况。

（3）每一时段内进货批次的分类。

（4）卸货方法及所需时间。

（5）进货入库的场所。

这些信息将决定进货工作量的大小、装卸货方式及设备的选择、仓库和外卸货站台的空间大小、进货验收对人员及设备的需求、进货作业活动所需场地和空间的大小、运输工具的安排等。

4.2 订单处理

4.2.1 订单处理的含义

从接到客户订单开始到着手准备拣货之间的作业阶段，称为订单处理。通常包括订单资料确认、存货查询、单据处理等内容。订单处理分人工和计算机两种形式。人工处理具有较大弹性，但只适合少量的订单处理，一旦订单数量较多，处理将变得缓慢且易出错。计算机处理则速度快、效率高、成本低，适合大量的订单处理，因此目前主要采取后一种形式。订单处理的基本内容及步骤如图4-4所示。

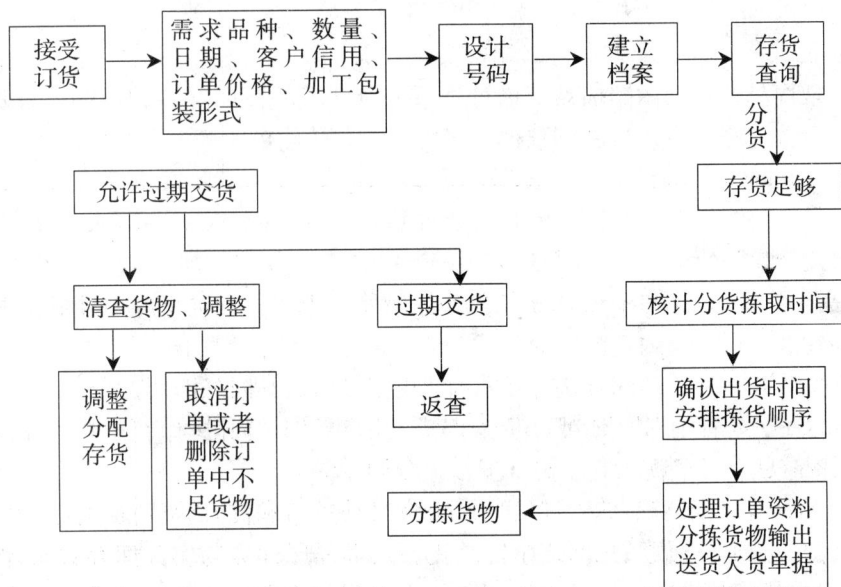

图4-4　配送中心订单处理流程

4.2.2 接受订货

接单作业为订单处理的第一步。随着流通环境的变化和现代科技的发展，接受客户订货的方式也渐渐由传统的人工下单、接单，演变为计算机直接送收订货资料的电子订货方式。

1. 传统的订货方式

（1）厂商补货。供应商直接将商品放在车上，依次给各订货方送货，缺多少补多少，这种方式常用于周转率较快的商品或新上市商品。

（2）厂商巡货、隔日送货。供应商派巡货人员前一天先到各客户处寻查需补充的货物，隔天再予以补货。这样厂商可利用巡货人员为店铺整理货架、贴标或提供经营管理意见等的机会促销新产品或将自己的产品放在最占优势的货架上。

（3）口头订货。订货人员以电话方式向厂商订货，但因客户每天需订货的种类可能很多，数量也不尽相同，因此错误率较高。

（4）传真订货。客户将缺货资料整理成书面资料，利用传真机发给厂商。利用传真机可快速地传送订货资料，但传送的资料常因品质不良而增加事后的确认作业。

（5）邮寄订单。客户将订货表单或订货磁片、磁带邮寄给供应商。目前的邮寄效率及品质已基本不能满足市场的需求。

（6）业务员跑单接单。业务员到各客户处推销产品，而后将订单带回公司。

不管利用何种方式订货，上述订货方式皆需人工输入资料且经常重复输入，并且在输入输出间常造成时间误差，造成无谓的浪费。随着现代经济的发展，现在客户更趋于高频度的订货，且要求快速配送，传统订货方式显然已无法满足需求，因而新的订货方式——电子订货应运而生。

2. 电子订货方式

电子订货，即采用电子传送方式取代传统人工书写、输入、传送的订货方式，它将订货资料由书面资料转为电子资料，通过通讯网络进行传送。此系统即称为电子订货系统（EOS，electronic order system）。其做法通常可分为以下三种：

（1）订货簿或货架标签配合手持终端机及扫描器。订货人员携带订货簿及手持终端机巡视货架，若发现商品缺货则用扫描器扫描订货簿或货架上的商品标签，再输入订货数量，当所有订货资料皆输入完毕后，再利用数据机将订货资料传给供应商或总公司。

（2）POS（point of sale 销售时点管理系统）。客户若有 POS 收银机则可在商品库存档里设定安全库存量，每当销售一笔商品资料时，计算机自动扣除该商品库存，当库存低于安全存量时，即自动产生订货资料，将此订货资料确认后通过电信网络传给总公司或供应商。

（3）订货应用系统。客户资讯系统里若有订单处理系统，就可将应用系统产生的订货资料经转换软件转成与供应商约定的共通格式，再在约定时间将资料传送出去。

电子订货方式是一种传送速度快、可靠性及正确性高的订单处理方式，它不仅可大幅度提高客户服务水平，也能有效地缩减存货及相关成本费用。但其运作费用较为昂贵，因此在选择订货方式时应视具体情况而定。

（4）货物数量及日期的确认。货物数量及日期的确认是对订货资料项目的基本检查，即检查品名、数量、送货日期等是否有遗漏、笔误或不符合公司要求的情形。尤其当送货时间有问题或出货时间已延迟时，更需与客户再次确认订单内容或更正运送时间。同样，若采用电子订货方式接单，也需对已接受的订货资料加以检验确认。

4.2.3 客户信用的确认

不论订单是由何种方式传至公司，配送系统的第一步都要查核客户的财务状况，以确定其是否有能力支付该订单的账款。通常的做法是检查客户的应收账款是否已超过其信用额度。接单系统中一般采取以下两种途径来查核客户的信用状况。

1. 客户代号或客户名称输入

当输入客户代号或名称资料后，系统即加以检核客户的信用状况，若客户应收账款已超过其信用额度，系统加以警示，以便输入人员决定是继续输入其订货资料还是拒绝其订单。

2. 订购项目资料输入

若客户此次的订购金额加上以前累计的应收账款超过信用额度，系统应将此订单资料锁定，以便主管审核。审核通过后，此订单资料才能进入下一个处理步骤。

原则上顾客的信用调查由销售部门负责，但有时销售部门往往为了获取订单并不太重视这项查核工作，因而也有些公司授权运销部门负责调查客户的信用问题。运销部门一旦发现客户的信用有问题，则将订单送回销售部门再调查或退回订单。

4.2.4 订单形态确认

配送中心虽有整合传统批发商的功能以及有效率的物流信息处理功能，但在面对较多的交易对象时，仍需根据顾客的不同需求采取不同做法。在接受订货业务上，表现为具有多种订单的交易形态，所以以物流中心应对不同的客户采取不同的交易及处理方式。

1. 一般交易订单

（1）交易形态。一般的交易订单，即接单后按正常的作业程序拣货、发送、收款的订单。

（2）处理方式。接单后，将资料输入订单处理系统，按正常的订单处理程序处理，资料处理完后进行拣货、出货、发送、收款等作业。

2. 现销式交易订单

（1）交易形态。是与客户当场交易，直接给货的交易订单。如业务员到客户处巡货、补货所得的交易订单或客户直接到配送中心取货的交易订单。

（2）处理方式。订单资料输入后，因货物此时已交给客户，故订单资料不再参与拣货、出货、发送等作业，只需记录交易资料即可。

3. 间接交易订单

（1）交易形态。客户向配送中心订货，直接由供应商配送给客户的交易订单。

（2）处理方式。接单后，将客户的出货资料传给供应商由其代配。此方式需注意客户的送货单是自行制作还是委托供应商制作，应对出货资料加以核对确认。

4. 合约式交易订单

（1）交易形态。与客户签订配送契约的交易数量的商品。如签订某期间内定时配送某货物。

（2）处理方式。在约定的送货日，将配送资料输入系统处理以便出货配送；或一开始便输入合约内容的订货资料并设定各批次送货时间，以便在约定日期系统自动产生所需的订单资料。

5. 寄库式交易

（1）交易形态。客户因促销、降价等市场因素先行订购，往后视需要再要求出货的交易。

（2）处理方式。当客户要求配送寄库商品时，系统应检核客户是否确实有此项寄库商品。若有，则出此项商品，否则，应加以拒绝。这种方式需注意交易价格是依据客户当初订货时的单价计算，而不是依现价计算。

从上可以看出，不同的订单交易形态有不同的订货处理方式，因而接单后应先确定其交易形态，然后针对不同形态的订单采取不同的处理方式。

4.2.5 订单价格确认

不同的客户（批发商、零售商）、不同的订购批量，可能对应有不同的售价，因而输入价格时系统应加以检核。若输入的价格不符（输入错误或业务员降价接受订单等），系统应加以锁定，以便主管审核。

4.2.6 加工包装确认

客户订购的商品是否有特殊的包装、分装或贴标等要求，或是有关赠品的包装等资料系统都需加以专门的确认记录。

4.2.7 设定订单号码

每一份订单都要有单独的订单号码，此号码一般是由控制单位或成本单位来指定，它除了便于计算成本外，还有利于制造、配送等一切与之相关的工作。所有工作的说明单及进度报告都应附有此号码。

4.2.8 建立客户档案

将客户状况详细记录，不但能有益于此次交易的顺利进行，而且还有益于将客户状况详细记录，增加合作机会。客户档案的内容一般包括以下几个方面：

（1）客户姓名、代号、等级形态。

（2）客户信用度。

（3）客户销售付款及折扣率的条件。

（4）开发或负责此客户的业务员。

（5）客户配送区域。

（6）客户收账地址。

（7）客户点配送路径顺序。

（8）客户点适合的车辆形态。

（9）客户点的下货特性。

（10）客户配送要求。

（11）过期订单处理指示。

4.2.9 存货查询和存货分配

1. 存货查询

存货查询的目的在于确认库存是否能满足客户需求。存货资料一般包括品项名称、号码、产品描述、库存量、已分配存货、有效存货及期望进货时间。在输入客户订货商品的名称、代号时，系统应查核存货的相关资料，看是否缺货，若缺货则应提供商品资料或此商品的已采购未入库信息，以便于接单人员与客户协调，从而提高接单率及接单处理效率。

2. 存货分配

订单资料输入系统，确认无误后，最主要的处理业务在于如何将大量的订货资料作最有效的分类、调拨，以便后续物流作业的顺利进行。存货分配模式可分为单一订单分配和批次分配两种。

（1）单一订单分配。这种情况多为线上即时分配，即在输入订单资料时，就将存货分配给订单。

（2）批次分配。即在输入订单资料时，就将存货分配。

输入所有的订单资料后，一次分配库存。配送中心因订单数量多，客户类型等级多，且多为每天固定配送次数，因此采取批次分配是确保配送中心库存能力的最佳分配方式。

进行批次分配，需注意订单分批原则，即批次的划分。根据作业的不同，各配送中心的分批原则可能不同，总的来说常有以下几种划分方法：

①按接单时序划分。这种方法将整个接单时段划分为几个合理区段。若一天有多个配送批次，可配合配送批次将订单按接单先后顺序分为几个批次来处理。

②按配送区域或路径划分。即将同一配送区域或路径的订单汇总后一起处理的方法。

③按流通加工需求划分。即将需加工处理或需相同流通加工处理的订单一起处理的方法。

④按车辆需求划分。若配送商品需特殊的配送车辆（如低温车、冷冻车、冷藏车）或由于客户所在地、下货特性等需要特殊形态车辆可汇总合并一起处理。如缺货项目或缺货数量等。

4.2.10 计算拣取的标准时间

对于每一份订单或每批订单可能花费的拣取时间要事先安排，即要计算订单拣取的标准时间，有计划地安排出货时程，其步骤通常如下：

（1）先计算每一单元（一件、一箱）的拣取标准时间，将之记入计算机档案。

（2）有了单元拣取标准时间后，即可根据每项订购数量，再配合每项寻找时间，计算每项拣取标准时间。

（3）根据每张订单或每批订单的订货项目，并考虑一些纸上作业的时间，算出整批订单的拣货标准时间。

4.2.11 按订单排定出货时序及拣货顺序

正如前面所述，我们可根据存货状况进行有关存货的分配，但对于这些已分配存货的订单，应如何安排其出货时程及拣货先后顺序呢？通常应按客户需求和标准拣货时间等具体情况来安排。

4.2.12 订单资料处理输出

订单资料经上述处理后，即可开始印制出货单据，展开后续的物流作业。

1. 拣货单

拣货单据主要是提供商品出库指示资料，以作为拣货的依据。拣货资料的形式需配合配送中心的拣货策略及拣货作业方式来设计，以提供详细且有效率的拣货信息，便于拣货的进行。

2. 送货单

货物交货配送时，通常需附上送货单据，以便客户清点、签收。因为送货单是客户签收和确认出货资料的凭证，故其正确性十分重要。送货单应特别注意以下内容：

（1）单据打印时间。最能保证送货单资料与实际出货资料一致的方法是在出车前完成一切清点工作，而且不相符的资料也要在计算机上修改完毕，再打印出货单。但这种方法常因单据数量多而耗费较长的时间，进而影响出车时间。

（2）送货单资料。送货单据上的资料除基本出货资料外，还应附上一些订单的异常情形，如缺货项目或缺货数量等。

（3）缺货资料。库存分配后，对于缺货商品或缺货的订单资料要一一列明并输入计算机。系统应提供查询或报表打印功能。

①库存缺货商品。要提供按商品或供应商的名称代号查询的缺货商品资料，以提醒采购人员及时采购。

②缺货订单。要提供按客户或业务员的名称代号查询的缺货订单资料。如缺货项目或缺货数量等。

4.3 拣货作业

4.3.1 拣货作业的含义

拣货作业是配送作业的中心环节。所谓拣货，就是依据顾客的订货要求或配送中心的作业计划，尽可能迅速、准确地将商品从其储位或其他区域拣取出来的作业过程。拣货作业在配送作业环节中不仅工作量大，工艺复杂，而且要求作业时间短，准确度高，服务质量好。因此，加强对拣货作业的管理非常重要。在拣货作业中，根据配送的业务范围和服务特点，即根据顾客订单所反映的商品特性、数量多少、服务要求、送货区域等信息，采取科学的拣货方式，进行高效的拣货作业，这是配送作业中关键的一环。拣货作业流程如图4-5所示。

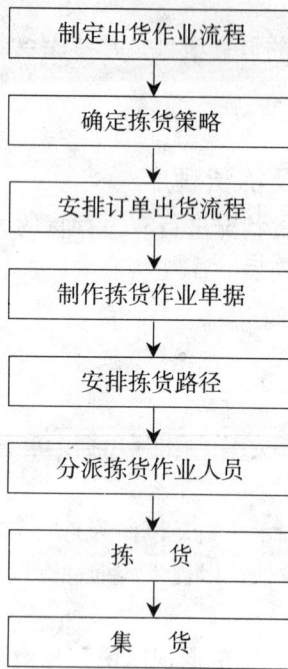

```
┌──────────────────┐
│  制定出货作业流程  │
└──────────────────┘
         │
         ▼
┌──────────────────┐
│   确定拣货策略     │
└──────────────────┘
         │
         ▼
┌──────────────────┐
│  安排订单出货流程  │
└──────────────────┘
         │
         ▼
┌──────────────────┐
│  制作拣货作业单据  │
└──────────────────┘
         │
         ▼
┌──────────────────┐
│   安排拣货路径     │
└──────────────────┘
         │
         ▼
┌──────────────────┐
│  分派拣货作业人员  │
└──────────────────┘
         │
         ▼
┌──────────────────┐
│      拣  货        │
└──────────────────┘
         │
         ▼
┌──────────────────┐
│      集  货        │
└──────────────────┘
```

图4-5 拣货作业流程

拣货作业按实际作业情形大致分为以下四个部分：

1. 拣货资料的形成

拣货作业开始前，指示拣货作业的单据或信息必须先行处理完成。虽然一些配送中心直接利用顾客订单或公司交货单作为拣货指示，但因此类传票容易在拣货过程中受到污损而产生错误，无法正常指示产品储位，所以大多数拣货方式仍需将原始传票转换成拣货单或电子信号，使拣货员或自动拣取设备进行更有效的拣货作业。但这种转换仍是拣货作业中的一大瓶颈，因此，如何利用 EOS（electronic ordering system）、POT（portable ordering terminal）直接将订货资讯通过计算机快速及时地转换成拣货单或电子信号，是现代配送中心未来发展的重要研究课题。

2. 行走或搬运

拣货时，拣货作业人员或机器必须直接接触并拿取货物，这样就形成了拣货过程中的行走与货物的搬运。这一过程有两种完成方式：

（1）人—物方式。即拣货人员以步行或搭乘拣货车辆方式到达货物储存位置。这一方式的特点是货物处于静态储存方式，主要移动方为拣取者（拣取机器人也属拣取者）。

（2）物—人方式。和第一种情况相反，物—人方式中，主要移动方是货物，拣取人员在固定位置作业，不必去寻找商品的储存位置。这种方式的特点是货品保持动态的储存方式，如轻负载自动仓储、旋转自动仓储等。

3. 拣货

当货品出现在拣取者面前时，一般采取的两个动作为拣取与确认。拣取是抓取物品的动作，确认则是确定所拣取的物品、数量是否与指示拣货的信息相同。在实际的作业中多采用读取品名与拣货单据作对比的确认方式，较先进的做法是利用无线传输终端机读取条码后，再由计算机进行确认。通常对小体积、小批量、搬运重量在人力范围内且出货频率不是特别高的货品，采取手工方式拣取；对体积大、重量大的货物，利用升降叉车等搬运机械辅助作业；对于出货频率很高的货品则采用自动分拣系统进行拣货。

4. 分类与集中

配送中心收到多个客户的订单后，可以批量拣取。拣取完毕后再根据不同的客户或送货路线分类集中，有些需要进行流通加工的商品还需根据加工方法进行分类，加工完后再按一定方式分类出货。分货过程中多品种分货的工艺过程较复杂，难度也大，容易发生错误，它必须在统筹安排、形成规模效应的基础上，提高作业的精确性。在物品体积小、重量轻的情况下，可以采取人力分货或机械辅助作业的方式，还可利用自动分货机将拣取出来的货物进行分类与集中。分类完成后，货物经过查对、包装便可以出货、装运、送货了，其过程如图4-6所示。

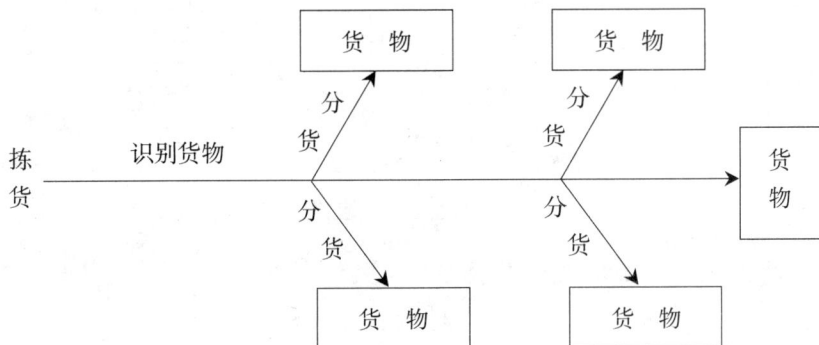

图4-6 分货过程

从分拣作业的四个基本过程我们可以看出，整个拣货作业所消耗的时间主要包括以下四个部分：①订单或送货单经过信息处理，形成拣货指示的时间；②行走或搬运货物的时间；

③准确找到货物的储位并确认所拣货物及数量的时间；④拣取完毕，将货物分类集中的时间。

因此，提高拣货作业效率，主要就在于缩短以上四个作业时间来提高作业速度与作业能力。

拣货作业系统的重要组成元素包括拣货单位、拣货方式、拣货策略、拣货信息、拣货设备等，下面我们将对这些元素分别进行说明。

4.3.2 拣货单位

拣货单位可分成托盘、箱和单件三种。一般来说，托盘是体积、重量最大的拣货单位，其次为箱，最小的为单件。

（1）单件。单件商品包装成独立单元，以该单元为拣取单元，是拣货最小的单元。

（2）箱。由单件装箱而成，拣货过程以箱为拣取单位。

（3）托盘。由箱堆码在托盘上集合而成，经托盘装载后加固盘堆码，数量固定，拣货时以整只托盘为拣取单位。

此外，有些特殊物品（体积过大、形状特殊或必须在特殊情况下作业的货物），如桶装液体、散装颗粒、冷冻食品等，拣货时以特定包装形式和包装单位为标准。

拣货单位通常由订单分析出来的结果而决定，如果订货的最小单位是箱，则不需以单件为拣货单位。库存的每一种货物都要根据实际情况选择合适的拣货单位，一种货物可能需两种以上的拣货单位，所以一个配送中心的拣货单位经常在两种以上，设计时就要针对每种情况作分区考虑，图4-7即为一般配送中心的区位结构图。

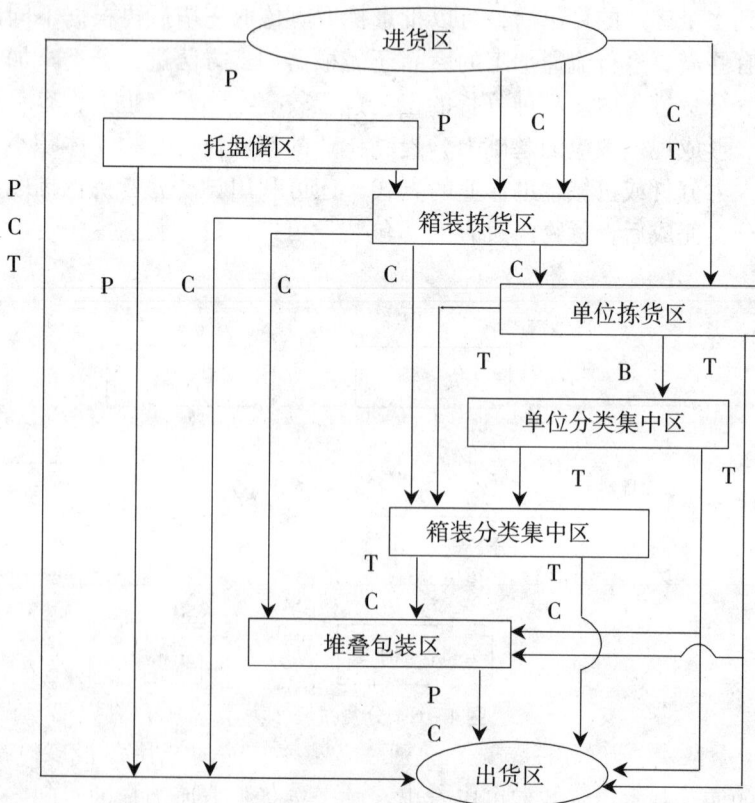

图4-7 配送中心的区位结构

4.3.3 拣货方式

拣货作业最简单的划分方式，是将其分为按单分拣、批量分拣、复合分拣与自动式分拣四种方式。按单分拣是分别按每份订单拣货；批量分拣是多张订单累积成一批，汇总后形成拣货单，然后根据拣货单的指示一次拣取商品，再进行分类；复合分拣是将以上两种方式的优点综合运用于拣货作业中。

1. 按单分拣

（1）按单分拣的作业原理。分拣人员或分拣工具巡回于各个储存点，按订单所要求的物品完成货物的配货，如图4-8所示。这种方式类似于人们进入果园后，在一棵树上摘下已成熟的果子后，再转到另一棵树上去摘果子，所以又形象地称之为摘果式。

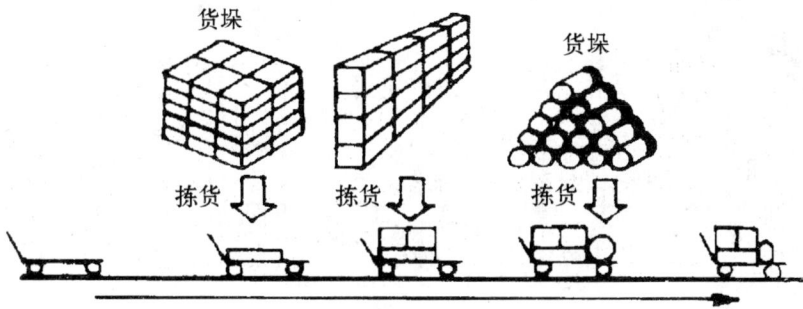

图4-8 按单分拣的作业流程

（2）按单分拣作业方法的特点。

①按单分拣，易于实施，而且配货的准确度较高，不易出错。

②对各客户的分拣相互没有约束，可以根据客户需求的紧急程度，调整配货先后次序。

③分拣完一个货单，货物便配齐，因此，货物可不再落地暂存，而直接装上配送车辆，这样有利于简化工序，提高作业效率。

④客户数量不受限制，可在很大范围内波动。分拣作业人员的数量也可以随时调节，在作业高峰时，可以临时增加作业人员，有利于开展即时配送，提高服务水平。

⑤对机械化、自动化没有严格要求，不受设备水平限制。

（3）按单分拣的缺点。

①商品品类多时，拣货行走路径加长。

②拣货区域大时，搬运系统设计困难，拣货效率降低。

③少量多次拣取时，造成拣货路径重复，效率降低。

（4）按单拣选式作业适用领域。拣选配货作业在以下几种情况下可以作为首选作业。

①用户不稳定，波动较大，不能建立相对稳定的用户分货货位，难以建立稳定的分货线，在这种情况下宜于采取灵活机动的拣选式配货作业，用户少时或用户很多时都可采取拣选方式。

②用户之间共同需求不多，需求差异很大，在这种情况下，统计用户共同需求，将共同

需求一次取出再分给各用户；在既有共同需求，又有很多特殊需求的情况下，采取其他配货作业容易出现差错，而采取一票一拣方式便有利得多。

③用户需求的种类太多，增加了统计和共同取货的难度，采取其他方式配货时间太长，而利用拣选式配货作业实际能起到简化作用。

④用户配送时间要求不一，有紧急的，也有一定限定时间的，采用拣选式工艺可有效地调整先后拣选的配货顺序，满足不同时间需求，尤其对于紧急的即时需求更为有效。因此，即使是在以其他作业路线为主的情况下，也仍然需要辅以拣选式路线，以起到对别的方式的补充作用。

⑤一般仓库改造成配送中心，或新建配送中心的初期，拣选配货作业可作为一种过渡性的办法。

⑥网络经济时代涌现的直接面向基本消费者进行配送的电子商务，需求的随机性太强，适合于采取拣选式配货方式。

2. 批量分拣

（1）批量分拣的作业原理。批量分拣作业是由分货人员或分货工具从储存点集中取出各个客户共同需要的某种货物，然后巡回于各客户的货位之间，按每个客户的需要量分放后，再集中取出共同需要的第二种货物，如此反复进行，直至客户需要的所有货物都分放完毕，即完成各个客户的配货工作，如图 4-9 所示。这种作业方式，类似于农民在土地上播种，一次取出几亩地所需的种子，在地上巡回播撒，所以又形象地称之为播种式或播撒式。

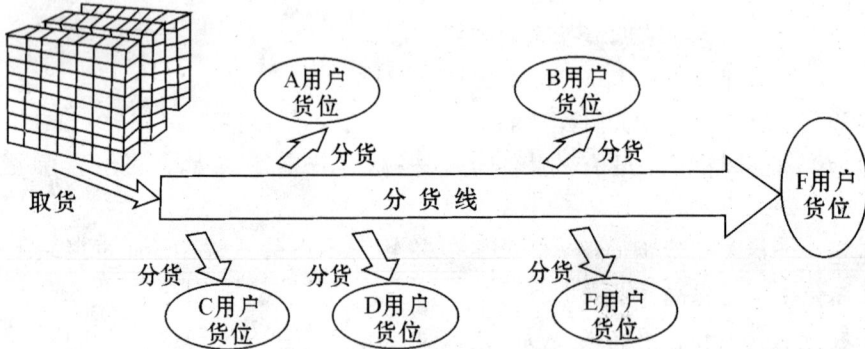

图 4-9　批量分拣的作业流程

（2）批量分拣作业方式的特点。

①由于是集中取出共同需要的货物，再按货物货位分放，这就需要在收到一定数量的订单后进行统计分析，安排好各客户的分货货位之后才能反复进行分货作业，因此，这种工艺难度较高，计划性较强，与按单分拣相比错误率较高。

②由于是各客户的配送请求同时完成，可以同时开始对各客户所需货物进行配送，因此有利于车辆的合理调配，能合理规划配送路线，与按单分拣相比，可以更好地利用规模效益。

③对到来的订单无法作及时反应，必须等订单达到一定数量时才作一次处理，因此会有停滞时间。只有根据订单到达的状况作等候分析，决定出适当的批量大小，才能将停滞时间减至最低。

（3）批量拣货的缺点。

①对紧急订单无法作及时处理，必须等订单积累到一定数量时才能作批量拣取一次性的处理，从而会延长停滞时间。

②批量拣货方式通常在系统化、自动化设备齐全、作业速度提高的情况下采用，适合订单变化较小、订单数量稳定的配送中心和外形较规则、固定的商品，如箱装、袋装的商品。另外，需进行流通加工的商品也可采用批量拣取，拣取完后再进行批量加工，分类配送，这有利于提高拣货及加工效率。

（4）分货式配货作业适用领域。

①用户稳定且用户数量较多，可以建立稳定的分货线，在这种情况下宜于利用其稳定的优势规划和计划分货，在这种情况下可采取分货方式。

②用户的需求有很强的共同性，需求的差异较小，需求数量可有差异，但种类相同，在这种情况下，可以统计用户的共同需求，集中取货分放给各用户，这样可提高效率。例如，一个食品配送中心，专给几十家宾馆配送，而配送种类又都是烟、酒、饮料、咖啡、小食品、粮食、面包等若干种，采用分货式配货作业，比按几十家宾馆的需求一家一家地拣选，效率要高得多。

③用户需求的种类有限，易于统计，不至于使分货时间太长。

④用户配送时间的要求没有严格限制，可以采取计划配送的方法。

⑤力求追求效率，降低成本，采取分货式配货作业较为有利。

⑥专业性强的配送中心，容易形成稳定的用户和需求，货物种类有限，宜于采用分货式配货作业。

⑦商业连锁、服务业连锁、巨型企业内部供应配送，适合采用分货式配货作业。

分拣式配货作业是分货式、拣选式的一体化配货方式。

3. 复合分拣

复合分拣是将按订单分拣和批量分拣组合起来的拣货方式，即根据订单的品种、数量及出库频率，确定哪些订单适宜按订单分拣，哪些订单适宜批量分拣，然后分别采用不同的拣货方式。复合分拣是前两种典型方式的中间方式。

复合分拣是拣货人员或分拣工具从储存点拣选出各个用户共同或不同需要的多种类货物，然后巡回于各用户的货位之间，按用户需要的种类和数量拣选出来放入货位，至这一次取出的所有货物都分放完毕，同时完成各个用户的配货工作。

这种方式特别适合于小型配送系统，小型配送系统一次性到货，可能是供给若干个用户的不同种类货物，采取共同配送方式从上一级物流中心或大的配送中心进货，可直接进入分拣线进行分拣。如果不采用分拣式配货，而是采用拣选式或分货式配货，则需将到货先行分放到货架或货位，然后再进入配货程序。这样不但增加了工序，更重要的是增加了时间，减缓了动态性。

分拣式配货主要适用于小型配送中心、邮局、快递公司等领域采用。这些领域的共同特点是配货对象是掺杂、混合的杂乱对象，例如邮局收寄的信件、包裹，快递公司收递的快递件，小型配送中心混合进货的物品等。

4. 自动式分拣

自动分拣式配货作业是建立在信息化的基础上，其核心是机电一体化。配送作业的自动化，能够扩大作业能力，提高劳动生产率，减少作业差错。在经济发达国家，仓储配送中心自动化较为普遍，程度也很高。

在日本及欧美国家，仓储配送中心接到顾客的订单之后，随即发出配货、发送的指示，自动分拣系统在最短的时间内从庞大的货架储存系统中准确找到要出库货物的货位，按照订单上的需求，从不同的货位取出不同数量的货物，搬运到理货区或发货区进行配货并准备装车送达。

（1）自动分拣系统的主要特点。

①分拣作业无人操作。在经济发达国家，劳务费是主要成本之一，特别是作业环境差、劳动强度大的工作，劳动力成本更大，为此配送中心的自动分拣系统的目标之一就是最大限度地减少劳动力，基本做到无人操作。这样既提高了劳动力的使用效率，又减轻了劳动强度。整个配送中心仅有少数管理人员及自动控制室内的操作人员等，大部分作业基本上实行无人操作。

②误差较小。自动分拣系统误差较小，即便采用人工键盘或语言识别方式输入，误差也仅有3%左右，如果采用条形码扫描输入，一般不会出现差错，除非条形码自身有误。

③连续作业。自动分拣系统不受气候、时间、体力等因素的制约，能够连续运行，而且单位时间内分拣的件数多。一般可以连续运行100个小时以上，每小时分拣70多件包装商品，是人工作业的多倍。

（2）自动分拣系统的构成。自动分拣系统一般由控制装置、分类装置、输送装置及分拣道口四部分装置通过计算机网络联结在一起，配合人工控制及相应的人工处理环节构成完整的自动分拣系统。

①控制装置。控制装置的作用是识别、接收和处理分拣信号，根据分拣信号的要求指示分类装置、输送装置进行相应的作业。一般情况下是按货物的种类、送达地点及货物的类别等需求通过条形码扫描输入到分拣控制系统中，这些分拣信号决定某种货物进入哪一个分拣道口。

②分类装置。分类装置的作用是根据控制装置发出分拣指示，当具有同类分拣信号的商品经过该装置时，使其改变运行方向进入其他输送机或分拣道口。分类装置对分拣货物的包装材料、包装形状、包装重量、包装面的平滑程度都有不同的要求。

③输送装置。该装置是自动分拣系统的主体。完成部分是输送机，其主要作用是使待分拣的商品通过扫置、分类装置设计好的路线输送到分拣口。

④分拣道口。一般由钢带、皮带、滚筒等组成。是使货物脱离主输灌机滑向集货区域的滑道，最后入库进行配送。

（3）实施自动分拣系统的条件。即使是在经济发达国家，也并不是所有的配送中心都设置自动分拣系统，人工分拣的配送中心仍然不少，因为配送和自动分拣系统要求必须保证以下条件：

①投资巨大。自动分拣系统需要40~200米的机械传送机，还要配自动控制装置、计算机网络及通信系统，而且须建造自动化立体仓库，一般需要2万平方米以上；还要配置自动化搬运设施与设备。这种一次性巨额投资需要10~20年才能收回，如果效益不好，投资回收期会更长。一般小型企业无力投资。

②严格的外包装要求。由于自动分拣机只适用于外部平坦且具有刚性的包装货物。对于超长、超薄、超重、高袋装、底部柔软且不平、易变形、易破损、不能倾覆的货物不能使用自动分拣机。另外要求货物包装及分拣设备一定要符合标准化要求。

③作业量大。自动分拣系统开机运行成本较高，如果没有足够的业务量来支撑，整个系统就不能满负荷运行，单位成本就高。所以必须有较大的业务量，使整个系统连续满负荷运行，以保证系统的作业效率。

4.3.4 拣货策略

拣货策略是影响拣货作业效率的关键，它主要包括分区、订单分割、订单分批、分类四个因素，这四个因素相互作用可产生多个拣货策略。下面将逐一进行介绍。

1. 分区

分区就是将拣货作业场地作区域划分，图4-10为拣货分区示意图。根据分区的原则不同来分类，可分为以下三种：

（1）按拣货单位分区。将拣货作业按拣货单位划分，如箱装拣货区、单件拣货区、具有特殊性的冷冻品拣货区等，这一分区基本上与储存单位分区是相对应的。其目的在于将储存与拣货单位分类统一，以便拣取与搬运单元化和拣取作业单纯化。

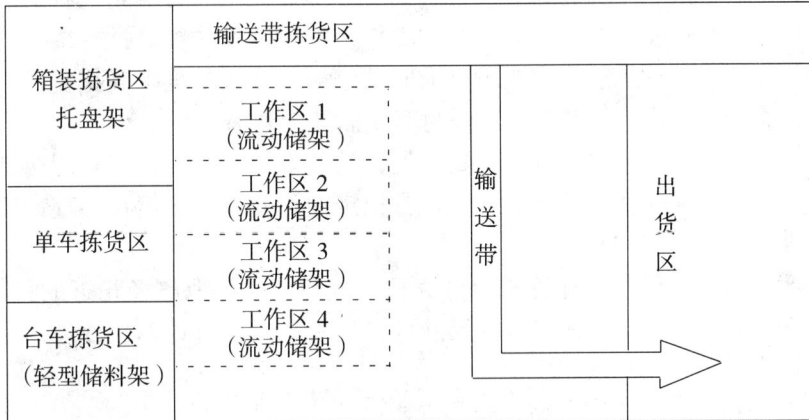

图4-10 拣货分区示意图

（2）按拣货方式分区。不同的拣货单位分区中，依拣货方法及设备的不同，又可划分为若干个分区。分区的原则通常按商品销售的ABC分类而来，如图4-10所示。按各品类的出货量大小及拣取次数的多少，各作A、B、C群组划分。再根据各群组的特征，决定合适的拣货设备及拣货方式。这种方式可将作业区单纯化、一致化，以减少不必要的重复行走所耗费的时间。

（3）工作分区。在相同的拣货方式下，将拣货作业场地细分成不同的分区，由一个或一组固定的拣货人员负责拣取区域内的货物。这一策略的优点在于能减少拣货人员所需记忆的存货位置及移动距离，缩短拣货时间。同时也可配合订单分割策略，运用多组拣货人员在更短时间内共同完成订单的拣取。

2. 订单分割

当订单所订购的商品种类较多，或设计一个要求及时快速处理的拣货系统时，为了使其能在短时间内完成拣货处理，利用订单分割策略将订单切分成若干个子订单，交由不同的拣货人员同时进行拣货作业，以加速拣货的完成。订单分割策略必须与分区策略配合运用，才能有效地发挥其优势。

3. 订单分批

订单分批是为了提高拣货作业效率，把多张订单集合成一批进行批次拣取的作业。若再将每批次订单中的同一商品种类汇总拣取，然后把货品分类至每一顾客订单，则形成批量拣取，这样不仅缩短了拣取时平均行走搬运的距离，也减少了储位重复寻找的时间，进而提高了拣货效率。

订单分批方式有以下四种：

（1）合计总量分批。合计拣货作业前所有累积的订单中每一商品项目的总量，再按这一总量进行拣取。这样便可将拣取路径减至最短，同时储存区域也较单纯化，但需要功能强大的分类系统来支持。此种方式适合于周期性配送，例如，可将所有的订单在中午前搜集，在下午作合计处理，隔日一早再进行拣取、分类工作。

（2）时窗分批。当订单要求紧急发货时，可利用此策略，开启短暂而固定的时窗 5 ~ 10 分钟，再将这一时窗中所有的订单做成一批，进行批量拣取。这一方式常与分区及订单分割联合运用，特别适合于到达间隔时间短而平均的订单形态，同时订购量及种类不宜太多。各拣货分区利用时窗分批同步作业时，会因分区工作量不平衡和时窗分批拣货量的不平衡产生作业的等待问题。因此，如果能将作业等待的时间缩短，将大幅度提高拣货的产出效率。这种分批方式较适合密集频繁的订单，且能应付紧急插单的需求。

（3）固定订单量分批。订单分批按先到先处理的基本原则，当订单累积达到设定的数量时，开始进行拣货作业。这种方式偏重于维持较稳定的作业效率，但在处理速度上慢于时窗分批方式。

（4）智慧型分批。订单输入计算机经计算机处理后，将拣取路径相近的订单分成一批。采用这种分批方式的配送中心通常将前一天的订单汇总后，经过计算机处理，在当日产生拣货单据，速度较快。

4. 分类

若采用分批拣货策略，还必须有相配合的分类策略。大致可分成两类：

（1）拣货时分类。在拣取的同时将货物分类到各订单中，这种分类方式常与固定量分批或智慧型分批方式配合，因此须使用计算机辅助台车作为拣货设备，以加快拣货速度。采用这种方式时，每批次的客户订单量不宜过大。

（2）拣取后集中分类。即分批按合计总量拣取后，再进行集中分类。实际的做法一般有两种：一种是以人工作业为主，将货物搬运到空地上进行分类，但每批次订单量及货物数量不宜过大，不得超过人员负荷；另一种是利用分类输送系统进行集中分类，这是较自动化的作业方式。当订单分批批量品种较多时，常使用后一种方式来完成集中分类工作。

以上四大类拣货策略因素可单独或联合运用，也可不采用任何策略，直接按订单拣取。

4.3.5　拣货信息

获取拣货信息的途径有传票、拣货单、计算机条形码等，具体方式如下：

1. 传票

直接利用订单或公司的交货单作为拣货的指示根据。

2. 拣货单

先把原始的用户订单输入计算机进行拣货信息处理后，再打印出拣货单，拣货人员按拣货单进行拣货。这种方式的优点是避免传票在拣货过程中受污损，产品储位编号可显示在拣货单上。

3. 贴标签

用印有物品名称、位置、数量和价格的标签取代拣货单，因货物和标签同步前进，可利用扫描器读取货品的条形码，不仅方便，而且错误率极小。

4. 显示方式

这种方式最初在货架上安装灯号来显示拣货位置，之后发展为在货架上安装液晶显示器。这种方法可显示应该拣取的货物数量，准确率很高。

5. 条形码

条形码是利用黑白相间的粗细条纹组成不同的平行线符号来取代商品货箱的号码数字。通常把它贴在商品或货箱表面上，经过扫描器阅读和计算机解码后，把"线条符号"转变成"数字号码"，再进行计算机运算。

条形码是商品从制造、批发到销售过程中实施自动化管理的符号。通过条形码阅读器自动读取的方式，不但能准确快速地掌握商品信息，还能提高库存管理精度，是一种实现商品管理现代化的有效方法。例如，通过条形码扫描器读取表示货架位置号码的条形码后，可以立即得到货物保管位置的信息。

6. 无线电识别器

把无线电识别器安装在移动设备上，同时把收接和发射电波的卡或标签等信息反映器安装在货品或储位上。当无线电识别器接近货品时，立即读取货品或储位上的反映器，并通过识别电路传给计算机。例如 ID 卡安装在托盘上，无线电识别器安装在堆垛机上，当堆垛机接近托盘时，托盘上的信息立即被无线电识别器读取并传递给计算机。

7. 无线通讯

通过安装在堆垛机上的无线电通讯设备，把拣货信息传递给拣货人员。

8. 计算机随行指示

把拣货信息传递给拣货人，在堆垛机或台车上安装辅助拣货的计算机终端，在拣货之前把拣货信息输入计算机，拣货人员根据计算机的显示引导进行拣货。

9. 自动拣货系统

当电子信息输入自动拣货系统后，系统自动完成拣货工作。这是世界上最先进的自动拣货系统，是拣货设备未来的发展方向。

4.3.6 拣货设备

在拣货过程中所使用的设备很多，如储存设备、搬运设备、分类设备、信息设备等，大致可分为三大类：

1. 人—物的拣货设备

指物品固定，拣货人利用拣货设备到物品位置处把物品拣选出来。这一类拣货设备主要有储存设备和搬运设备。

储存设备，如托货架等。搬运设备有轻型货架、储柜、流动货架、高层货架、数位显示货架，如无动力台车、动力台车、动力牵引车、堆垛机、拣送机、搭乘式存取机、无动力输送机、动力输送机、计算机辅助台车等。

2. 物—人的拣货设备

这与人—物的拣货方法相反，拣货人员固定在某一位置，等待设备把货品运到拣货者面前进行拣货。这种拣货设备的自动化水平较高，常包括储存设备和搬运设备。储存设备如单元负载自动仓库、轻负载自动仓库、水平旋转自动仓库、垂直旋转自动仓库、梭车式自动仓库等。搬运设备如堆垛机、动力输送带、无力搬运车等。

3. 自动拣货设备

除了以上人—物、物—人两种拣货设备外，还有一类就是自动拣货设备，其拣取的动作完全由自动的机械负责，无须人力介入。现在广泛使用的自动拣货设备有箱装自动拣货设备、单个自动拣货设备等。

4.4 补货作业

补货作业是将货物从仓库保管区域搬运到拣货区的工作。下面我们将对补货方式、补货流程、补货时机及补货方式的应用分别进行介绍。

4.4.1 补货方式

补货作业的目的是确保商品能保质保量按时送到指定的拣货区，补货方式主要有以下几种：

1. 整箱补货

整箱补货是由货架保管区补货到流动货架的拣货区。这种补货方式的保管区为料架储放区，动管拣货区为两面开放式的流动棚拣货区。拣货员拣货之后把货物放入输送机并运到发货区，当动管区的存货低于设定标准时，则进行补货作业。这种补货方式由作业员到货架保管区取货箱，用手推车载箱至拣货区，较适合于体积小且少量多样出货的货品。

2. 托盘补货

这种补货方式是以托盘为单位进行补货。托盘由地板堆放保管区运到地板堆放动管区，拣货时把托盘上的货箱置于中央输送机送到发货区。当存货量低于设定标准时，立即补货，使用堆垛机把托盘由保管区运到拣货动管区，也可把托盘运到货架动管区进行补货。这种补货方式适合于体积大或出货量多的货品。

3. 货架上层—货架下层的补货方式

此种补货方式保管区与动管区属于同一货架，也就是将同一货架上的中下层作为动管区，上层作为保管区，而进货时则将动管区放不下的多余货箱放到上层保管区。当动管区的存货低于设定标准时，利用堆垛机将上层保管区的货物搬至下层动管区。这种补货方式适合于体积不大、存货量不高，且多为中小量出货的货物。

4.4.2 补货流程

下面以托盘为例说明补货的作业流程，如图4-11所示。

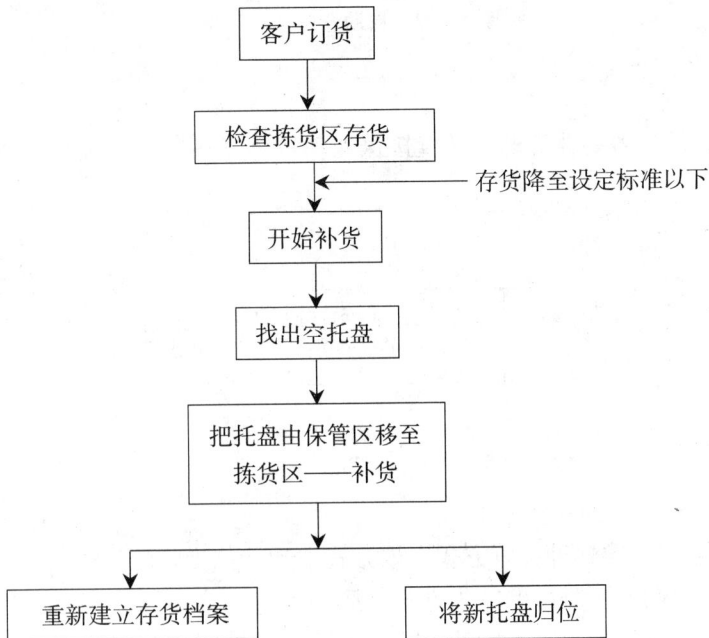

图4-11 一般补货作业流程

4.4.3 补货时机

1. 批组补货

每天由计算机计算所需货物的总拣取量和查询动管区存货量后得出补货数量，从而在拣货之前一次性补足，以满足全天拣货量。这种一次补足的补货原则，较适合一日内作业量变化不大、紧急插单不多或是每批次拣取量大的情况。

2. 定时补货

定时补货是把每天划分为几个时点，补货人员在时段内检查动管拣货区货架上的货品存量，若不足则及时补货。这种方式适合分批拣货时间固定且紧急处理较多的配送中心。

3. 随机补货

随机补货是指定专门的补货人员，随时巡视动管拣货区的货品存量，发现不足则随时补货。这种方式较适合每批次拣取量不大、紧急插单多以至于一日内作业量不易事先掌握的情况。

4.4.4 补货方式的应用

1. 自动仓库补货方式

自动仓库补货方式是由自动仓库将商品送至旋转货架进行补货，如图4-12所示。

计算机指示 → 由自动仓库送出商品 → 扫描商品及容器条码，将商品装入相应的容器 → 输送机 → 旋转货架补货

图4-12　自动仓库补货流程

2. 直接补货方式

直接补货方式是将需要补货的货品直接送入动管拣货区，而不需经保管区再转送，如图4-13所示。

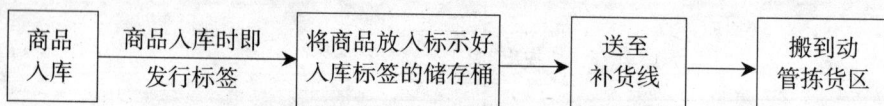

商品入库 —商品入库时即发行标签→ 将商品放入标示好入库标签的储存桶 → 送至补货线 → 搬到动管拣货区

图4-13　直接补货流程

3. 拣货区采取复合制的补货方式

英国DOOTS公司采取这种补货方式。该方式中动管拣货区的货物采取相同种类相邻放置方式，而保管区采取两处两阶段的补货方式。第一保管区为高层货架仓库，第二保管区为动管区旁的临时保管处。进行第一阶段补货时先由第一保管区的高层货架把货物运至第二保管区，动管拣货区内的其中一个托盘拣取完毕后，即将空托盘移出，后面托盘依序往前推出，第二保管区再将补货托盘移进动管拣货区，如图4-14所示。

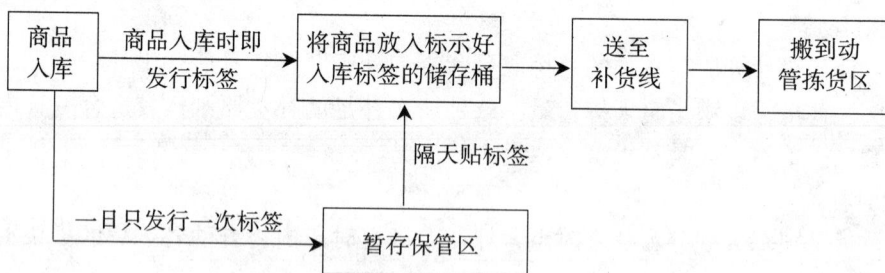

商品入库 —商品入库时即发行标签→ 将商品放入标示好入库标签的储存桶 → 送至补货线 → 搬到动管拣货区
　　│隔天贴标签↑
　　└—一日只发行一次标签→ 暂存保管区

图4-14　拣货区采取复合制的补货流程

4.5　配货作业

4.5.1　配货作业的基本流程

配货作业是指把拣取分类完成的货品经过配货检查过程后，装入容器和做好标示，再运到配货准备区，待装车后发送。其作业流程如图4-15所示。

```
                    ┌─────────────┐
                    │   贴标签      │
                    └──────┬──────┘
                           ↓
                    ┌─────────────┐
                    │   分  货      │
                    └──────┬──────┘
                           ↓
                    ┌─────────────┐
                    │   配货检查    │
                    └──────┬──────┘
                           ↓
                    ┌─────────────┐
                    │  包装、捆包   │
                    └──────┬──────┘
                           ↓
              ┌────────────────────────┐
              │     运到配货准备区        │
              └──────────┬─────────────┘
                         ↓           配货日程
                         ←───────────────
          ┌────────────┐        ┌──────────────┐
          │   堆  放     │        │   传票处理     │
          └─────┬──────┘        └──────┬───────┘
                └───────┬──────────────┘
                        ↓
                 ┌─────────────┐
                 │   装  车      │
                 └──────┬──────┘
                        ↓
                 ┌─────────────┐
                 │   配  货      │
                 └──────┬──────┘
                        ↓
                 ┌─────────────┐
                 │  配货信息记录  │
                 └─────────────┘
```

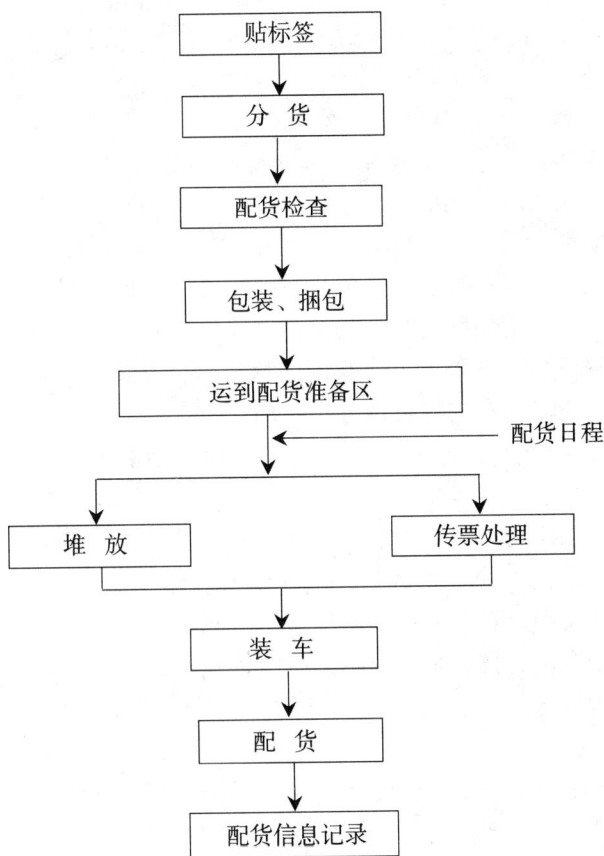

图 4 - 15 配货作业的基本流程

4.5.2 分货

分货就是把拣货完毕的货品,按用户或配送路线进行分类的工作。分类方式一般有以下几种:

1. 人工目视处理

人工目视处理是由人工根据订单或传票把各用户的货品放在已贴好客户标签的货箱中。

2. 用自动分类机

利用自动分类机、计算机辨识系统进行分类工作,不仅准确、快速,而且效率高。自动分类机的组成简单来说包括以下六项装置:

(1) 搬运输送机。一般有皮带输送机、滚筒输送机、整列输送机、垂直输送机四种类型。

(2) 移动装置。也称导入口、进入站,其作用是把搬运来的物品及时取出并移送到自动分类机本体上,通常有直线形和环形两种。与分类装置成直线配置。环形分类机的移载装置与分类装置大多成45度的角,也有30度和90度配置的。

(3) 分类装置。是自动分类机的主体,按其分出货物的方式可分为四种,即推出式、浮起送出式、倾斜滑下式、皮带送出式。

（4）排出装置。是为了尽早将各货物搬离自动分类机并避免与下批货物相碰撞的装置。

（5）输入装置。是在自动分类机分类之前，把分类物的信息输入控制系统的装置。其输入方法常有键入式、条形码及激光扫描器、光学读取器、声音输入装置、反向记忆、主计算机、体积测量器、重量器。

（6）控制装置。是根据分类物的信息，对分类机上的货物进行分类控制的装置。其控制方式有两种：磁气记忆式和脉冲发信式。

上述六项装置的配置不同，自动分类机的类型、功能也不同，且各具特色，但按其滑出形式大体可分为将载物部分倾斜滑落的倾倒式和水平分出处理式两种。

就易破损物品而言，采用倾倒式会有较大的损害率，所以常采用水平处理。此外，当系统要求较大分类能力时，则需采用较高速的自动分类机，并最好使用震荡较少的窄皮带传送方式，以免损坏货物。所以，在选择自动分类机时，一般从以下五个主要方面来衡量：物品数量、物品形状、重量分析、容器尺寸分析、易损坏物分析。

3. 旋转架分类

为节省成本，也可采用旋转架分类的方式。这种方式将旋转架的每一格位当成客户的出货框，分类时只要在计算机中输入各客户的代号，旋转架即会自动将货架转至作业员面前。同样，即使采用没有安装动力设置的小型旋转架，也可作为人工目视处理的货框，只不过作业员要按每格位上的客户标签自行旋转寻找，以便将货物放入正确的储位中。

4.5.3 配货检查

检查作业是指根据用户信息和车次对拣送物品进行商品号码和数量的核实，以及对产品状态、品质的检查，如图 4-16 所示。

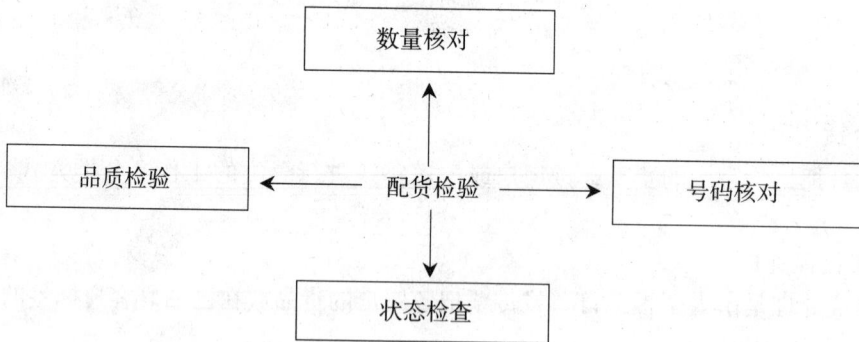

图 4-16 配货检查作业

配货检查员的工作是进一步确认拣货作业是否有误。配货检查最原始的做法是纯人工进行，即将货品一个个点数并逐一核对出货单，进而查验配货的品质及状态情况。就状态及品质检验而言，纯人工方式逐项或抽样检查确有其必要性，但对于货物号码及数量核对来说，效率太低且存在错误。因此，目前在数量及号码检查的方式上有许多改进，常用的方法有商品条形码检查法、声音输入检查法和重量计算检查法。

1. 商品条形码检查法

条形码是随货物移动的，检查时用条形码扫描器阅读条形码内容，计算机再自动把扫描信息与发货单对比，从而检查商品数量和号码是否有误。

2. 声音输入检查法

声音输入检查法是一项较新的技术，当作业员发声读出商品名称、代码和数量后，计算机接受声音并自动判识，转换成资料信息与发货单进行对比，从而判断是否有误。此方法的优点在于作业员只需用嘴读取资料，手脚可做其他工作，自由度较高。但需注意的是，此方法要求发音要准确，且每次发音字数有限，否则计算机辨识困难，可能会产生错误。

3. 重量计算检查法

这种方法是把货单上的货品重量自动相加起来，再与货品的总重量相对比，检查发货是否正确。

4.5.4 包装、捆包

包装是配货作业中重要的一项，它起到保护商品，便于搬运、储存，提高用户购买欲望以及易于辨认的作用。包装分个装、内装及外装三种。

1. 个装

个装又称商业包装，指货品的个别包装，它有利于提高商品的价值、美观度，同时还可保护商品。

2. 内装

内装是指为了防止水、湿气、光、热冲击等对商品的影响而进行的货物内层包装。

3. 外装

外装是指货物包装的外层，即把货物装入箱、袋、木桶、金属桶和罐等容器中。在没有容器的条件下，应对货物进行捆绑和做记号等工作。外装容器的规格是影响物流效率的重要因素，它要求尺寸与托盘、搬运设备相适应，同时要求具有承重、耐冲击和抗压等能力。

内装和外装统称为运输包装。对于运输货物的包装，通常不求装潢美丽，而求坚固耐用且便于装卸，以免货物经长距离辗转运输而遭受损失。

包装与人类的日常生活密切相关，应注意以下几个问题：

（1）包装的适当化，即避免包装过大及包装过剩问题。

（2）包装的可靠性，即包装宣传的可靠性问题。

（3）包装的环保问题，即包装废弃物的处理问题。

（4）包装资源问题，即包装回收的再利用问题。

（5）包装的安全性问题，即应提升为顾客服务的品质。

4.5.5 配货形式

由物流中心的内容来看，在拣货时一般以托盘、箱、单件为单位进行拣取。同样，配货的形式也多以这三个单位来进行运作。因此，针对不同的拣货及发货形式，应采取不同的作业方式，如表4-2所示，主要以订单拣取及批量拣取两种方式为主。

表4-2 配货作业形式

拣货单位	作 业	配货单位
订单拣取 P P C B B	捆包（上包装膜或绳索固定） 卸箱→捆包 捆包 装箱	P C C C B
批 量 拣 取 P	①捆包（托盘物属同一客户） ②卸托盘→分类→捆包 （所拣之物不属同一客户）	P
P	卸盘→分类→捆包	
P	卸盘→拆箱→分类→包装	
C	①分类→捆包（整箱属同一客户） ②拆箱→分类→装箱（不属同一客户）	C
C	拆箱→分类	B
B	分类→装箱	C
B	分类	B

P：托盘　C：箱子　B：单件

4.6 送货作业

4.6.1 送货作业的含义

送货作业是利用配送车辆把用户订购的物品从制造厂、生产基地、批发商、经销商或配送中心送到用户手中的过程。送货通常是一种短距离、小批量、高频率的运输形式。它以服务为目标，以尽可能满足客户需求为宗旨。从日本配送运输的实践来看，配送的有效距离最好在50千米半径以内，国内配送中心、物流中心，其配送经济里程大约在30千米以内。

4.6.2 送货作业的特点

送货作业是配送中心最终直接面对用户的服务，具有以下几个特点：

1. **时效性**

时效性是流通业客户最重视的因素，也就是要确保能在指定的时间内交货。送货是从客户订货至交货各阶段中的最后一个阶段，也是最容易引起时间延误的环节。影响时效性的因素很多，除配送车辆故障外，所选择的配送线路不当、中途客户卸货不及时等均会造成时间上的延误。因此，必须在认真分析各种因素的前提下，用系统化的思想和原则，有效协调、综合管理，选择合理的配送线路、配送车辆和送货人员，使每位客户在预定的时间内收到所订购的货物。

2. **可靠性**

送货的任务就是要将货物完好无损地送到目的地。影响可靠性的因素有货物的装卸作业、运送过程中的机械振动和冲击及其他意外事故、客户地点及作业环境、送货人员的素质等。因此，在配送管理中必须注意可靠性原则。

3. 沟通性

送货作业是配送的末端服务，它通过送货上门服务直接与客户接触，是与顾客沟通最直接的桥梁，它不仅代表着公司的形象和信誉，还在沟通中起着非常重要的作用。所以，必须充分利用与客户沟通的机会，巩固与发展公司的信誉，为客户提供更优质的服务。

4. 便利性

配送以服务为目标，以最大限度地满足客户要求为宗旨。因此，应尽可能地让顾客享受到便捷的服务。通过采用高弹性的送货系统，如采用急送货、顺道送货与退货、辅助资源回收等方式，为客户提供真正意义上的便利服务。

5. 经济性

实现一定的经济利益是企业运作的基本目标。因此，对合作双方来说，以较低的费用完成送货作业是企业建立双赢机制、加强合作的基础。所以不仅要满足客户的要求，提供高质量、及时方便的配送服务，还必须提高配送效率，加强成本管理与控制。

4.6.3 送货的基本作业流程

送货的基本作业流程如图4-17所示。

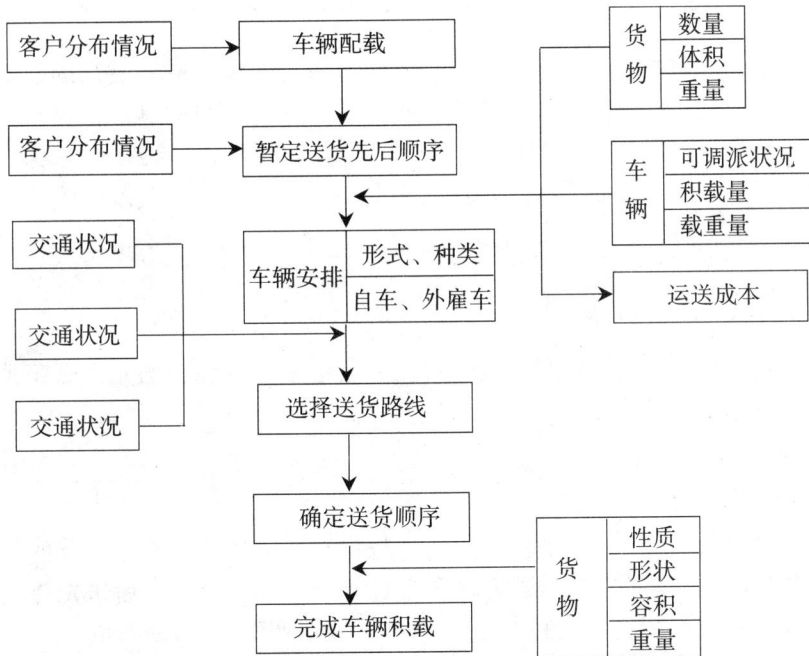

图4-17 送货的基本作业流程

1. 划分基本送货区域

首先将客户所在地的具体位置作较系统的统计，并作区域上的整体划分，再将每一客户包括在不同的基本送货区域中，以作为配送决策的基本参考。如按行政区域或按交通条件划分不同的送货区域，在区域划分的基础上再作弹性调整来安排送货顺序。

2. 车辆配载

由于配送货物品种、特性各异，为提高送货效率，确保货物质量，首先必须对特性差异大的货物进行分类。在接到订单后，将货物按特性进行分类，分别采取不同的送货方式和运输工具，如按冷冻食品、速食品、散装货物、箱装货物等货物类别进行分类配载。其次，配送货物也有轻重缓急之分，必须初步确定哪些货物可配于同一辆车，哪些货物不能配于同一辆车，以做好车辆的初步配装工作。

4.6.4　暂定送货先后顺序

在考虑其他影响因素，作出确定的送货方案前，应先根据客户订单的送货时间将送货的先后次序大致进行预订，为后面车辆积载做好准备工作，计划工作的目的是为了保证达到既定的目标。所以，预先确定基本送货顺序可以有效地保证送货时间，提高运作效率。

4.6.5　车辆安排

车辆安排要解决的问题是安排什么类型、吨位的配送车辆进行最后的送货。一般企业拥有的车型有限，车辆数量也有限。当本公司车辆无法满足需求时，可使用外雇车辆。在保证送货运输质量的前提下，是组建自营车队，还是以外雇车为主，则须视经营成本而定。

4.6.6　选择送货线路

知道了每辆车负责配送的具体客户后，如何以最快的速度完成对货物的配送，即如何选择配送距离短、配送时间短、配送成本低的路线，就必须对客户的具体位置、沿途的交通情况等作出优先选择和判断（详见本书第三章内容）。除此之外，还必须考虑有些客户或其所在地点对送货时间、车型等方面的特殊要求，如有些客户不在中午或晚上收货，有些道路在某高峰期实行特别的交通管制等。

4.6.7　确定最终的送货顺序

做好车辆安排及选择好最佳的配送线路后，依据各车负责配送的先后顺序，即可将客户的最终送货顺序加以确定。

4.6.8　完成车辆积载

明确客户的送货顺序后，接下来就是如何将货物装车，按什么次序装车的问题，即车辆的积载问题。原则上，知道了客户的配送顺序之后，只要将货物依"后送先装"的顺序装车即可。但有时为了有效利用空间，可能还要考虑货物的性质（怕振、怕压、怕撞、怕潮）、形状、体积及重量等作出弹性调整。此外，对于货物的装卸方法也必须考虑货物的性质、形状、重量、体积等因素后再作具体决定。

在以上各阶段的操作过程中，需注意以下几点：

（1）明确订单内容。

（2）了解货物的性质。

（3）明确具体送货地点。

（4）适当选择配送车辆。

（5）选择最优的配送线路。

（6）充分考虑各作业点的装卸货时间。

【本章案例】

上海联华生鲜食品包装加工与运输配送

联华生鲜食品加工配送中心是我国目前设备最先进、规模最大的生鲜食品加工配送中心，总投资 6 000 万元，建筑面积 3.5 万平方米，年生产能力 2 万吨。其中肉制品 1.5 万吨，生鲜盆菜、调理半成品 3 000 吨，西式熟食制品 2 000 吨，产品结构分为 15 大类约 1 200 种。在生产加工的同时，配送中心还从事水果、冷冻品以及南北货的配送任务。

生鲜商品按其秤重包装属性可分为定量商品、秤重商品和散装商品；按物流类型可分为储存型、中转型、直送型和加工型；按储存运输属性可分为常温品、低温品和冷冻品；按商品的用途可分为原料、辅料、半成品、产成品和通常商品。生鲜商品大部分需要冷藏，保质期很短，客户对其色泽等要求很高，所以在物流过程中需要快速流转。那么，联华生鲜配送中心是如何做到"快"和"准确"的呢？

1. 订单管理

门店的要货订单通过联华数据通信平台，实时地传输到生鲜配送中心，在订单上制定各商品的数量和相应的到货日期。生鲜配送中心接到门店的要货数据后，立即在系统中生成门店要货订单，按不同的商品物流类型进行不同的处理。

（1）储存型的商品。系统计算当前的有效库存，比照门店的要货需求、日均配货量和相应的供应商送货周期，自动生成各储存型商品的建议补货订单，采购人员依据此订单，再根据实际的情况作一些修改即可形成正式的供应商订单。

（2）中转型商品。此种商品没有库存，直进直出，系统根据门店的需求汇总，按到货日期直接生成供应商的订单。

（3）直送型商品。根据到货日期，分配各门店直送经营的供应商，直接生成供应商直送订单，并通过 EDI 系统直接发送给供应商。

（4）加工型商品。系统按日期汇总门店要货，各产成品或半成品的 BOM 表（bill of material——物料清单）计算物料耗用，比照当前有效的库存，系统生成加工原料的建议订单，生产计划员根据实际需求做调整，发送采购部生成供应商原料订单。各种不同的订单在生成完成或手工创建后，通过系统中的供应商服务系统自动发送给各供应商，时间间隔在 10 秒钟内。

2. 物流计划

在得到门店的订单并汇总后，物流计划部根据第二天的收货、配送和生产任务制定物流计划。

（1）线路计划。根据各线路上门店的订货数量和品种，作适当的线路调整，保证运输效率。

（2）批次计划。根据总量和车辆人员情况设定加工和配送的批次，实现循环使用资源，提高效率；在批次计划中，将各线路分别分配到各批次中。

（3）生产计划。根据批次计划，制定生产计划，将量大的商品分批投料加工，设定各线路的加工顺序，保证配送和运输协调一致。

（4）配货计划。根据批次计划，结合场地及物流设备的情况，做好配货的安排。

3. 储存型物流运作

商品进货时先要进行订单品种和数量的预检，预检通过方可验货，验货时需进行不同要求的品质检验，终端系统检验商品条形码和记录数量。在商品进货数量上，定量商品的进货数量不允许大于订单的数量，不定量的商品提供一个超值范围。对于需要重量计量的进货，系统和电子秤系统连接，自动去皮取值。

拣货采用播种方式，根据汇总取货，汇总单标识从各个仓位取货的数量，取货数量为本批配货的总量，取货完成后系统预扣库存，被取商品从仓库仓间拉到待发区。在待发区配货分配人员根据各路线各门店配货数量对各门店进行播种配货，并检查总量是否正确，如不正确则向上校核。如果商品的数量不足或其他原因造成门店的实配量小于应配量，配货人员通过手持终端调整实发数量，配货检验无误后使用手持终端确认配货数据。在配货时，冷藏和常温商品被分别放置在不同的待发区。

4. 中转型物流运作

供应商送货同储存型物流一样，先要进行预检，预检通过后方可进行验货、配货；供应商把中转商品卸到中转配货区，中转商品配货员使用中转配货系统按商品、路线、门店的顺序分配商品数量，根据系统配货的指令，贴物流标签。将配完的商品采用播种的方式放到指定的路线门店位置上，配货完成后，统计单个商品的总数量或总重量，根据配货的总数量或总重量生成进货单。中转商品以发定进，没有库存，多余的部分由供应商带回，如果不足则在门店间进行调剂。

以下为三种不同类型的中转商品的物流处理方式：

（1）不定量需称重的商品。设定包装物皮重，由供应商将单件商品上秤，配货人员负责系统分配及其他控制性的操作；电子秤称重，每箱商品上贴物流标签。

（2）定量的大件商品。设定门店配货的总件数，汇总打印一张标签，贴于其中一件商品上。

（3）定量的小件商品（通常需要冷藏）。在供应商送货之前先进行虚拟配货，标签贴于周转箱上，供应商送货时，只取自己的周转箱，按箱标签上的数量装入相应的商品；如果发生缺货，将未配到的门店（标签）作废。

5. 加工型物流运作

生鲜食品的加工按原料和成品的对应关系可分为组合和分割两种类型，这两种类型在BOM设置和原料计算以及成本核算方面都存在很大的差异。在BOM中每个产品设定一个加工车间，只属于唯一的车间，在产品上区分为最终产品、半成品和配送产品。商品的包装分为定量和不定量加工，对于称重的产品或半成品需要设定加工产品的换算率（单位产品的标准重量），原料的类型需区分为最终原料和中间原料，并设定各原料相对于单位成品的耗用量。

生产计划或任务中需要对多级产品链计算嵌套的生产计划任务，并生成各种包装生产设备的加工指令。对于生产管理，在计划完成后，系统按计划内容出示标准领料清单，指导生产人员从仓库领取原料及生产时的投料。在生产计划中还考虑产品链中前道工序与后道工序的衔接，各种加工指令、商品资料、门店资料、成分资料等下发到各生产自动化车间。加工车间人员根据加工批次进行调度，协调不同量商品间的加工关系，满足配送要求。

6. 配送运作

商品分拣完成后，都堆放在待发库区，按正常的配送计划，在晚上把这些商品送到各门店，门店第二天早上将新鲜的商品上架。在装车时按计划依路线门店顺序进行，同时抽样检查准确性。在货物装车的同时，系统能够自动算出包装物（笼车、周转箱）的各门店使用清单，装货人员也据此来核对差异。在发车之前，系统根据各车的配载情况出示各运输车辆的随车商品清单、各门店的交接签收单和发货单。

商品运到门店后，由于数量的高度准确性，在门店验货时只要清点总的包装数量，退回上次配送带来的包装物，完成交接手续即可，一般一个门店的配送商品交接只需要5分钟。

【本章小结】

本章着重对进货、订单处理等作业流程作了进一步的说明。具体来说，主要介绍了配送作业中的进货、搬运装卸、储存（必要时）、订单处理、分拣、补货、配货、送货等作业流程。通过本章的学习，可掌握物流中心（配送中心）业务的具体操作。

【关键术语和概念】

进货作业　订单处理　拣货作业　配货作业　补货作业　送货作业　批量分拣　按单分拣　自动分拣　按单批量分拣

【思考与练习】

1. 如何处理订单？
2. 怎样更合理地进行拣货作业？并比较四种分拣方式的优势。

【补充阅读】

1. 朱华. 配送中心管理与运作. 北京：高等教育出版社，2003
2. 郑玲. 配送中心管理与运作. 北京：机械工业出版社，2004
3. 现代物流管理课题组. 运输与配送管理. 广州：广东经济出版社，2002
4. 梁军. 仓储管理实务. 北京：高等教育出版社，2003

5 物流中心与配送中心

◉ **本章学习要点**

1. 现代配送中心的概念与物流节点有什么异同
2. 现代配送中心的发展经历了哪些阶段
3. 配送中心的类型有哪几种

◉ **本章学习内容**

1. 物流中心概述
2. 现代配送中心的形成与发展
3. 现代配送中心的类型
4. 现代配送中心的职能与流程

◉ **本 章 案 例**
◉ **本 章 小 结**
◉ **关 键 术 语 和 概 念**
◉ **思 考 与 练 习**
◉ **补 充 阅 读**

5.1 物流中心概述

5.1.1 物流中心的概念

物流中心有时也称为物流据点、流通中心、配送中心、集配中心等。物流中心的概念有广义和狭义两种。广义的物流中心包括港湾、货运站、运输仓库、公共流通商品集散中心、企业自身拥有的物流设施等，其所涵盖的内容和范围十分广泛。而狭义的物流中心则专指为有效地保证商品流通而建立的物流综合管理、控制、调配的机构，侧重的是物流的管理交通和行为。

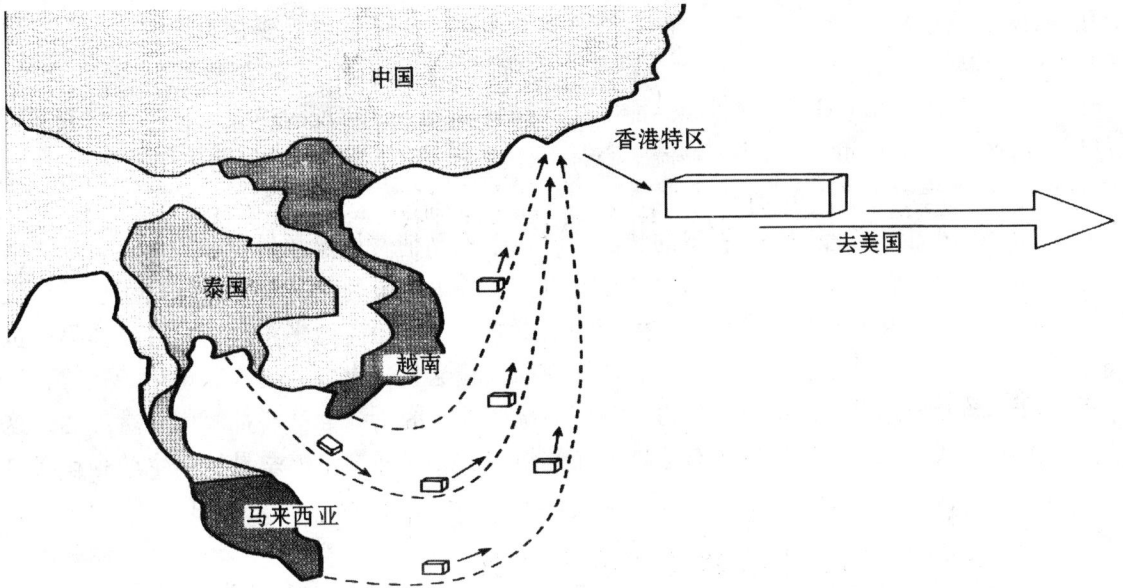

图 5-1 把香港特区作为货物集散中心地将货物运往美国

狭义的物流中心概念更能够反映物流中心的功能和本质，亦即在谈论物流中心时应当将其与物流基础设施相区分，这样有利于从产业或企业层次来分析物流中心在现代物流系统中的作用以及它对现代物流活动的影响。狭义的物流中心的外延又可划分为集合型物流中心和个体型物流中心两种，前者指的是如批发中心、公共商品集散地、批发集散地等商品中转地这样的多数物流设施机构的集合；而后者是指由运输、仓库、厂商、零售商、批发商等经济实体自行设立的物流设施和机构，两者都可统称为物流中心。如表 5-1 所示。

表 5-1 物流中心的类型

物流基础设施	物流中心	
	集合型物流中心	个体型物流中心
铁路货运站 港湾设施 机场 道路		运输、仓库业者的物流
		管理机构
	批发中心市场	厂商的物流机构
	公共商品集散地	批发商的物流机构
	仓库集散地	零售商的物流机构
	批发集散地等	供应中心
		配送

5.1.2 物流中心的作用

一般而言，在现代物流体系中，物流网络是由物流连接点（节点）、连接线和连接工具组成的，连接点主要是指工厂、店铺、住宅等物流发生、集中地，而媒介发生地与集中地之间的事物便是连接线，亦即道路、水路、铁路、航线等，连接工具主要是指汽车、火车、船舶、飞机等运输工具。在物流网络中，物流中心所起的作用是作为商品周转、分拣、保管、仓储管理和流通加工的据点，促进商品能够按照顾客的要求，实现附加价值，克服在其运动过程中所产生的时间和空间障碍。物流中心有多种业务内容，具有多方面的作用。

1. 商品周转中心的作用

在市场半径较小、经营规模较窄的状况下，由于商品消费地点数量少、距离近，加之消费行为单一，商品的输送完全可以由生产企业自己承担，相应的交易费和管理费用也较为低廉。但是，随着市场经营规模的扩大，生产和消费之间不仅距离越来越远，而且流通渠道也越来越复杂，特别是营销服务的广泛开展，更使商品输送呈现出多频度、小量化的趋势，这样从整个运输过程来看，就必须分化为大量商品统一输送的干线运输和都市内终端配送，这两者在输送管理的方法和手段上都有差异，如此多样、复杂的物流体系显然是生产企业自身无法完全控制和管理的。具体来看，在干线运输中，如果由单个企业直接承担小规模货物运输，不仅因为平均运送货物量较少造成经济成本增加，而且由于运行次数频繁，从社会角度来看，容易造成过度使用道路、迂回运输、交通堵塞、环境污染等现象，也增加了社会成本。相反，如果在干线运输的源头或厂商集散地建立物流中心，在中心内统一集中各中小型企业的货物，并加以合理组合，再实施干线运输，既因为发挥了物流规模经济效益使经济成本得以统一进行管理，再安排相应的小型货车进行配送，也大大提高了物流的效率。所以，物流中心的现代运输管理体系已作为一种商品周转中心发挥着积极的作用。

2. 商品分拣中心的作用

随着流通体系的不断发展和市场营销渠道的细分化，无论在商品、原材料进货还是商品发货方面，物流中心都日益呈现出多样化、差异化的倾向，在这种情况下，商品的分拣职能显得日益重要，可以说它对保证商品或物质的顺利流动，建立合理的流通网络系统具有积极的意义。而物流中心正是发挥这种商品分拣功能的机构，诸如在厂商的物流中心内，将在不同工厂生产的商品集中到物流中心，再通过物流中心向各类批发商和零售商发货，大大节约了商品分拣作业的工作量，同时也保证了商品发运、配送的及时性和准确性。同样，对于任何连锁经营的零售业来讲，利用物流中心的分拣功能将从各批发商或厂商处集中在一起的商品进行分拣，再发运到各店铺，一是节约了各店铺单独进货所产生的不经济，二是由于能够对各店铺进行统一管理和业务计划安排，有利于实施企业整体的经营发展战略。物流中心的分拣功能除了对企业的经济和效益产生影响外，从宏观角度讲，也符合社会及产业的利益，这是因为各物流中心输送的商品是以整箱为单位开展的，具体商品的小型货车进行配送，也大大提高了物流的效率。所以，物流中心在现代运输管理体系中已作为一种商品分拣中心发挥着积极的作用。

3. 商品保管中心的作用

在现代经济社会中，商品的生产和消费之间由于时间、空间和其他因素的影响，往往会出现暂时的分离，物流中心为了发挥时空的调节作用和价格的调整作用，需要具备保管功能，如某些季节性产品需要在物流中心长期保管后再向用户发货，因此，物流中心需具有保管中心的作用。应当指出的是，物流中心所具有的保管作用与仓库保管作用是有区别的，物流中心的保管功能与企业经营战略紧密相连，可以说是一种企业管理职能；而仓库保管只是一种简单的商品储存活动，它本身并不具有经营管理活动的性质。

4. 商品库存管理中心的作用

物流中心商品保管功能中经营管理的特性主要表现在，为了能在用户要求的发货时间迅速、有效地发货而从事库存商品的管理。具体讲，这种管理工作的作用主要体现在，当商品再生产、输送等准备时间（提前期）比用户要求的商品抵达时间更长时，可不断消除这种时间上的差异，防止用户出现缺货现象，进而实施对商品、原材料的安全库存管理。此外，为了缩短用户所需商品的配送时间并实现输送的常规化，也需要在用户进货地附近（消费地）设立库存管理的物流中心。近几年来，为了削减库存量并实施物流准时化管理，一些先进企业纷纷建立各种能实现库存集约化的物流中心，这种物流中心在削减成本的同时，也具有帮助用户压缩库存的作用。

5. 流通加工中心的作用

商品从生产地到消费地往往要经过很多流通加工作业，特别是在开展共同配送后，在消费地附近需要将大批量运送的商品进行细分、小件包装以及贴附标签、条形码等操作，这些都需要在物流中心内进行。除此之外，随着流通领域中零售业的发展，物流中心的流通渠道加工功能也得到了进一步的扩充，这表现在物流中心逐渐具备包装商品、食品冷冻加工、食品保鲜等零散商品加工站的功能。另外，在将商品从生产地高效地运抵消费地之后，在物流中心内就地进行商品的货架配置、上架等原来属于店铺作业的活动，从而大大提高了商品作业的效率，降低了店铺管理的费用，并有利于实现企业统一的管理及企业形象的建立。由此可见，物流中心的流通加工功能在现代零售业飞速发展的今天，已经变得越来越重要，可以说它已成为现代流通系统的必要组成部分。

5.1.3 物流中心的类型

物流中心根据不同的标准可以划分为不同的类型。如图 5 – 2 所示。

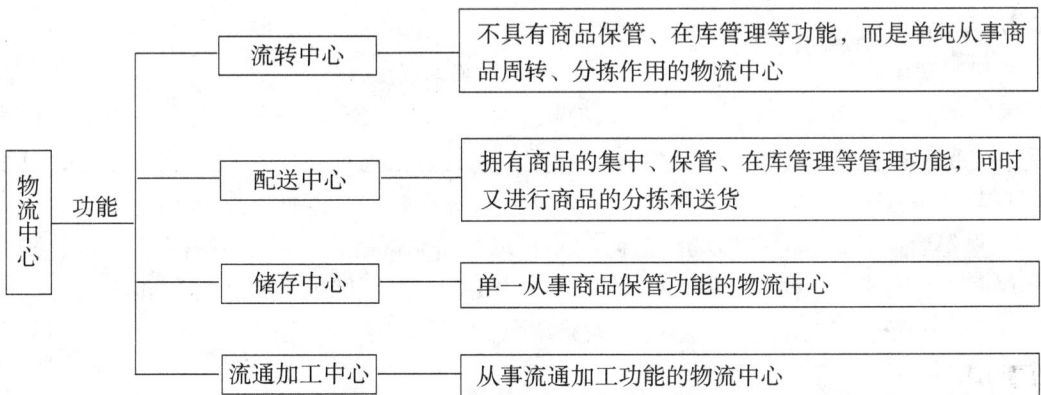

图 5 – 2　物流中心与配送中心的关系

1. 根据功能划分

作为物流中心，其主要功能是周转、分拣、保管、库存管理和流通加工等。根据其侧重点不同，可以分为不同的类型，一般来说，主要有以下四种类型：

（1）流转中心（transfer center）。不具有商品保管功能，而是单纯从事商品周转、分拣作用的物流中心。

（2）配送中心（distribution center）。拥有商品的集中、保管、在库管理等管理功能，同时又进行商品的分拣和送货，即为配送中心。

（3）储存中心（stock center）。单一从事商品保管功能的物流中心。

（4）流通加工中心（process center）。从事流通加工功能的物流中心。

以上各种类型的物流中心的区别不仅反映在物质流动上，而且体现在物流中心内的作业内容和服务范围的差异上。从现代物流发展的趋势看，为了加速商品的流动，更好地使物流系统顺应用户的需求，物流中心逐渐从以商品集散活动为主转向以商品配送活动为主。

2. 根据流通的不同阶段划分

商品的流动是从生产地经流通渠道到消费地的过程，亦即整个商品流通渠道的流动过程。根据物流中心在这种流通渠道中所处的地位和作用来划分，可以有多种物流中心形式。具体讲，有位于生产地附近属于制造商的产品存放物流中心；有处于生产地与消费地之间，属于广域厂商或批发商的流通中心；有位于消费地附近，隶属于批发商或零售商的旨在为零售店铺服务的商品中心；也有面向不特定多数消费者，从事商品配送功能的配送中心。

3. 根据不同的运营主体划分

物流中心根据不同的管理、运营主体划分，可以分为厂商运营的物流中心、批发商运营的物流中心和零售商运营的物流中心三种。在这类物流中心内，物流业务是由厂商、批发商或零售商直接从事的，即他们在负责商品生产、流通或销售的同时，也全权负责商品物质流动或管理的事务，而且物流中心的基础建设，如土地购买、设施建设等相关的投资都是由他们筹划进行。这种形式的物流中心在利益上表现为厂商、批发商或零售商能对商品流动、经营的全过程进行控制和管理，但相应的成本较高。为了避免上述情况，出现了由第三方运营的物流中心，即厂商、批发商或零售商租赁专业物流业者的物流中心，并委托他们来从事商品物质运动的管理。

5.1.4 配送中心的定义

关于配送中心的定义，目前有以下几种不同的解释。

美国国内的《物流手册》对现代物流配送中心的定义是："现代物流配送中心是从供应者手中接受多种大量的货物，进行倒装、分类、保管、流通加工、情报处理等作业，然后按照众多需要者的订货要求备齐货物，以令人满意的服务水平进行配送的综合设施。"

20世纪后期，日本的《市场用语词典》对现代物流配送中心的解释是："是一种物流节点，它不以贮藏仓库这种单一的形式出现，而是发挥配送职能的流通仓库，也称为物流配送基地、据点或流通中心。配送中心的目的是降低运输成本、减少销售机会的损失，为此建立设施、设备并开展经营、管理工作。"

我国学者吴润涛等译的《物流手册》中对配送中心的定义是："从供应者手中接受多种大量的货物，进行倒装、分类、保管、流通加工和情报处理等作业，然后按照众多需要者的订货要求备齐货物，以令人满意的服务水平进行配送的设施。"李京文等在《物流学及其应用》一书中给配送中心下的定义是："从事货物配备（集货、加工、分货、拣选、配货）和组织对客户的送货，以高水平实现销售或供应的现代化流通设施。"

2001年8月1日颁布实施的中华人民共和国国家标准《物流术语》，规范了"配送中心"的概念。《物流术语》中对于配送中心是这样下定义的："从事配送业务的物流组织和场所，应基本符合下列要求：①为特定的用户服务；②配送功能健全；③完善的信息网络；④辐射范围小；⑤多品种、少批量；⑥以配送为主，储存为辅。"

配送中心是以组织配送性销售或供应，执行以实物配送为主要职能的流通性节点。在配送中心，为了能做好送货的编组准备，需要采取零星集货、批量进货等多种资源搜集并对货物进行分整、组配等工作，因此，配送中心也具有集货和分货的功能。为了更有效、更高水平地配送，配送中心往往还有比较强的流通加工能力。此外，配送中心还必须将配好的货物送到客户手中。由此可见，配送中心实际上是集集货、分货、加工及送货于一体的综合性的物流据点。这样，配送中心作为物流据点的一种形式，有时便和物流中心等同起来了。

5.2　现代物流配送中心的形成与发展

现代物流配送中心的形成和发展是有其历史原因的，日本经济新闻社出版的《输送的知识》一书，将现代物流配送中心说成是物流系统化和大规模化的必然结果，是现代化物流事业的重要标志。

日本出版的另一部科学论著《变革中的配送中心》中说："由于用户在货物处理的内容上、时间上和服务水平上都提出了更高的要求，为了顺利地满足用户的这些要求，就必须引进先进的分拣设施和配送设备，否则就建立不了正确、迅速、安全、廉价的作业体制。因此，在运输业界，大部分企业都建造了正式的配送中心。"

5.2.1　现代物流配送中心的形成与发展

现代物流配送中心是社会生产发展、社会分工专业化及现代化的必然结果，它的发展大体经历了三个阶段，即形成阶段、发展阶段和成熟阶段。如图 5-3 所示。

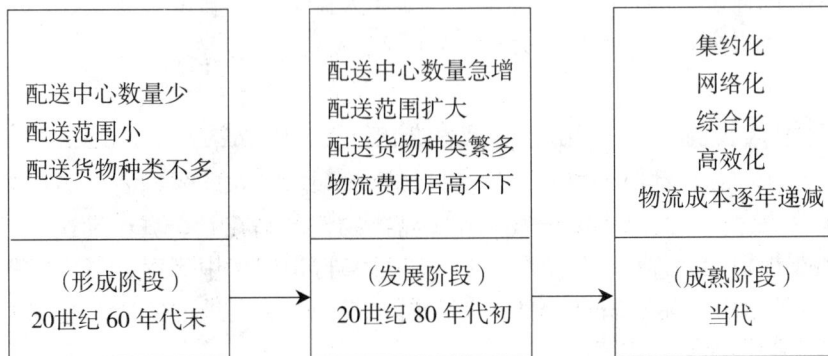

图 5-3　物流配送中心发展三阶段示意图

1. 形成阶段（第二次世界大战后到 20 世纪 60 年代末）

在第二次世界大战后期大反攻中，美、英、法等盟国军队高效、快捷的物资和人员的配送对反法西斯战争的胜利作出了突出的贡献。第二次世界大战结束以后，日本、美国、西欧等国家经济高速增长，建立起社会化大生产体制，发展了市场经济。但随之而来的是流通的落后问题，使物流成本居高不下，严重阻碍了生产力的进一步发展。特别是多环节、低速度、大消费的物流运作，导致社会总物流成本的恶性攀升。此后，美国、日本等国把第二次世界大战期间"军事后勤"的物流配送经验引用到企业管理中，不少国外的大型公司设立了新的流通机构，将独立、分散的物流业务工作统一、集中起来，推出了新型的送货方式，成立了物流配送中心。在这个时期，物流配送只是一种粗放型、单一性的活动。这时的配送活动范围很小，规模也不大，配送货物的种类也不多。物流配送主要是以促销手段的职能来发挥其作用。20世纪60年代美国的许多公司将原来的老式仓库改成了物流配送中心，使老式仓库减少了90%，这不仅降低了流通费用，而且节约了劳动消耗，从而提高了企业的效益。

2. 发展阶段（20世纪60年代末到80年代初）

随着工业全球化的发展，企业在世界范围内的贸易往来日益增多，企业与其合作伙伴之间的供应链变得更长、更复杂、更昂贵，运输的经营成本普遍超过了企业的承受能力。据外国有关资料统计，在1974—1975年上半年，企业运输费用上升了20%以上。这迫使生产制造企业开始致力推进物流配送中心向合理进程发展。在美国，专门的物流配送中心已经开展了洲际间的配送；在日本，物流配送的范围则由城市扩大到了农村；同时，不少公司还开展了城市间和市内的集中配送、路线配送等措施，大大提高了物流业的服务水平。

3. 成熟阶段（20世纪80年代至今）

20世纪80年代后，各国运输业逐步被解除了管制，运输市场全面实现了市场化、自由化。这不仅带来了运输业的激烈竞争，而且使物流配送中心的组织者真正能够按客户的需求，实现同其他公司在物流服务上的差异化竞争，加速了物流配送中心向规模化、集约化、综合化、专业化方向的发展。特别是现代物流信息系统的引进，使整体物流成本在整个国民经济中呈现逐年下降趋势。据《2000年美国年度物流状况报告》显示，1980年美国物流成本占当年GDP的15.7%，1999年占9.9%。与此同时，物流配送中心的规模和数量却在剧增，配送的品种也是全方位面向社会，涉及到方方面面的货物种类。

现在许多工业化发达国家普遍采用了诸如自动分拣、光电识别、条形码等先进技术，并建立了合理配套的体系，配备了先进的设备，如无人搬运车、自动分拣机等，使物流配送的准确性和效率大大提高。

5.2.2 我国现代物流配送中心的形成和发展

中国各级政府的物资部门可以说是最早涉足物流配送行业的先导者。早在20世纪60至70年代，在计划经济体制下，我国一些大中城市的物资部门在一个城市设置一个或几个集中供货点，开始按计划指标备货、配货和送货，并且实行相对集中库存、集中送货、利用门到门法集中供应到有关工厂和提高效率的物资流通方式。这一先进的流通配送方式由于受到计划经济体制的束缚，未能形成持续发展的局面。

进入20世纪80年代，我国物流配送方式得到了进一步发展。特别是随着生产资料市场的开放搞活，现在我国物资流通格局发生了很大变化。物资流通企业广泛开展多种方式的物资配送业务，如河北省石家庄市"三定一送"业务以及上海、天津、山西等地的煤炭配送专项工作。这说明我国的物流配送已经从自发运用配送阶段步入基本自觉应用阶段。

近年来，我国政府部门开始有组织、有计划地推动建立健全现代物流配送中心的工作。目前，各地出现了一批不同类型的专业配送中心，配送得到了快速发展。

与发达国家相比，我国物流配送产业尚处于起步阶段，物流配送行业虽然整体上存量资产较大，但布局分散，规模小，技术力量和管理落后，影响了我国现代物流配送中心的正常发展。

为了加快我国物流配送业的发展，2001年3月，原国家经贸委会同铁道部、交通部、信息产业部、外经贸部和民航总局，出台了《关于加快我国现代物流发展的若干意见》，明确了我国物流发展的指导思想和总体目标。

2005年出台的《中国物流业发展纲要》的核心内容是明确物流业在中国经济发展中的地位，避免和减少地方政府在发展物流配送业中的重复建设和资源浪费现象，不断完善物流和配送功能，加快物流配送中心网点布局建设，为现代物流配送中心的发展创造更加良好的外部环境，这必将有力地推动我国物流配送业市场的发展进程。

5.3 现代物流配送中心的类型

5.3.1 现代物流配送中心的分类

配送中心可以按以下不同的标准进行分类，如图5-4所示。

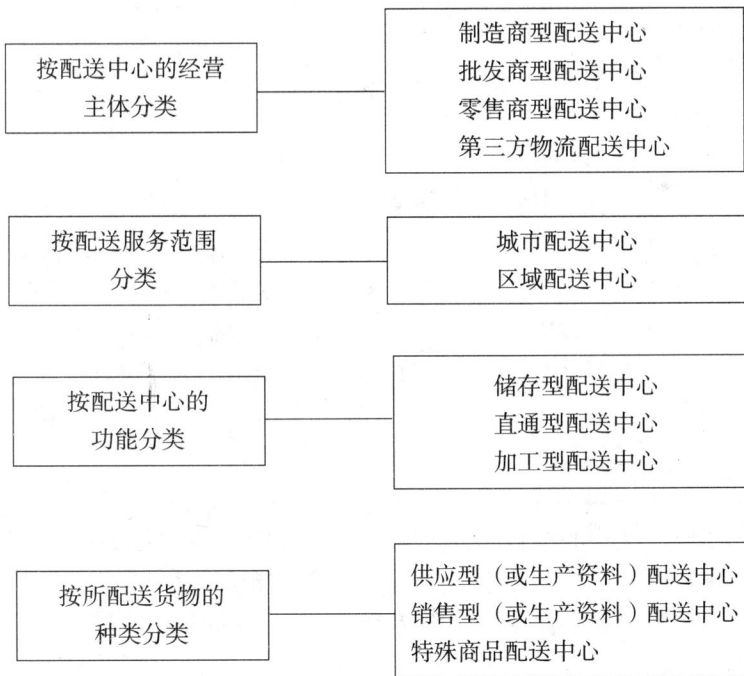

图5-4 现代物流配送中心的分类

1. 按配送中心承担的职能分类

（1）供应配送中心。专门为某个或某些用户（例如联营商店、联合公司）组织供应的配送中心。例如，为大型连锁超级市场组织供应的配送中心、代替零件加工企业送货的零件配送中心等。

（2）销售配送中心。以销售经营为目的，以配送为手段建立的配送中心。销售配送中心又根据运营主体分为三种类型：第一种是生产企业为本身产品直接销售给消费者的配送中心，在国外，这种类型的配送中心很多。第二种是流通企业作为本身经营的一种方式，建立配送中心以促进销售，如连锁公司的配送中心。国内外的连锁公司一般都有自己的配送中心。第三种是第三方物流企业为向社会提供物流服务建立的配送中心。我国随着第三方物流业的兴起，这类配送中心会越来越多。

（3）包裹快递配送中心。包裹快递配送中心是快递公司用于快递包裹集散的配送中心，通常称中转站或中间站。由于快递公司的特点是快速，包裹集中以后就要尽快送达，因此包裹配送中心的功能主要是分拣、包装、发送。包裹在配送中心停留的时间很短，主观上不希望存储，所以这类配送中心的存储功能很弱。

2. 按配送区域的范围分类

（1）城市配送中心。是以城市范围为配送范围的配送中心。城市范围一般处于汽车运输的经济里程，这种配送中心可直接配送到最终用户，且采用汽车进行配送。所以，这种配送中心往往和零售经营相结合，由于运距短，反应能力较强，因而从事多品种、少批量、多用户的配送较有优势。《物流手册》中介绍的我国"北京食品配送中心"就属于这种类型。

（2）区域配送中心。以较强的辐射能力和库存准备，向省（州）际、全国乃至国际范围的用户配送的配送中心。这种配送中心配送规模较大，一般而言，用户也较大，配送批量也较大，而且，往往是配送给下一级的城市配送中心，也配送给营业所、商店、批发商和企业用户，虽然也从事零星的配送，但不是主体形式。这种类型的配送中心在国外十分普遍，《国外物资管理》杂志曾介绍过的"大阪神户配送中心、美国马特公司的配送中心、蒙克斯帕配送中心"等就属于这种类型。

3. 按配送中心的内部特性分类

（1）储存型配送中心。是有很强储存功能的配送中心。一般来讲，在买方市场下，企业成品销售需要有较大的库存支持，其配送中心可能有较强的储存功能；在卖方市场下，企业原材料、零部件供应需要有较大的库存支持，这种供应配送中心也有较强的储存功能。大范围配送的配送中心，需要有较大库存，也可能是储存型配送中心。我国目前拟建的配送中心，都采用集中库存形式，库存量较大，多为储存型。瑞士 GIBA – GEIGY 公司的配送中心拥有世界上规模居于前列的储存库，可储存 4 万个托盘；美国赫马克配送中心拥有一个有 163 000 个货位的储存区，可见存储能力之大。

（2）直通型配送中心。基本上没有长期储存功能，仅以暂存或随进随出方式进行配货、送货的配送中心。这种配送中心的典型方式是，大量货物整进并按一定批量零出，采用大型分货机，进货时直接进入分货机传送带，分送到各用户货位或直接分送到配送汽车上，货物在配送中心里仅作少许停滞。前面介绍的阪神配送中心，中心内只有暂存，大量储存则依靠一个大型补给仓库。

（3）加工型配送中心。这类配送中心一般是由生产企业指定，专为其组织、加工、配送原材料和零部件的配送中心。英国阿波罗金属有限公司设在德国法兰克福的配送中心就是一个加工配送中心。阿波罗公司是英国最大的独立钛金属分销商，也是全球第二大铝金属板材分销商。公司被英国宇航局、美国波音飞机制造公司、空中客车公司指定专为其加工、配送民用客机和军用飞机所需的铝材制品。阿波罗公司每年要为这些制造企业采购、加工并配送到岗位上的零部件就达 10 万个以上。英国宇航公司原也是一个大而全的企业，拥有 6 家生产基地、16 个零部件加工点，有 350 家原材料供应企业为其服务。1998 年，他们把采购、加工、配送环节剥离出来，交给了阿波罗金属有限公司，甚至把生产线上 7 000 个零部件的管理权也交给了该公司。阿波罗金属有限公司为英国宇航公司供应 75 000 个零部件产品。

4. 按配送中心的归属分类

（1）自用型配送中心。是指非物流企业为了自身物流需要创办的配送中心，一般不对外承担物流业务，或不以对外承揽物流业务为主。国外这类物流中心常见于商业连锁公司或大型企业集团，如美国沃尔玛公司的商品配送中心，是专门为该公司所属零售店配送商品设立的。我国著名企业海尔集团创办的海尔配送中心也属这种类型。

（2）公用配送中心。是指由第三方物流企业投资兴建，面向社会提供配送服务的配送中心，这类配送中心在经济发达国家是一种主要形式。我国随着物流的发展，第三方物流企业越来越多，这类物流中心也将成为我国物流业中配送的主要组织形式。

5.3.2 配送中心的定位

无论从现代物流学科建设方面还是从经济发展的要求方面来讲，都需要对配送中心这种经济形态有一明确的界定。

（1）层次定位。流通位于商流、物流、信息流、资金流的综合汇集地。流通中心位于第一个层次，物流中心位于第二个层次的中心。配送中心如果具有商流功能就属于流通中心的一种类型；如果只有物流功能则属于物流中心的一种类型，可以被流通中心和物流中心覆盖，属于第三个层次的中心。

（2）横向定位。和仓库、货栈、货运站等一样处于末端物流的位置，实现资源的最终配置。所不同的是配送中心是实现配送专门设施，而其他设施可以实行取货，而不是按照配送的要求有完善的组织和设备的专业化流通设施。

（3）纵向定位。如果将物流过程按纵向顺序划分为物流准备过程、首端物流过程、干线物流过程、末端物流过程，那么配送中心就是处于末端物流过程的起点，对全物流过程起指导作用。

（4）系统定位。在整个物流系统中，配送中心的位置是提高整个系统的运行水平，对提高整个系统的效率起着决定性作用。

（5）功能定位。是配送中心的一种末端物流的节点设施。通过有效地组织配货和送货，完成资源的最终配置。

5.3.3 现代物流配送中心的作用与特征

现代物流配送中心作为一种专业化、社会化、市场经济化的现代物流服务模式，适应了现代市场经济竞争的大环境和整体社会化大生产的发展趋势。

1. 现代物流配送中心的作用

现代物流配送中心的作用，具体包括以下几个方面：①优化完善社会及企业的现代物流配送系统；②强化并提升了现代物流配送系统的服务质量；③提高了企业的物流配送效益；④节省并降低了物流配送的运营成本；⑤创造了巨大的社会效益（包括节能、减少环境的污染与交通拥挤等带来的增效）。

2. 现代物流配送中心的基本特征

在如今的知识经济、电子商务、信息高速化社会中，现代物流配送中心必须具备如下 10 种基本特征：①配送服务系列化；②配送手段现代化；③配送流程自动化；④配送组织网络化；⑤配送成本合理化；⑥配送速度高效化；⑦配送作业标准化；⑧配送经营市场化；⑨配送功能集成化；⑩配送管理法制化。

3. 现代物流配送中心的综合配置

现代物流配送中心主要与集货中心、分货中心、加工中心等环节综合配置，发挥最佳效率。其综合配置如图5-5所示。

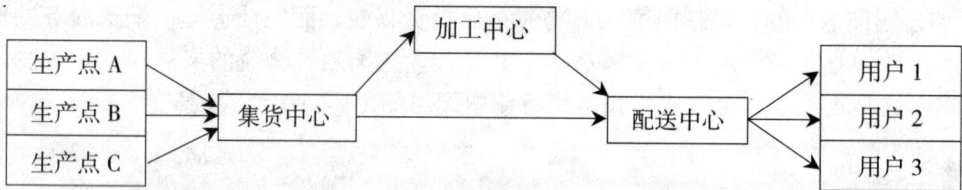

图5-5 现代物流配送中心的综合配置

5.4 现代物流配送中心的职能与流程

5.4.1 现代物流配送中心的职能

（1）进货储存职能。现代物流配送是依靠集中库存来实现对多个用户服务的，所以储存职能必不可少，而且是有重要的支撑作用的职能。

（2）分拣、理货职能。为了将多种物资按不同要求种类、规格、数量向多个用户进行配送，配送中心必须有效地分拣，并能在分拣的基础上，按配送计划进行理货。这是现代物流配送中心的核心职能。

（3）配货、分放职能。各用户所需的多种货物，在物流配送中心有效地组合在一起，形成向用户方便发送的货载。这也是现代物流配送中心的重要职能。

（4）倒装、分装职能。不同规模的货载在物流配送中心应能高效地分解及组合，按用户要求形成新的组合或新的装运形态。这也是现代物流配送中心重要的职能。

（5）装卸搬运职能。现代物流配送中心中进货、理货、装货、加工都辅之以装卸搬运。有效的装卸会大大提高配送中心的水平。所以装卸搬运是现代物流配送中心的基础工作，是一项基础职能。

（6）加工职能。现代物流配送中心都要进行不同程度的加工，加工活动在有的配送中心是关键活动。加工职能能有效提高配送水平，起增强性作用。

（7）送货职能。送货的起点是现代物流配送中心，虽然送货全过程已超出配送中心的范畴，但现代物流配送中心的工作可以说对送货起决定性的作用。送货的指挥与管理也是在配送中心中进行的。所以，送货是现代物流配送中心最后实现的职能。

（8）物流信息处理。现代物流配送中心在干线物流与末端物流间起衔接作用，这种衔接不但靠实物的配送，也靠情报信息的衔接。物流配送中心的情报活动也是全物流系统中重要的一环。

现代物流配送中心职能要素构成如图5-6所示。

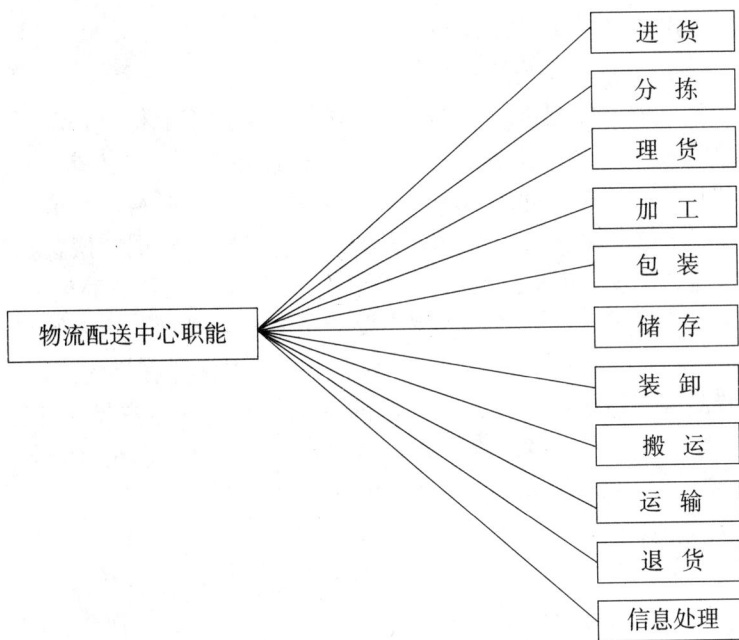

图5-6 现代物流配送中心职能要素构成

5.4.2 配送中心的一般流程

配送中心的特性或规模不同，其运营涵盖的作业项目和作业流程也不完全相同，但其基本作业流程大致可归纳如图5-7所示。

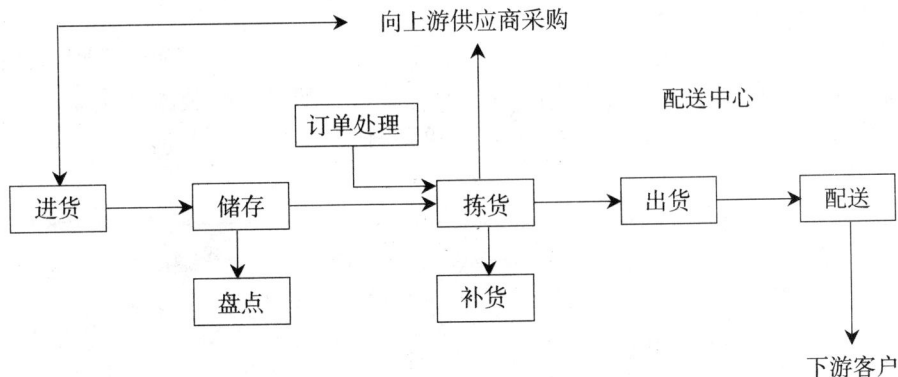

图5-7 配送中心的一般流程

从图5-7可以看出，由供应货车到达码头开始，经进货作业确认进货品后，便依次将货品储存入库。为确保在库货品受到良好的保护管理，需进行定期或不定期的盘点检查。当接到客户订单后，先将订单依其性质作订单处理，之后即可按处理后的订单信息将客户订购的货品从仓库中取出（拣货作业）。拣货完成后，一旦发觉拣货区所剩余的存量过低，则必须由储区来补货，当然，若整个储区的存量亦低于标准，便应向上游采购进货。而从仓库拣出的货品经整理后即可准备出货，等到一切出货作业完成后，司机便可将出货品装上配送车，将之配送到各个客户点交货。

整个作业过程包括以下几个环节：

（1）进货。进货作业就是把货品作实体上的接收，从货车上将货物卸下，并核对该货品的数量及状态（数量检查、品质检查、开箱等），然后记录必要信息或录入计算机。

（2）搬运。搬运作业是将不同形态之散装、包装或整体之原料、半成品或成品，在平面或垂直方向加以提起、放下或移动，可能是要运送，也可能是要重新摆置物料，而使货品能适时、适量移至适当的位置或场所存放。在配送中心的每个作业环节都包含着搬运作业。

（3）储存。储存作业的主要任务是把将来要使用或者要出货的物料进行保存，且要经常对库存品进行检核控制，储存时要注意充分利用空间，还要注意存货的管理。

（4）盘点。货品因不断地进出库，在长期的累积下库存资料容易与实际数量产生不符，或者有些产品因存放过久、不恰当，致使品质功能受影响，难以满足客户的需求。为了有效地控制货品数量，需要对各储存场所进行盘点作业。

（5）订单处理。由接到客户订货开始至准备着手拣货之间的作业阶段，称为订单处理，包括有关客户、订单的资料确认、存货查询、单据处理以及出货配发等。

（6）拣货。每张客户的订单中都至少包含一项以上的商品，如何将这些不同种类、数量的商品由配送中心中取出集中在一起，此即所谓的拣货作业。拣货作业的目的也就在于正确且迅速地集合顾客所订购的商品。

（7）补货。补货作业是指将货品从保管区域（reserve area）移到拣货区域（home area），并作相应的信息处理。

（8）出货。出货作业是将拣取分类完成之货品做好出货检查，装入合适的容器，做好标示，根据车辆趟次或厂商等指示将物品运至出货准备区，最后装车配送。

（9）配送。配送作业是指将被订购之物品，使用卡车从配送中心送至顾客手中的活动。

1. 集货配送中心的一般流程

它是以中、小件杂货配送为代表的配送中心流程，由于货种多，为保证配送，需要有一定的储存量，属于有储存功能的配送中心。进货、分类、配货、配装的功能要求较强，但一般来讲，很少有流通加工的功能。集货配送中心的一般流程如图5-8所示。

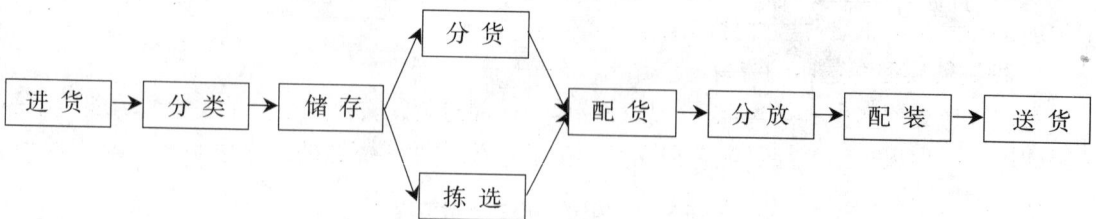

图5-8 集货配送中心的一般流程

固体化工产品、小型机电产品、水暖卫生材料、百货及没有保质期要求的食品配送中心等也采取这种流程。

这种流程可以说是现代配送中心的典型流程，其主要特点是有较大的储存场所，分货、拣选、配货场所及装备也较大。

2. 不带储存库的配送中心流程

有的配送中心专以配送为职能，而将储存场所尤其是大量储存场所转移到配送中心之外的其他地点，配送中心则只有为一时配送备货的暂存，而无大量储存。货物暂存在配货场所，在配送中心不单设储存区。其流程如图5－9所示。

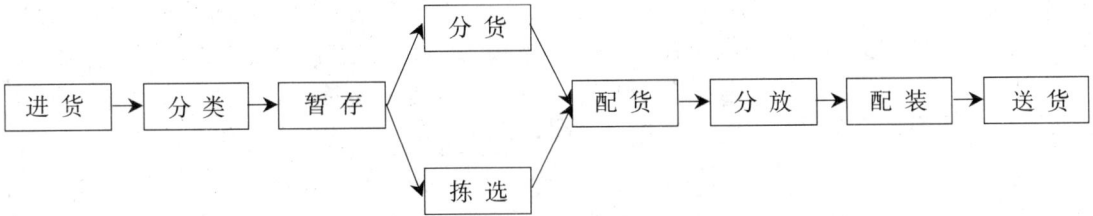

图 5－9 不带储存库的配送中心流程

这种配送中心和第一种类型的配送中心的流程大致相同，主要工序及主要场所都用于理货、配货。区别只在于大量的货物储存在配送中心外部而不在其中。

3. 加工配送型配送中心流程

加工配送型配送中心也不是一个模式，随着加工方式的不同，配送中心的流程也有区别。典型的加工配送型配送中心流程如图5－10所示。

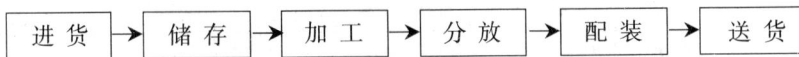

图 5－10 加工配送型配送中心流程

这种配送中心流程的特点，以铁板、钢筋和玻璃为例，进货是大批量、单（少）品种的产品，因而分类的工作不重或基本上无须分类存放。只是储存后进行加工，和生产企业按标准、系列加工不同，一般是按用户要求进行加工。因此，加工后产品便直接按用户分放、配货。所以，这种类型的配送中心有时不单有分货、配货或拣选环节，在这种加工型配送中心中，加工部分及加工后分放部分的工作是重点。

4. 批量转换型配送中心流程

批量转换型配送中心是大批量、品种较单一产品进货，转换成小批量发货式的配送中心。不经配煤、成形煤加工的煤炭配送和不经加工的水泥式油料配送的配送中心大多属于这种类型。这种配送中心的流程如图5－11所示。

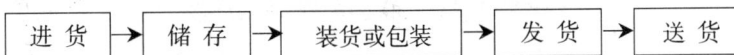

图 5－11 批量转换型配送中心流程

这种配送中心流程十分简单，基本不存在分类、拣选、分货、配货、配装等工序，但是由于是大量进货，储存能力较强，储存工序及装货和送货工序是主要工序。

上述四种配送中心流程，可以综合成为大型现代配送中心流程。

5.4.3 配送中心的功能构成

配送中心功能构成的具体内容如表5-2所示。

表5-2 配送中心的功能构成

功　能	作业区	作业内容
功能区域	管理区	是配送中心内部行政业务管理、信息处理、业务洽谈、订单处理以及指令发布的场所；一般位于配送中心的出入口
	进货区	收货、验货、卸货、搬运及货物暂停的场所
	理货区	对进货进行简单处理的场所；在这里，货物被区分为直接分拣配送、待加工、入库储存和不合格需清退几种，分别送往不同的功能区；在实行条形码管理的中心里，还要为货物贴条形码
	储存区	对暂时不必配送或作为安全储备的货物进行保管和养护的场所；通常配有多层货架和用于集装单元化的托盘
	加工区	进行必要的生产性和流通性加工（如分割、剪裁、改包装等）的场所
	分拣配货区	进行发货前的分拣、拣选和按订单配货
	发货区	对物品进行检验、发货、待运的场所
	退货处理区	存放进货时残损的、不合格或需要重新确认等待处理的货物的场所
	废弃物处理区	对废弃包装物（塑料袋、纸袋、纸箱等）、破碎货物、变质货物、加工残屑等废料进行清理或回收复用的场所
	设备存放区及维护区	存放叉车、托盘等设备及其维护工具的场所
物流设备	储存设备	储存货架、重力货架、托盘
	搬运设备	叉车、搬运车、连续输送机、垂直升降机等
	分拣输送设备	拣货车辆、拣货输送带、自动分拣机等
管理和信息系统	业务性管理	是配送中心正常运转所必备的基本条件，包括配送中心的各项规章制度、操作标准及作业流程等
	信息管理系统	包括订货系统、出入库管理系统、分拣系统、订单处理系统、信息反馈系统等
辅助设施	辅助设施	包括库外道路、停车场、站台和铁路专用线等

5.4.4 配送中心管理

1. 配送中心管理的内容

配送中心的管理主要包括收货管理、存货管理、发货管理、信息管理与财务管理。

（1）收货管理。是配送中心物流管理的第一个环节，其核心任务是将总部订购的来自各个生产厂家的货物汇集到配送中心，经过一系列的收货流程，按照规定的储存方法将货物放置于合适的地点。

（2）存货管理。是指对货物的存储管理。商品在仓库里的存放系统有两种模式：一是商品群系统，二是货位系统。前者是指将同类商品集中放于一处；后者包括货位的编号、商品编号。两种存放系统各具优缺点，商品群系统定位容易，但搬运困难；货位系统定位复杂，但方便调运。无论采用哪一种商品储存方法，其核心目标都是减少储存费用，方便配送。

（3）发货管理。是配送中心物流管理的最后一个环节，目标是把商品准确而又及时地运送到各个连锁店铺。这就要求采用经济科学的配货方法和配货流程，在现代信息管理设备的辅助下，顺利完成这一管理职能。

（4）信息管理。信息流系统和配送系统是结合在一起发生作用的，是支撑连锁企业的两个车轮。可以说，信息流系统流畅与否直接决定着配送系统的流畅程度。主要表现在三个方面：一是提高订货与收货的精确性，二是及时掌握各处分店的信息，三是缓解人力不足等问题。因此，做好配送中心信息管理工作，对连锁企业的发展至关重要。

（5）财务管理。配送中心因类型不同承担着不同的财务职能，特别是总部授权进货或参与进货的配送中心，财务管理是其内部职能之一。随着配送中心由自营型向共营型等社会化形态转变，财务职能将日益独立。

2. 配送中心管理的目标

就配送中心管理来说，主要实现如下目标：

（1）服务性目标（service object）。即为连锁店提供全方位的输送服务，要求做到无脱销、无货损等事故，并尽可能降低费用。

（2）速送性目标（speed object）。要求迅速及时地将产品送到分店，这既与配送中心的位置布局有关，又与配送线路的合理组织有关。

（3）空间的有效利用目标（space saving object）。一是有效利用土地面积的立体空间，二是合理安排商品储存，采用现代化机械设备提高运输效率。

（4）规模适当化标准（scale optimization object）。即做好配送集中与分散是否恰当的研究，实现配送中心机械化设施、电子设备合理又充分的利用。

【本章案例】

神户生协鸣尾浜配送中心

神户生活协同组合（以下简称生协）是日本消费者合作社里最大的连锁超市公司，在世界同行中销售额排第一位。它拥有会员约 123 万户，年销售总额 3 840 亿日元（折合人民币 300 亿元），销售商品以食品为主（占 72%）。

神户生协拥有超市连锁店 171 个，每天购货达 35 万人次，对于那些因会员少、尚不具备设店条件的地区，则建立无店铺销售网，设送货点 2 万多个，服务对象近 30 万户家庭。

面对供应面广、品种多、数量大的供配货需求，神户生协建造了鸣尾浜配送中心，承担了全部销售商品的配送任务。在规划这座配送中心时，首先考虑到应有利于提高对客户（商场）的服务水平，根据商品多品种、小批量、多批次要货的特点，做到能在指定的时间里，将需要的商品，按所需的数量送到客户手里，以提高销售额，削减商场库存，提高商店作业效率，减少流通过程的物流成本，增强企业的竞争力。

1. 多功能的供货枢纽

鸣尾浜配送中心具有以下重要功能：

（1）强化供货枢纽。根据物流集约化原则，神户生协在规划鸣尾浜配送中心时，强调了强化供货枢纽的战略功能。

①商品出货单位要小，以满足商场越来越强的拆零要求。

②将原来由商场承担的工作量大、耗时多的贴标签、改包装等流通加工业，放到配送中心里完成，以满足小型超市商场运营的需要。

③扩大库存商品的品种，以强化配送中心的供货能力，降低商品的缺货率；特别是采用了与 POS 系统联网的 EOS 电子订货系统来处理连锁店的订货，并根据库存信息，预测总订货量，向供货商发出订货单。

④扩大分拣功能，根据对中转型商品的集约化作业改善零售店收货和搬运作业。

⑤除一部分特殊商品（如日配品）外，畅销商品全部由配送中心供货，为实现向商场配送计划化奠定基础。

⑥满足无店铺定点销售物流的需求。

⑦开发支撑配送中心高效运转的信息处理系统。

（2）抑制物流成本。配送中心拥有不少先进的物流设备和设施，为了保证正常运转，必须做好日常的维修保养工作，以降低物流成本，包括加强人事管理、配送中心运营费用的预算和外托合同企业（如运输公司）的联系等。

（3）增强配送中心的应变能力。由于配送中心的物流量随经营规模的发展在不断扩大，必须确保配送中心能在一段较长的时间内满足企业发展的需要。配送中心的设计以 10 年的周、日处理量的变化作为最大值、平均值，故具有满足此后数年的处理能力。另外，要做到今后有扩建的余地。

2. 现代化的物流设施

配送中心的选址是一项至关重要的工作，神户生协把配送中心选在神户西宫市鸣尾浜地区。其理由是：①日本关西商业经营的重心在大阪，配送中心必须能迅速调运商品；②根据神户生协超市公司发展区域点多、面广的特点，尽可能利用附近的 43 号国道和大阪海岸公路；③大量车辆出入配送中心，产生较大的噪音，必须择地在准工业地域。

鸣尾浜地区全部是填海造地而成的，配送中心基地面积 38 000 平方米，宽 190 米，长 200 米，呈长方形，四周为宽 12 米和 20 米的公路。配送中心建筑平面呈 L 形，大部分为两层建筑，仅南端生活办公用房为三层。总建筑面积 33 805 平方米，其中用于配送作业的面积达 27 907 平方米。

为了合理组织车流，基地设两个出入大门，东门出，西门进，各宽 15 米。建筑配送中心东西两翼各有一条卡车坡道，宽 6.5 米（包括 1 米宽人行道），坡度为 15%。卡车由西坡道上楼卸货，由东坡道下楼，单向行驶。

配送中心为浇钢筋混凝土结构的建筑物，柱网尺寸为 12 米×9 米，底层层高 7.5 米，二层为 6 米；屋盖为钢结构，桁架梁，金属瓦楞板屋面。建筑物底层为分拣系统及发货场地、站台，二楼为收货场地、站台、储存货架及拣货作业场。上下两层站台总长 460 米，拥有停靠车位 147 个（其中收货 58 个、发货 89 个）。在合理的物流流程和运作方面，配送中心根据经营商品进销的不同情况和商品 ABC 分析，将物流分成三路：

一路为库存型物流，指进销频繁的商品，整批采购、保管，经过拣选、配货、分拣，送到超市门店和无店铺销售的送货点；二路为中转型物流，通过计算机联机系统和商品信息订购的商品，整批采购，不经储存，通过配送中心进行拣选、组配和分拣，再配送到销售门店和无店铺销售点；三路为直送型物流，商品不经过配送中心，从供货单位直接组织货源送往销售店。

鸣尾浜配送中心的作业情况如下：

（1）收货。供货商将商品送至配送中心二楼收货站台，人工卸车，包装均为统一规格系列的纸箱。一路整批商品由人工堆码托盘、叉车搬运；二路商品由人工卸至辊道输送机，进行验收，再经合流后送入三条主输送带。

（2）储存、搬运。大部分商品储存在二楼，一路整批商品以托盘为储存单元，由叉车送入普通货架；需要开箱拆零的单元，由叉车送入普通货架；需要开箱拆零的商品，从储存货架上取出，搬入轻型重力式货架，再由人工拣选。普通货架和轻型重力式货架相对平行布置，货架分上下两层，每层三格，高4.5米。货架的走道中间设置以胶带输送机为主体的传送搬运系统，总长5 200米。进销频繁的商品则以托盘为单元，存放在底层站台的货场。配送中心全部储存容量为3 500个托盘、17万箱。

（3）拣选。鸣尾浜配送中心在建设过程中，反复研究总结了日本不少配送中心成功与失败的经验，结合超市销售量大、利薄的特点，认为对于批量零星而进出频繁的商品，不宜采用立体仓库、巷道拣选机，故配送中心决定采用普通货架、人工拣选的方式，以适应多种销售形式。

整箱销售的商品，以托盘为单元，货架存放。发货时由工人按订货单，从货架搬入两侧的输送带传送系统。二路属中转的商品，收货后暂存辊道输送机上，经人工粘贴发货条形码后，直接送入主输送带，进入分拣系统。

开箱拆零商品，以纸箱为单元，存放在轻型重力式货架上。发货时由人工开箱拆零拣货，另行组配拼箱，送入传送系统。拼箱用的空纸箱则利用回收的旧纸箱，由悬吊式链条输送机（置于胶带输送机的上空）传送。对于特别零星的商品，则采用计算机控制的数字显示拣选系统。

（4）分拣系统。全部发运商品的纸箱上均粘贴印有条形码的发运标签（内容包括销售店名称、商品名称、数量等），该标签由计算机打印。这些商品从各条拣选渠道汇集到三条主输送带，从二楼传入底楼，最后合流至分拣系统。分拣信息由激光扫描器读取纸箱上条形码信息，进行自动分拣。分拣系统采用高速胶带传动斜轮分拣机，分拣作业线总长160米，分拣道口41条，道口间距3米，传送速度100米/分，分拣能力为6 000箱/时。分拣的纸箱允许的最大长度为0.9米，最大重量25千克；超重时，分拣机自动停止运转。

（5）配送。从分拣道口的斜滑道滑入的商品，由人工装入笼车等集装单元化运载工具，并送至发货站台待运。尔后，商品按编排的配送路线，分别装入各辆厢式送货卡车，配送到各超市连锁店。笼车回空时可折叠起来，节省车容。由于采用了笼车，大大减少了中间的装卸环节，有效地改善了从配送中心的储存货架起，一直到商场里的商品陈列货架为止的整个物流过程的装卸搬运作业，加快了运输车辆的周转。配送中心的卡车只需一名司机，兼做装卸工，便可完成全部装卸搬运作业，非常经济实用。

鸣尾浜配送中心建成后，充分发挥了促进和扩大商品流通的作用。它配合零售店，辅助供应工作，提供各种服务，如拆零发货、代贴价格标签、采用计算机联网订货、记账等。由于采用了计算机库存管理，大大降低了缺货率，缩短了要货期，加快了发货，原来每周订货两次，现在做到当天订货，当天或隔天即可送到零售店，大大缩减了商场的库存，加速了商品的周转，给企业带来了极可观的经济效益。

【本章小结】

本章介绍了物流中心的概念，并解释了物流配送中心与物流中心之间的关系，同时详细地讲述了物流配送中心的发展历程，介绍了现代配送中心的管理内容，最后指出配送中心的管理目的是实现全方位服务、快速反应和规模适当等。

【关键术语和概念】

物流中心　　配送中心　　配送中心类型　　配送中心管理

【思考与练习】

1. 配送中心发展经历了哪些阶段？
2. 配送中心与物流中心的关系？

【补充阅读】

1. 施建年. 物流配送. 北京：人民交通出版社，2003
2. 中国物资流通
3. 郝渊晓. 现代物流配送管理. 广州：中山大学出版社，2001
4. 徐天亮. 运输与配送. 北京：中国物资出版社，2002

6 库存管理与配送

◉**本章学习要点**

    1. 库存的好处和劣势

    2. 合理库存的解决方案

    3. 如何做到零库存

    4. 配送中心的零库存解决方案

◉**本章学习内容**

    1. 库存的作用与种类

    2. 库存合理化

    3. 零库存和实现零库存的途径

    4. 零库存与配送的关系

◉**本 章 案 例**
◉**本 章 小 结**
◉**关 键 术 语 和 概 念**
◉**思 考 与 练 习**
◉**补 充 阅 读**

6.1 库存的作用与种类

6.1.1 库存的内涵

    库存属于物流范畴，它是储存运动的一种现象形态，或者说，库存是储存的表现形态。常识告诉我们，作为一项经济活动，储存的范围是很广泛的，其形式是多种多样的。实践中，它既可以发生在生产领域，也可以发生在流通领域；既可表现为以仓库为场所的储备，也可表现为其他形式的储备。而库存只不过是发生在仓库中的储存行为或储存活动。从现象上看，库存实际上就是利用各种仓库、储料场和料棚等设施储存各种货物的系列化运动（包括货物的入库、运输、分类、保管、出库等）。从性质上看，库存则是物流运动的一个环节。无论我们从哪个角度去认识库存和说明库存，都应当把它和物流运动联系在一起，并且应当把库存定义为物流行为或物流活动，而不能把它称为某种形态的物资或物品。

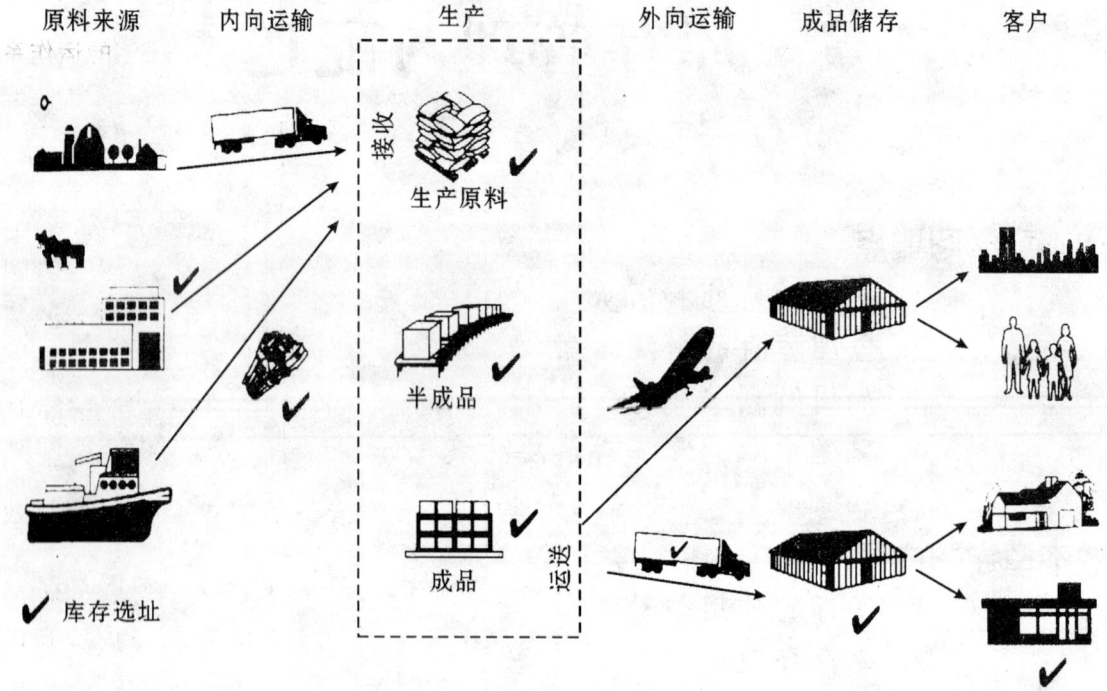

图 6－1　库存与物流关系

在此之前，有人在阐述库存概念时曾经提出，"库存指的是仓库中处于停滞状态的物资"。日本东洋经济新报社出版的《物流知识》手册则把库存称为"保管在仓库中的物品"。严格说来，上述这种把库存解释为"库存物资"的说法是很不准确的。要知道，库存和库存物资（或库存物品）不是同一个概念。前者指的是经济活动，后者指的则是处于某种状态下的货物。如果在理论上将两者混同，把属于经济活动的库存定义为某种状态的物资（或物品），不但在逻辑上说不通，而且也不符合实际情况。

当然，在管理工作中，在检查和评价库存效果时，人们常常使用"库存量"这一术语。从表面上看，库存似乎是个可以计量的物品，库存似乎等同于某种状态下的物资。实则不然。所谓的"库存量"，实际上是指库存对象物的数量，而不是库存本身的数量。正如"生产量"是指生产出的产品数量而不是生产自身的数量一样。鉴于此，我们不能因为人们习惯于用"库存量"来说明库存动态就把库存理解为物品。

综上所述，按照理论联系实际的原则，库存实质上是以仓库为场所储存货物这种经济活动的理论抽象，而不是储存于仓库中的货物的统称。简言之，库存是一种经济活动（或运动），而不是物品。库存与库存物资是两个不同的经济范畴。

6.1.2　库存的功能和作用

有很多原因可以解释为什么供应渠道中要有库存，但近年来，也有许多人对持有库存提出批评，认为库存是不必要的，是浪费。下面我们就来分析一下企业为什么在运作的各个层面都需要库存，为什么又希望将库存保持在最低水平。

1. 赞成保有库存的原因

库存的持有与客户服务或由此间接带来的成本节约有关。我们简单考察以下几个保有库存的原因。

（1）改善客户服务。我们无法设计出能对客户的产品或服务需求作出即时反应的运作系统，因为这样的运作系统是不经济的。库存使得产品或服务保持一定的可得率，当库存位置接近客户时，就可以满足较高的客户服务要求。库存的存在不仅保证了销售活动的顺利进行，而且提高了实际销售量。

例如，汽车修理厂面临的问题是如何保有数以千计的零配件，以修理各种各样不同年份、不同型号的汽车。一辆汽车会有 15 000 个配件。为加快库存周转，修理厂只保有为数不多的常用配件（如火花塞、风扇皮带和电池）的库存。二级库存由汽车制造商保存在地区仓库中，在某些情况下，可以通过空运在当天送到修理厂。这样，修理厂在保持高水平零配件可得率的同时，使库存降到了最低水平。

（2）降低成本。虽然持有库存会产生一些成本，但也可以间接降低其他方面的运营成本，两者相抵还有可能节约成本。这是因为：

①保有库存可以使生产的批量更大、批次更少、运作水平更高，因而产生一定的经济效益。由于库存在供求之间起着缓冲器的作用，可以消除需求波动对产出的影响。

②保有库存有助于实现采购和运输中的成本节约。采购部门的购买量可以超过企业的即时需求量以争取价格—数量折扣。保有额外库存带来的成本可以被价格降低带来的收益所抵消。与之类似，企业常常可以通过增加运输批量、减少单位装卸成本来降低运输成本。但增加运输批量会导致运输渠道库存水平的增加。运输成本的节约也可以抵消库存持有成本的上升。

③先期购买（forwarding buying）可以在当前交易的低价位购买额外数量的产品，从而不需要在未来以较高的预期价购买。这样，购买的数量比即期需求量要多，比按接近即期需求的数量购买导致的库存也多。但是，如果预期未来价格会上涨，那么先期购买产生库存也是有道理的。

④整个运作渠道中生产和运输时间的波动也会造成不确定性，同样会影响运作成本和客户服务水平。为抵消波动的影响，企业常常在运作渠道中的多个点保有库存以缓冲不确定因素的影响，使生产运作更加平稳。

⑤物流系统中也会出现计划外或意外的突发事件。几种常见的情形如工人罢工、自然灾害、需求激增、供货延误，保有库存可以起到一定的保护作用。在物流渠道的关键点保有一些库存还可以使系统在一定时间内继续运作，直到突发事件过去。

2. 反对保有库存的原因

有人认为有了库存作保障，管理层的工作就更容易了。对过度库存的批评却比对供给短缺的批评更可理解。库存持有成本的主要组成部分是机会成本，因此，在正常的财务报告中根本反映不出来。如果库存水平过高，超过支持运作的合理要求，那么反对过度库存就顺理成章了。

对持有库存的批评主要围绕以下几个方面。①库存被认为是一种浪费。库存耗费了那些可以有更好用途的资本，比如可以用于提高生产率或竞争力。同时，库存虽然有储存价值，但不能对企业产品的直接价值作贡献。②库存可能掩盖质量问题。当质量问题浮现出来，人们倾向于清理保有的库存，以保护所投入的资本。纠正质量问题的努力可能会延缓下来。③保有库存鼓励人们以孤立的观点来看待物流渠道整体的管理问题。有了库存，人们常常可能将物流渠道的一个阶段与另一个阶段分离开来，将物流渠道作为一个整体来考虑的一体化决策带来的机遇可能会减少。而如果没有库存，企业不可避免地要同时对渠道中不同层次的库存进行计划和协调管理。

6.1.3　库存的种类

库存可以分为以下五个截然不同的种类。

（1）库存可能存在于流通之中。因为运输并非瞬间完成，所以会有这些位于存储点或生产点间、运输途中的库存。如果运送速度慢、运输距离长，或运输要经过许多阶段，那么在途库存的量可能会超过存储点的库存量。

（2）企业持有某些库存的目的可能是投机，而这些库存也是需要控制的总库存的一部分。对某些原材料，如铜、金和银的采购，有时是为价格投机，有时是为满足运作的需要。如果一定期间为价格投机而采购的货量超过预期的运作需求量，那么，企业的财务经理会比物流经理更关注由此造成的过量库存。但如果出于对季节性销售高峰的预期或由于先期购买活动而累计的库存，就可能属于物流经理的责任范围。

（3）库存可能具有定期性或周期性的特征，这些库存都是为满足连续补货期间的平均需求而储存的必要存货。周期性库存在很大程度上取决于生产批量的规模、经济运输批量、存储空间的限制、补货提前期、价格—数量折扣计划和库存持有成本等因素。

（4）企业也可能为防范需求和补货提前期的变动而建立库存。这种额外库存或安全库存，是在为满足平均需求和平均提前期所需的定期性库存之外的一些补充。安全库存由用于处理波动随机性的统计方法来确定。安全库存的保有量则取决于波动的幅度和企业现货供应的水平。精确的预测是降低安全库存水平的关键。事实上，如果可以100%精确地预测提前期和需求，就不需要安全库存。

（5）有些库存在存储期间会被损坏、被报废、丢失或被盗，这些库存被称为仓耗。如果存储的是高价值、易腐烂或易于被盗的产品，就需要采取特别的防范措施尽量减少这些库存的数量。

6.2　库存合理化

6.2.1　库存合理化

库存合理化是用最经济的办法实现库存的功能。库存的功能集中体现为对需要的满足，实现被储物的"时间价值"，这是库存合理化的前提或本质。如果不能保证库存功能的实现，其他问题便无从谈起了。但是，库存的不合理又往往表现在对库存功能实现的过分强调，因而是过分投入储存力量和其他储存劳动所造成的。所以，合理库存的实质是在保证库存功能实现前提下的尽量少的投入，也是一个投入产出的关系问题。

库存合理化的主要标志包括以下几个方面：

1. 质量标志

保证被储存物的质量是完成库存功能的基本要求，只有这样，商品的使用价值才能通过物流之后得以最终实现。在库存中增加了多少时间价值或是得到了多少利润，都是以保证质量为前提的。所以，库存合理化的主要标志中，首先应当反映的是使用价值的质量。

现代物流系统已经拥有很有效的维护物资质量、保证物资价值的技术手段和管理手段。许多企业也正在探索物流系统的全面质量管理问题，即通过物流过程的控制，通过工作质量来保证储存物的质量。

2. 数量标志

在保证库存功能实现的前提下要有一个合理的数量范围。目前，管理科学的方法已能在各种约束条件下，对库存合理数量范围作出决策。

3. 时间标志

保证库存功能实现前提下寻求一个合理的储存时间，这是和数量有关的问题，库存量越大，消耗速率越慢，则储存的时间必然长，相反则必然短。在具体衡量时往往用周转速度指标来反映时间标志，如周转天数、周转次数等。

在总时间一定的前提下，个别被储物的储存时间也能反映库存合理程度。如果少量被储物长期储存，成了呆滞物或储存期过长，虽反映不到总周转指标中去，也说明库存管理不合理。

4. 结构标志

结构标志是从被储物不同品种、不同规格、不同花色的储存数量的比例关系对库存合理与否的判断。尤其是相关性很强的各种物品之间的比例关系更能反映库存合理与否，由于物品之间相关性很强，只要有一种物品出现耗尽，即使其他种物品仍有一定数量，也会无法投入使用。所以，不合理的结构影响面并不仅仅局限在某一种库存物品上，而是有扩展性的，结构标志的重要性也可由此确定。

5. 分布标志

分布标志是指不同地区库存数量的比例关系，可以此判断对当地需求的保障程度，也可以此判断对整个物流的影响。

6. 费用标志

仓租费、维护费、保管费、损失费、资金占用利息支出等，都能从实际费用上判断储存的合理与否。

6.2.2　库存合理化的内容

既然库存的功能和作用是在库存合理的限度内得以充分发挥的，那么，什么状态下的库存才算是合理的库存呢？进一步说，库存合理化的内容和标准又有哪些呢？

马克思说："商品储存只有在它就是商品流通的一个条件，并且本来就是一个必然会在商品流通中生出的形式的限度之内，那就是，只有在这种表面上的停滞，像货币准备的形成是货币流通的条件一样，是流通自身的一个条件的限度之内，方才是正常的。"①

很明显，按照马克思的说法，只有库存是一种必需的和必要的活动，它才是合理的、正常的运动。换言之，只有库存能够与生产和流通的发展需要相适应，并且在为生产流通运行的必要条件而不是它们的累赘时，才称得上是合理的库存。从另一个角度（即投入产出比例

---

① 资本论. 北京：人民出版社，1964. 143

关系的角度）来看，库存合理化是指以最经济的方法和手段从事库存活动，并发挥其作用的一种库存状态及其运行趋势。具体来说，合理化库存包含着以下几项内容：

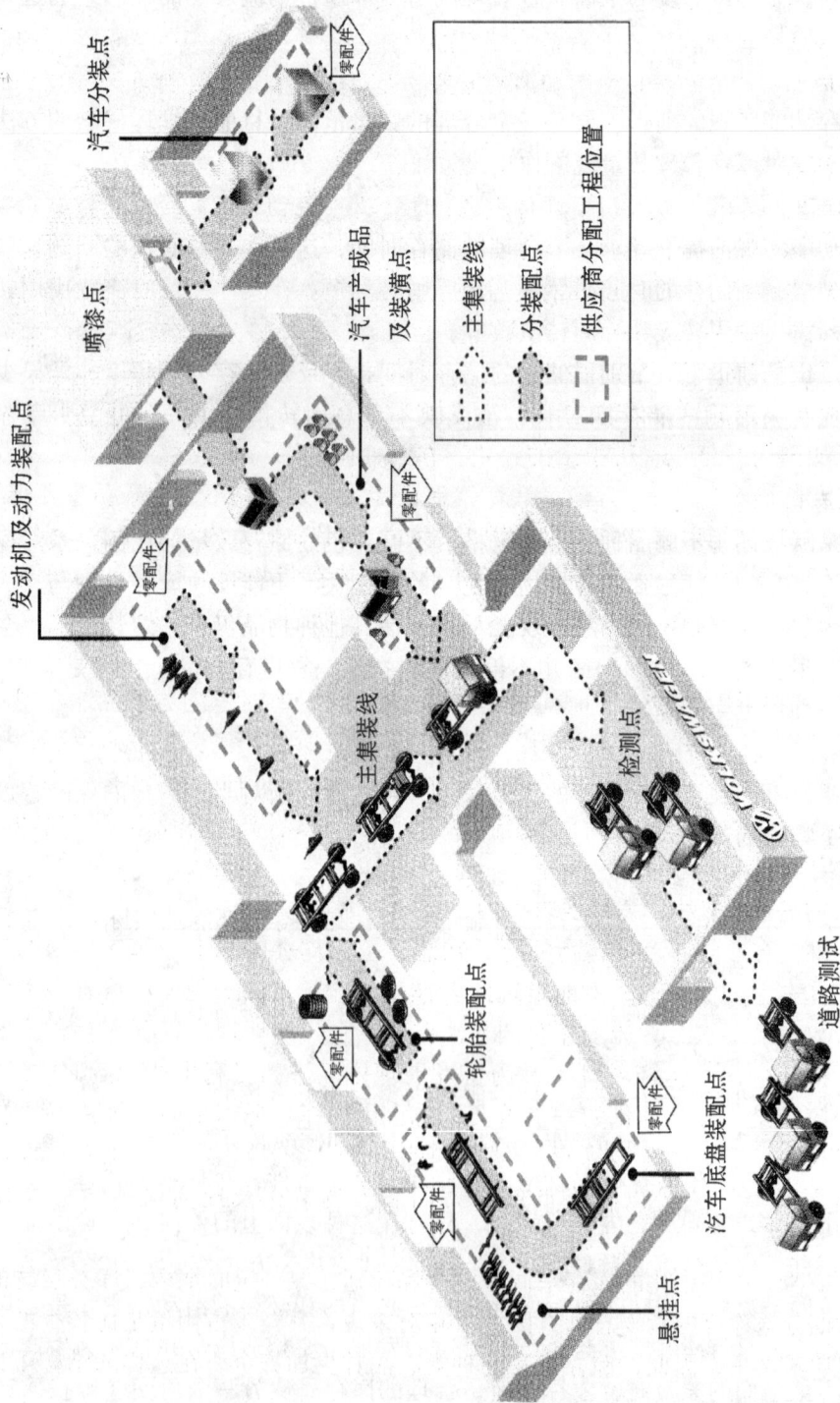

图6-2　德国大众汽车仓库

1. 库存"硬件"配置合理

库存"硬件"是指各种用于库存作业的基础设施和设备。实践证明,物流基础设施和设备的数量不足,或者技术落后,不但导致库存作业效率低下,而且不能对库存物资进行有效的维护和保养,由此将会带来很大损失。但是,如果设施、设备重复配置,以致库存能力严重过剩,也会因增加被储物的成本而影响库存的整体效益。据此,库存"硬件"的配置应以能够有效地实现库存职能、满足生产和消费需要为基准,做到适当、合理地配置仓储设施和设备。

2. 组织管理科学化

库存组织管理科学化主要有以下几种表现:①库存对象物(即库存货物)数量保持在合理的限度之内,既不缺少,也不过多;②货物储存的时间较短,货物周转速度较快;③货物储存的结构合理,能充分满足生产和消费需要。

关于库存对象物的数量问题,首先应当肯定这一说法:要想有效地发挥库存的调节作用和实现其创造"时间效用"的功能,就必须储存一定数量的物资。正如马克思所说:"商品储备必须有一定的量,才能在一定时期内满足需要量。"但是,库存物资的数量并非越多越好。正如国内一位学者所指出的:"一方面,储存以一定数量形成保证供应、保证生产、保证消费的能力",另一方面,储存"保证能力的提高,不是与数量成比例"。事实上,"储存数量的增加会引起储存损失无限度增加,而保证能力的增加却是有限度的",超出一定限度的储存是"有害而无益的"。鉴于此,就库存货物的数量而言,合理库存的界限是在保障消费需要的前提下,就低而不就高;就货物储存时间而论,也存在着类似的情况。

实践证明,有些物品经过一段时间的储存(或库存),有时也能更有效地实现其使用价值和价值,从而可以创造出"时间效用"。但是,货物库存的时间无限度地增加,不仅导致货物的损失会相应增加,而且货物的周转速度自然要放慢。从时间效应的角度来衡量库存运动,最优(或最佳)的货物库存时间应当是在满足生产和消费需要及实现库存功能的前提下,货物快速周转所需要的时间。

3. 库存结构符合生产力的发展要求

从微观上讲,合理的库存结构指的是,在总量上和储存时间上,库存货物的品种和规格的比例关系基本上是协调的,不能出现此多彼少、此长彼缺的现象;从宏观上说,库存结构符合生产力发展要求,意味着库存的整体布局、仓库的地理位置和库存方式等应有利于生产发展。在社会化大生产条件下,为了发展规模经济和提高生产、流通的经济效益,库存适当集中应当是库存合理化的一个重要标志。因为库存适当集中(即以社会化、集中化的库存取代一家一户式的分散库存),除了有利于采用机械化、现代化方式进行各种操作以外,更重要的是,它可以在降低储存费用和运输费用及提高保供能力等方面取得优势。

无数事实证明,以集中化的库存来调节生产和流通,在一定时期内,库存货物的总量会远远低于同时期分散库存的货物总量;因此,相对来说,其资金占用量是比较少的。与此同时,由于库存比较集中,因此,储存货物的种类、品种更加齐全。在这样的结构下,库存的保供能力自然会更加强大。

6.3 零库存和实现零库存的途径

6.3.1 零库存的概念

库存是物流运动的一个不可缺少的环节。没有库存，就不会有商品流通。库存有调节生产和消费的功能。但是，和从事其他物流活动一样，设置库存环节和开展库存活动，也必须占用和耗费一定数量的社会劳动（包括人力、物力、财力），据此，库存也会冲减流通利润或物流效益。如果计划不周或措施不当，那么库存的副作用会更大。正因为库存占压的资金比较多，并且有冲减利润的副作用，所以，使库存趋于合理化，一直是人们努力追求的目标。我们现在所讲的零库存则是实现库存合理化的一种重要现象形态。

关于零库存概念，在此之前，我国理论界曾经有人阐述过它的含义，指出：零库存是一种特殊的库存概念，零库存的含义是"以仓库储存形式的某种或某些物品的储存数量为'零'，即不保持库存"。

显然，上述对零库存含义所作的解释是建立在库存即"仓库中处于暂时停滞状态的物资"这一理论观点之上的。且不谈其理论依据是否科学，仅从库存合理化的目标要求及库存内容来分析有关问题，上述的解释也有欠妥之处。

要知道，零库存是在物流活动合理化的背景下提出并着手解决的一个理论问题和实际问题。库存的目的是为了减少社会劳动占用量（主要表现为减少资金占用量）和提高物流运动的经济效益（即投入产出比例）。如果我们把零库存仅仅看成是仓库中存储物的数量变化（数量减少）或数量变化趋势而忽视其他物质要素的变化，那么，上述目的则很难实现。因为从全社会来看，在库存结构、库存布局不尽合理的状态下（例如，行行、层层库存物资），由于仓储设施重复存在，用于设置仓库和维修仓库的资金占用量并没有减少。换言之，节约社会劳动的目的并没有全面实现。基于此，从物流运动合理化的角度来研究问题，零库存概念应当包含这样两层意义：其一，库存对象物的数量趋于零或等于零（即近于无库存物资）；其二，库存设施、设备的数量及库存劳动耗费同时趋于零（即不存在库存活动）。而后一种意义上的零库存，实际上是社会库存结构的合理调整和库存集中化的表现。就其经济意义而言，它并不亚于通常意义上的仓库物资数量的合理减少。

值得注意的是，零库存并不等于不要储备和没有储备。亦即某些经营实体（如生产企业）不单独设立仓库和不库存物资，并不等于取消其他形式的储存。实际上，企业（包括生产企业和商业企业）为了应付各种意外情况（如运输时间延误、到货不及时、生产和消费发生变化等），常常要储备一定数量的原材料、半成品和成品，只不过这种储备不是采取库存或自行库存的形式罢了。从理论上讲，经营实体储存一定数量的产品，并由此形成"保险储备"也是一种合理的行动，它与实现零库存的愿望并不矛盾。现在，有人把零库存的适用范围无限扩大，认为"零库存"即等于"零储备"，实现零库存即意味着可以从根本上取消"工位之间半成品的暂时停滞"。这种观点是值得商榷的。

需要说明的是，上面所讲的零库存是针对微观经济领域内经营实体（企业）的库存状况而言的一种库存变化趋势，它属于微观经济范畴。从全社会来看，不可能也不应该实现"零库存"。为了应付可能发生的各种自然灾害和其他各种意外事件，为了调控生产和需求，通常国家都要以各种形式（其中包括以库存形式）储备一些重要物资（如粮食、战略物资、抢险救灾物资等）。因此，在微观领域内，一些经营实体可以进行"零库存"式的生产和无库存式的销售，但整个国家或社会不能没有库存。

此外，就微观主体的储存行为而论，零库存又是在特定的经济环境下实现的。也就是说，某些经营实体的零库存是在社会集中库存及保障供应的前提下得以实现的。从这个意义上说，零库存是对社会库存结构进行合理调整的结果。

6.3.2 实现零库存的途径

如上所述，零库存是微观领域内企业库存状况的理论抽象，并且是在有保障供应的条件下实现的。那么，具体到生产实践和流通实践，通过什么途径供应物资、推行什么样的供应体制才能在某些物流据点上实现零库存呢？

考察国内外生产实践和流通实践，我们发现，通过下述途径从事生产经营活动可在微观领域内实现零库存。

1. 委托营业仓库存储和保管货物

在国外，有些仓库虽然隶属于某个集团或集团公司，但其服务对象并不仅限于集团内部各成员企业，而是面向社会开展经营活动。这些仓库通过为客户储存、保管货物而赚取一定的利润，以此维持其生存和发展。有人把这种仓库称为"营业仓库"。显然，营业仓库是一种专业化、社会化程度比较高的仓库。委托这样的仓库（或物流组织）储存货物，从现象上看，就是把所有权属于用户的货物存放在专业化的仓库中，由后者代为用户保管和发送货物，用户则按一定的标准向受托方（仓库）支付服务费。实践告诉我们，采用这种方式存放和储备货物，在一般情况下，用户（委托方）自己不必再过多地储备物资，甚至不必再单独设立仓库从事货物的维护、保管等活动。这样，在一定范围内便可以实现零库存和进行无库存式生产。

采用委托（营业仓库）方式来实现零库存，有如下几点好处：①受托方（营业仓库）可以充分发挥其专业化水平高的优势开展规模经营活动，从而能够做到以较低费用的库存管理提供较高水平的后勤服务。②对于委托方来说，可以减少大量的后勤工作，由此，能够集中精力从事生产经营活动。但是，我们也要看到，以上述方式去实现零库存，实质上是库存（或库存物资）位置的移动，它并没有减少社会总库存和降低库存物资总量。

2. 推行配套生产和"分包销售"的经营制度

配套生产和分包销售，这种现象多见于制造业。实践证明，采用上述方式去从事生产活动和经营活动，也可以在一定范围内实现零库存。其原因如下：

（1）在协作、配套的生产方式下，企业与企业之间的经济关系更加密切，从而在一些企业之间（如在生产零配件的企业和组装产品的主导企业之间）能够自然地构筑起稳定的供货（或购货）渠道；供货渠道稳定，则意味着可以免除生产企业在后勤保障工作上存在的后顾之忧，进而可促使其减少物资库存总量，甚至取消供应品库存，实现零库存。

（2）在"分包销售"体制下，由于实行"同意组织产品销售、集中设库储存产品"的制度，并且是通过配额供货的形式将产品分包给经销商的，因此，在各个分包（销售）点上是没有库存的。也就是说，在分包销售制度下，分包者的"销售品库存"等于零。

据有关资料介绍，在发达国家的制造业中，许多生产商和经销商的零库存在很大程度上都是通过推行上述生产方式和产品销售制度而实现的。在这些国家里，生产汽车和家用电器等机电产品的企业都是集团性的组织，在结构上是由少数几家规模很大的主导企业和若干家小型协作企业组成的。其中，主导企业主要负责完成产品装配和市场开发等任务，协作企业则负责零库存部件的制造和向主导企业供货。在实践中，承担零部件制造和供应任务的协作企业，一般都是按照主导企业的生产速度和进度来安排和调整自己的生产活动，并且要在指定的时间内送货到位。由于供货有保障，因此，主导企业都不再另设一级库存，从而使库存呈现零库存状态。

3. 实行"看板供货"制度

所谓"看板供货"即"即时供货"。这种供货制度最早产生于美国，后来在日本得到了完善和发展。20 世纪 90 年代中期，我国部分生产企业也曾经试行这种供货制度。

从运作方法和原理上看，"看板供货"就是在企业内部各工序之间，或者在建立供求关系的企业之间，采用固定格式的卡片由下一个环节根据自己的生产节奏逆方向向上一个环节提出供货要求，上一个环节则根据卡片上指定的供应数量、品种等要求即时组织送货。很明显，实行这样的供货办法或供货制度，可以做到准时、同步向需求者供应货物。在这种场合下，后者自然不会再另设库存。

4. 依靠专业流通组织准时而均衡供货

这里所讲的专业流通组织是指专门从事商品购销活动的流通企业。通常，这类组织都拥有配套的物流设施和先进的物流设备，也拥有大量的资金和物资资源。在流通实践中，依靠这样的组织准时而均衡地向需求者供货，实际上就是利用职能企业的物力（库存物资）、财力去支撑社会上的生产活动和经营活动。从某种意义上说，也是以集中库存的形式来保障生产经营活动的正常运转。从需求者的角度来看，依靠专业性流通组织准时而均衡供货，等于是把某些后勤工作交给了职能企业。自然，在这样的供应体制下，作为需求者的生产企业和商业企业，不可能也没有必要再保留过多的库存物资；相反，会自动地缩减和取消自己的库存，从而实现零库存。

6.4 零库存与配送的关系

6.4.1 零库存是伴随配送而产生的一种经济现象

有人说，零库存是"企业家之梦"。如果说在过去传统的生产方式下，零库存确实是企业家的一种梦想的话，那么，这个梦想如今已经变成了现实。社会库存结构之所以会发生如此大的变化，换言之，在物流运动的某些环节上，之所以能够实现零库存，除了人们在生产领域中普遍采用了一些新的组织形式和管理（如上面介绍的看板方式、配送生产形式）以外，也与广泛推行配送制有关，零库存是配送的伴生物。

为什么推行配送制能够实现零库存呢？为什么说零库存是配送的伴生物呢？为了回答清楚这些问题，我们首先简要阐述一下零库存现象得以产生的客观条件。

实践告诉我们，零库存能否实现，不以人们的主观意志为转移；相反，作为一种库存状态和库存结构，零库存是在一定条件（或环境）下形成的。从行为主体的角度来分析，欲使其库存物资减少（即降低库存）和取消自行设立的仓库环节，至少需具备这样几个条件：①经济环境相对稳定。其中包括资源（或商品）供给有保障，供货渠道稳定，供货时间均衡。②物流能与生产或经营活动同步运动。对于生产者和经营者所需要的货物，职能组织能够做到随要随供，随要随送。③取消库存之后，既不影响当事者（企业）的正常经营活动，同时，又不影响其物流成本和营业利润。与此相关，承揽后勤服务任务的职能组织必须能够以较低的成本和费用向社会上的需求者供货和送货。总之，只有实现了零库存，企业才不再以仓库形式存储物资，才会取消自行设立的库存环节。

在社会范围内以及在各个企业内部，之所以要建立仓库，以库存形式储存货物（即形成库存），其主要原因，一方面是为了保障生产和销售的正常进行和连续运转，另一方面也是为了更好地适应市场形势变化。而库存所具有的一些基本功能（调节供求的功能和保护储存对象的价值的功能）恰好能够满足生产者和经营者的上述要求。据此，我们可以说，库存的存在乃是保证企业生产和经营活动持续进行的重要条件。显然，只有当生产需要和市场需要能够以一种新的供应方式（或组织形式）予以满足时，某些物流节点上的库存才能自动减少，进而才能在一定的范围内取消，从而实现零库存。

配送的功能和特点之一就是，这种方式的物流运动能够集中库存，并且能以相对集中的社会库存建立起有较强供货能力的社会保障体系。在流通实践中推行配送制和实行配送方式，实际上就是要利用社会保障体系去承担企业外部和企业内部两个层次的供货任务。换言之，就是要把企业外部的供应系统（由各个相关的企业构成的供应体系）与企业内部的供应体系（由企业内部各级供应组织构成的体系）"合二为一"，由社会上的职能组织（配送企业或称配送中心）直接将各种货物（包括原材料和产成品）供应到企业内部的一线组织（车间和工位等）。很明显，采用这种方式供货，由于社会供应系统可以取代企业内部的供应系统，不依靠企业内部的"供应库存"也可以保障企业生产连续运转，因此，原来设在企业内部的供应机构及存在于企业内部的供应体系自然会日趋弱化。与此同时，与企业内部供应体系直接相连，并且作为内部供应体物质基础的库存物资和库存设施等也必然会随之减少，甚至会呈现零库存状态。

综上所述，不难看出，在生产和流通实践中，广泛推行配送制及采用配送方式向企业供货，之所以能够促使企业缩减乃至取消自己的库存，原因之一就在于由配送企业所组成的社会供应系统能够有效地替代企业内部的供应体系，并且，社会供应系统（配送系统）能够担负起向企业的"一线组织"直接供货、配套供货和及时供货的任务。配送或配送制之所以能够使社会上的库存结构发生变化，致使某些经营实体的库存近似于零，另一个重要原因在于，这种先进的、带有现代化色彩的物流运动（或物流体系）可以集中库存的优势为众多的生产者和经营者提供周到的、全方位的后勤服务（其中包括以灵活的方式向生产者和经营者准时和即时供货），能够有效地适应生产节奏的变化和市场形势的变化。当然，在这种情况下，作为行为主体的企业，自然无须再单独设库储存货物或过多地库存货物。

总之，配送的优势不仅在于保证供应，同时也表现为可以向需求者提供系列化的后勤服务，满足用户多方面的需要。正是由于在一些主要方面，配送具备了实现零库存的条件，因此，在现实生活中，它能够使经营者的库存向"零"的方向演化。

6.4.2 通过配送方式实现零库存的具体做法

1. 以"多批次、少批量"方式向用户配送货物

通常，配送中心都是面向社会、面向众多用户配送货物的。因为配送企业的服务对象众多，所以，它能够集中各个用户的需求及统筹安排送货活动。这样，在凑整运输车辆、提高

运输效率的基础上，配送主体可以做到大幅度降低每个用户、每个批次的送货量，同时增加送货的次数（即开展"少批量、多批次"方式配送货物）。因为以"少批量、多批次"的方式去供货和送货，每次运送的货物数量较少，所以配送企业可以直接将货物运送到车间和生产线。又因为配送企业送货次数频繁，所以很容易使用户库存物资中的"经常性储备"数量缩减，以致少到趋向于零，从而呈现出零库存状态。

2. **用集中库存和增强调节功能的办法，有保障地向用户配送货物**

在实践中，配送企业适当集中库存，增加库存物资的品种和数量，以此形成强大的调节能力和服务功能。在形成这种优势的基础上，去开展配送活动，客观上将会大大提高配送服务的保险系数。与此相关，也自然能打消用户的顾虑。显然，在这种有保障的配送服务体系的支持下，用户的库存也自然会日趋弱化。

3. **配送企业采用"即时配送"和"准时配送"方式向需求者供货**

为了满足用户的特殊需要，实践中，配送企业常常以"即时配送"和"准时配送"方式进行供货和送货。由于"即时配送"和"准时配送"具有供货时间灵活、稳定，供货弹性系数大等特点，客观上能够紧密衔接供求及保障需要。在这种情况下，作为用户的生产者和经营者，因其库存压力大大减轻，必然会自动缩减甚至取消自己的库存。

需要指出的是，在众多实现零库存的方式（或途径）中，配送是一种作用范围更广、影响面更大的运动方式。正如有人指出的，配送方式广泛使用于生产企业和商业企业，配送货物的品种是多种多样的（即包括很多工农业产品在内的物品都可以用配送的方式供货到位）。据此，以这种方式实现的零库存，其范围更大，稳定性更强。此外，由于配送的运行方式是灵活而多样化的，因此，它能兼容其他生产方式的特点和优点（如即时、准时配送可显示出"看板供货"和"配套生产"等生产方式的某些特点和优点）。从这个意义上说，配送是一种能够改变企业库存结构的综合性的运行方式，依靠推行配送制去实现零库存（指企业库存），其前景是非常广阔的。

【本章案例】

艾尔科（ALKO）公司的库存管理

艾尔科公司始建于 1943 年，是由约翰·威廉斯在其家乡克利夫兰创办的一家汽车修配厂发展起来的。约翰一直酷爱修配工作，在 1948 年，他发明的一种照明设备获得了专利，便决定在自己的修配厂生产该产品，并尝试在克利夫兰地区销售。照明设备的销售状况良好，到 1957 年，艾尔科已经发展成为资产达 300 万美元的公司。公司的照明设备以其卓越的质量而著称。那时，艾尔科公司共出售 5 种产品。

1963 年，约翰将公司改成股份制。从此以后，艾尔科公司的经营十分成功，并且开始在全美范围内经销其产品。随着企业之间的竞争在 20 世纪 80 年代的增强，艾尔科公司开始引进许多新式照明设备。然而，尽管公司煞费苦心以确保产品质量不降低，但是公司的利润水平还是开始下降。问题的关键在于，随着市场竞争的加剧，公司所获得的边际效益开始下滑。在这种情况下，公司董事会决定要从公司上层入手，对公司进行全面改组。加里·费雪在此时受聘，负责对公司进行改组和重构。

当费雪1999年到艾尔科公司上任时，他发现呈现在他面前的是一家因背负荣誉而摇摇欲坠的公司。他一开始先花费几个月的时间来着手了解公司的业务以及公司的组织方式。费雪最终发现，公司经营状况不佳的关键在于经营业绩。尽管艾尔科公司在研制生产新产品方面很出色，但是公司长期以来忽视了产品销售系统的建设。公司内部存在着这样一种错误理念：一旦公司设计并生产出好的产品，那么其他的事情就顺其自然。费雪设立了一个特别工作组，任务是对公司当前的销售系统进行检查并拿出相应的解决方案。

特别工作组发现，艾尔科公司1999年经营100种产品。所有产品都是在克利夫兰地区的3家工厂生产的。为了促销，公司将美国大陆划分为5个区域，每个区域都设有一个归艾尔科公司所属的独立配送中心。顾客向配送中心订货，配送中心则利用库存努力为顾客提供所需产品。当任何一种产品的库存量减少时，配送中心又向工厂订货。工厂按照配送中心的订单制定生产计划。由于订单上的购货数量往往很大，公司用满载卡车（LT）把工厂生产出来的货物整车运往配送中心。然而，从配送中心到顾客的货运量通常小于整车装载量（LTL）。艾尔科公司雇用第三方货运公司来承担两条线路的运输任务。1996年，从工厂到配送中心的整车货物的运费平均为0.09美元/件，从配送中心到顾客的非整车运费平均为0.10美元/件。从配送中心向工厂发出订单到该工厂向配送中心发货平均需要14天的时间。

当时的库存策略是在每个配送中心存储每种产品。对生产线的详细研究表明，按照销售量可以将产品分为三大类：高需求产品、中等需求产品和低需求产品。每类中代表性产品的市场需求量是产品1、产品3和产品7分别为高需求产品、中等需求产品和低需求产品的代表。在艾尔科公司销售的100种产品中，有10种属于高需求产品，有20种属于中等需求产品，其余70种属于低需求产品。每种产品的市场需求量分别与它们的代表性产品——产品1、产品3和产品7的市场需求量相等。

特别工作组还发现，工厂的生产能力可以保证任何合理的订单在一天之内完成。这样，工厂就可以在接到订单一天后发货，并经过4天的运输到达订货的配送中心。配送中心全部采用周期性检查策略，不管产品是在运输过程中还是处于库存状态，每件货物每天的库存成本是0.15美元。所有配送中心保有的安全库存量都能确保补给周期供给水平达到95%。

特别工作组建议艾尔科公司在芝加哥的郊区建立一个全国性的配送中心（NDC），关闭现有的5个配送中心，并将它们的库存转移到全国性配送中心去。仓储容量按照每年经营的产品的品种数来衡量。然而，艾尔科公司预期可从每个关闭的仓库获得50 000美元的收益。全国性配送中心的补给周期供给水平仍将保持在95%。

由于芝加哥与克利夫兰的距离很近，因此从工厂运往全国性配送中心的运费降到0.05美元/件。然而，由于平均运距的增加，从全国性配送中心到顾客的运费将增加到0.24美元/件。

经过考虑，特别工作组提出的另一种选择是，在保留区域性配送中心的同时，建立一个全国性的配送中心。这样，一些产品可以存储在区域性配送中心，而另一些产品可以存储在全国性配送中心。

加里·费雪仔细考虑了特别工作组提出的报告，计划在工作组成员提供任何支持的详细数据后再作决定。

【本章小结】

物流中心是成本中心，如何降低配送中心的成本，从根本上讲就是如何控制库存。本章介绍了库存管理对配送中心管理的作用和意义，零库存的概念及实现零库存的途径，重点介绍了配送中心实现零库存的具体做法。通过本章的学习，可掌握配送中心库存合理化的管理方法。

【关键术语和概念】

库存　库存管理　库存合理化　零库存　看板管理　配送中心与零库存

【思考与练习】

1. 为什么需要库存？人们反对持有库存的理由有哪些？
2. 你怎样理解零库存？
3. 怎样实现零库存？

【补充阅读】

1. ［日］菊池康也. 物流管理. 丁立言译. 北京：清华大学出版社，2001
2. 梁军. 仓储管理实务. 北京：高等教育出版社，2003
3. 真虹等. 物流企业存储管理与实务. 北京：中国物资出版社，2003
4. 张卫星. 现代物流学. 北京：北京工业大学出版社，2003

7 配送中心与运输管理

◉ **本章学习要点**

    1. 运输的几种不合理方式

    2. 运输优化的三种路径的选择

    3. 配送方案的制定

◉ **本章学习内容**

    1. 不合理运输及原因

    2. 运输路径优化

    3. 配送方案及模型

◉ **本 章 案 例**

◉ **本 章 小 结**

◉ **关 键 术 语 和 概 念**

◉ **思 考 与 练 习**

◉ **补 充 阅 读**

【案例演练】

美国卡车运输

    在美国，卡车运输是最主要的货运方式，它占据了美国运输费用的一大部分。卡车运输业务分成两大类：满载（TL）运输和非满载（LTL）运输。满载运输按照整车收费而不考虑货运量，费率随运距不同而变化。非满载运输则按照货物的运量和运距两个因素来收费。非满载的费率反映了规模经济的特点。卡车运费比铁路运费要高，但它拥有自身的优点：提供门对门运输服务、节约运输时间，而且在送货和提货之间无须转运。主要的卡车运输公司有斯群得（Scheider National）公司、行特（JB Hunt）公司、雷德联号（Ryder Integrated）公司、维纳（Werner）公司和快运（Swift Transporation）公司。

　　满载运输方式的运输成本相对较低，只需拥有少量卡车就可以从事满载经营，这使得社会上有为数众多的满载承运商。斯群得公司是美国最大的满载承运商，是1996年美国前40强企业之一，而它却只占据满载市场的17%。由于运输不能持续进行，存在着闲置时间和空驶距离，这就增加了满载运输的成本。因此，承运人力图规划好运输，以便在满足客户需求的同时，缩短卡车的闲置时间和空驶距离。

　　从运距的角度来说，满载运输展示了它的规模经济。考虑到拖车容量的不同，满载运价对所用的拖车来说也体现了规模经济。这种运输方式比较适合于货物在工厂、仓库之间或供应商、生产商之间的运送。比如，宝洁公司使用满载方式将货物送抵客户的仓库。

　　非满载适用于小批量货物的运送，一般小于卡车最大运量的一半。相对来说，用满载大批量运输货物更便宜；就所运输的货物数量和运输距离来说，非满载运输也具有某种意义上的规模经济。因为非满载要进行其他货物的装卸，所以非满载运输比满载运输的时间就会长一些。非满载适用于那些体积较大（不能进行包裹邮政快递），但又不超过卡车最大运量一半的货物。

　　降低非满载成本的关键在于承运商运输的联合程度。卡车将一个地区内的许多小批量货物运到联运中心，在返回时它就可以带上以该地为目的地的货品。这样一来，即使运送时间被稍稍延长了，但卡车的利用率却得到极大提高。由于非满载运输中联运非常重要，因此，尽管建立联运中心要花费固定成本，但大公司对非满载运输的优势青睐有加。基于非满载运输业在一定区域内密集的小型轻便车和运输点提供的便利，非满载行业中的地区性大企业已经兴起了。

　　非满载运输业关注的关键性问题包括联运中心的选址、卡车运量分配、日程安排以及运货点至送货点的线路选择，目的是在不影响运输时效性和可靠性的基础上使成本降低。

图7-1　运输管理

7.1 不合理运输及原因

运输是物流配送作业中最直观的要素之一，也是物流系统中一个涉及面广并由诸多子系统所构成的大系统，是一个复杂的运输系统工程。因此，必须对整个运输过程进行系统研究，以实现系统最优化。

运输主要有两大功能，即产品转移和产品储存。因为无论产品处于哪种形式，是材料、零部件、装配件、在制品，还是制成品，也不管是从制造过程中转移到下一阶段，还是实际上更接近最终的顾客，运输都是必不可少的。运输的主要目的就是要以最短的时间、最低的财务和环境资源成本，将产品从原产地转移到规定地点。此外，产品灭失损坏的费用也必须是最低的；同时，产品转移所采用的方式必须能满足顾客的需求及装运信息可得性方面的要求。在整个物流系统中，必须精确地维持运输成本和服务质量之间的平衡。在某些情况下，低成本和慢运输是令人满意的；而在另外一些情况下，快速服务也许是实现作业目标的关键所在。那么，应怎样充分利用现有的时间、空间及财务资源，实现运输的功能并达到运输的目的，使整个物流系统处于最佳的运作状态呢？

7.1.1 运输的合理与不合理

1. 成本、速度和一致性，是影响运输合理化的重要因素

从物流系统的观点来看，有三个因素对运输来讲是十分重要的，即成本、速度和一致性。

运输成本是指为两个地理位置间的运输所支付的款项以及与行政管理和维持运输中存货有关的费用。物流系统的设计应该利用能把系统总成本降到最低程度的运输，这意味着最低费用的运输并不总是导致最低的运输总成本。

运输速度是指完成特定的运输所需的时间。运输速度和成本的关系，主要表现在以下两个方面：①能够提供更快速服务的运输商实际要收取更高的运费；②运输服务越快，运输中的存货越少，无法利用的运输间隔时间就越短。因此，选择最期望的运输方式时，至关重要的问题就是如何平衡运输服务的速度与成本。

运输的一致性是指在若干次装运中履行某一特定的运次所需的时间与原定时间或与前几次运输所需时间的一致性，它是运输可靠性的反映。多年来，运输的一致性被看作是高质量运输的最重要的特征。如果给定的一项运输服务第一次花费两天，而第二次花费了六天，这种意想不到的变化就会产生严重的物流作业问题。如果运输缺乏一致性，就需要安全储备存货，以防预料不到的服务故障。运输一致性也会影响买卖双方承担的存货义务和有关风险。

运输的成本、速度和一致性是影响运输合理化的至关重要的三个因素。但最低的运输费用并不意味着是最低的运输总成本，最低的运输总成本也并不意味着是合理化的运输。

2. 运输方式的选择

基本的运输方式共有五种，即铁路、公路、水路、航空、管道，各种运输方式均有自身的优点与不足。一般来说，水路运输具有运量大、成本低的优点；公路运输则具有机动灵活、便于实现货物门到门运输的特点；铁路运输的主要优点是不受气候影响，可深入内陆和横贯内陆，实现货物长距离的准时运输；航空运输的主要优点是可实现货物的快速运输。在选择运输方式时，既可以单独选用一种，也可以采用多式联运。总的来说，应该在考虑物流服务

对物流系统的要求和允许的物流费用的基础上作出决定。选择运输方式，必须根据具体条件加以研究，作为这些具体条件的基础，大体上可以从五个方面考虑：①运输物品的种类；②运量；③运输距离；④运输天数；⑤运输费。

在考虑运输物品的种类时，应以物品的形状、单件重量和容积、物品的危险性和易腐性，尤其要从物品对运费的负担能力等方面考虑。

关于运量，要考虑运输批量的大小。运输批量大小不同，所选择的运输方式也应不同。

关于运输距离，应根据运输距离的长短确定运输天数；运输天数与物品的到货期有关。运输费用，是应该着重考虑的问题。运输路线的选择应考虑如下几个问题：①发送者应如何分组来制定路线？②什么是最好的服务顾客的发送顺序？③哪一条路线应分派给哪一种车辆？④对于不同的客户类型，什么类型的车辆是最好的？⑤客户是如何限制发送时间的？

合理化的运输，应是在整个物流系统中，充分利用现有时间、财务和环境资源，以最佳的运输方式、路线，最低的成本，最高的质量来实现运输的功能，达到物流最优化。

3. 不合理运输的表现形式

在实际的运输过程中，不合理运输主要有以下几种表现形式：

（1）对流运输。它是指同类的或可以互相代替的货物的相向运输，它是不合理运输最突出的一种。其表现形式有两种：一种是同类货物沿着同一线路相向运输的明显对流；另一种是同类货物在不同运输方式的平行路线上或不同时间内进行相反方向的运输。

（2）迂回运输。由于物流网的纵横交错及车辆的机动、灵活性，在同一发站和到站之间，往往有不同的运输路径可供选择。凡不经过最短路径的绕道运输，称为迂回运输，即平常所说的"近路不走走远路"。

（3）过远运输。这是一种舍近求远的商品运输。不就地或就近获取某种物资，却舍近求远从外地或远处运来同种物资，从而拉长运输距离，造成运力浪费。

经计算表明，从国民经济的观点来看，某地所缺的砖甚至在当地简单的土窑中制造也比用火车从数千公里、汽车从几百公里之外运来更为有利。另外，把装配好的木器和热量低的燃料进行长距离运输也是不合理的；在现实生活中大量的日用工业品（如毛巾、牙膏、肥皂）、农副产品的远距离调运也是不合理的。

（4）重复运输。不合理的重复运输是指同一批货物由产地运抵目的地，没经任何加工和必要的作业，也不是为联运及中转需要，又重新装运到别处的现象。它是物资流通过程中多余的中转、倒装，虚耗装卸费用，造成车船非生产性停留，增加了车船、货物的作业量，延缓了流通速度，增大了货损，也增加了费用。

（5）无效运输。是指被运输的货物杂质较多（如煤炭中的矿石、原油中的水分等），使运输能力浪费于不必要的物资运输。我国每年有大批圆木进行远距离的调运，但圆木材的使用率一般只有70%左右，致使有30%的边角废料的运输基本上是无效的。

（6）运力选择不当。未考虑各种运输工具的优缺点而进行不适当的选择造成的不合理现象，常见的有以下几种形式：①违反水路分工使用，弃水走陆的运输。弃水走陆是指从甲地到乙地的货物运输，有铁路、水路、公路等几种运输方式可供选择，但是把适合水路或水陆联运的货物改为用铁路或用公路运输，从而使水运的优势得不到充分发挥。②铁路短途运输。不足铁路的经济运行里程却选择铁路进行运输。③水运的过近运输。不足船舶的经济运行里程却选择水路进行运输。

以上对不合理物流运输的描述，主要是就形式本身而言。在实际中，必须将其纳入物流系统中作综合判断。如从单一角度看，避免了不合理，做到了合理，但它的合理却可能给其他物流环节带来不合理，这就是人们常说的物流各环节的效益悖反现象，因此，我们必须分析其具体情况，从物流系统角度出发，进行综合判断。

7.1.2 影响运输合理化的外部因素

影响运输合理化的外部因素主要有以下五个方面：

1. 政府

因为运输对经济有重要的影响，所以政府要维持运输的高利率水平，期望有一种稳定而有效率的运输环境，以便经济能持续增长。运输能够使产品有效地转移到全国各地市场中去，并促使产品按合理的成本获得。苏联解体前的情况说明了运输体系不健全所产生的影响，虽然这不是唯一的原因，但运输体系确实是前苏联经济不能充分向市场提供商品的一个重要因素，即使它有充足的生产。

稳定而有效率的商品经济需要有竞争力的运输服务，与其他商品企业相比，许多政府更多地干预了运输活动，这种干预往往采取规章制度或经济政策等形式，政府通过限制承运人所能服务的市场或确定他们所能收取的价格来规范他们的行为；政府通过支持研究开发或提供诸如公路或航空交通控制系统之类的通行权来促进承运人业务的发展。在英国或德国，政府对市场、服务和费率保持绝对的控制，这种控制将使政府对地区、行业或厂商的经济成功具有举足轻重的影响。在我国，政府主要在客观上对运输活动进行调节和干预，以保证运输市场协调稳定发展。

2. 资源分布状况

我国地大物博，资源丰富，但分布不平衡，这也在很大程度上影响了运输布局的合理性。如能源工业中的煤炭和石油，目前探明储量都集中于北方各省区和西南、西北地区，而我国东南部的省区储量很小，但其工业产值却很大，这样就使我国煤炭、石油运输的总流向形成了"北煤南运"、"西煤东运"、"北油南运"、"东油西运"的格局。因而，资源的分布状况也对运输活动产生了较大的影响。

3. 国民经济结构的变化

运输是生产过程的继续，它所运送的货物是工农业产品。因此，不仅农业产品的增长速度成正比例地影响着货运量及其增长速度，而且工农业生产结构的变动也会引起货物运输结构及其增长速度的变化。如当运输系数较大的产品比重提高时，运输量也会以较快的速度增长；反之亦然。

由此可见，工农业生产结构的变动必然会引起运输分布的变化。

4. 运输网布局的变化

交通运输网络的线路和港站的地区分布及其运输能力，直接影响运输网络的货物吸引范围，从而影响货运量在地区上的分布与变化。如某地铁路网布局高于公路网分布密度，则铁路运量就大于公路运量；反之亦然。运输网布局的合理化，直接影响着企业运输的合理化，将促进货运量的均衡分布。

5. 运输决策的参与者

运输决策的参与者主要有托运人、承运人、收货人及公众。托运人和收货人有共同的目的，就是要在规定的时间内以最低的成本将货物从起始地转移到目的地。承运人作为中间人，他则期望以最低的成本完成所需的运输任务，同时获得最大的运输收入，并期望在提取和交付时间上有灵活性，以便能够使个别的装运整合成经济运输批量。公众则是最后的参与者，他们关注运输的可达性、费用和效果，以及环境和安全上的标准。公众通过按合理价格产生对周围商品的需求，最终确定运输需求。显然，这些运输决策参与者的活动及决策直接影响着某一具体运输作业的合理性。

7.1.3　影响运输合理化的内部因素

影响运输合理化的内部因素主要有以下五个方面：

1. 运输距离

在运输过程中，运输时间、货损、运费、车辆或船舶周转等运输的若干技术经济指标，都与运输距离有一定的比例关系。因此，运距长短是运输是否合理的一个最基本因素，缩短运距既具有宏观的社会效益，也具有微观的企业效益。

2. 运输环节

每增加一次运输，不但会增加起运的运费和总运费，而且必然要增加运输的附属活动，如装卸、包装等，各项技术经济指标也会因此下降。所以，减少运输环节，尤其是同类运输工具的环节，对合理运输有促进作用。

3. 运输工具

各种运输工具都有其使用的优势领域，对运输工具进行优化选择，按运输工具的特点进行装卸运输作业，最大限度地发挥所用运输工具的作用，是运输合理化的重要一环。

4. 运输时间

运输是物流过程中需要花费较多时间的环节，尤其是远程运输。在全部物流时间中，运输时间占绝大部分，因而运输时间的缩短对整个流通时间的缩短有决定性的作用。此外，运输时间短，有利于运输工具的加速周转，充分发挥运力的作用；有利于货主资金的周转；有利于运输线路通过能力的提高，对运输合理化有很大贡献。

5. 运输费用

运费在全部物流成本中占很大比例，运费高低很大程度上决定了整个物流系统的竞争能力。实际上，运输费用的降低，无论对货主企业来讲，还是对物流经营企业来讲，都是运输合理化的一个重要目标。运费的判断，也是各种合理化实施是否行之有效的最终判断依据之一。

7.1.4　运输合理化的有效措施

1. 提高运输工具的实载率

实载率有两个含义：一是单车实际载重与运距之乘积和标定载重与行驶里程之乘积的比率，这在安排单车、单船运输时，是作为判断装载合理与否的重要指标；二是车船的统计指标，即一定时期内车船实际完成的物品周转量（以吨公里计）占车船载重吨位与行驶公里乘积的百分比。在计算车船行驶的公里数时，不仅包括载货行驶，也包括空驶。

提高实载率的意义在于：充分利用运输工具的额定能力，减少车船空驶和不满载行驶的时间，减少浪费，从而求得运输的合理化。

2. 减少动力投入，增加运输能力

这种合理化的要点是：少投入、多产出，走高效益之路。运输的投入主要是能耗和基础

设施的建设，在设施建设已定形和完成的情况下，尽量减少能源投入，是少投入的核心。做到了这一点就能大大节约运费，降低单位物品的运输成本，达到合理化的目的。

国内外在这方面的有效措施有以下几种：

（1）"满载超轴"。超轴的含义就是在机车能力允许的情况下，多加挂车皮。我国在客运紧张时，也采取加长列车、多挂车皮的办法，在不增加机车的情况下增加运输量。

（2）水运拖排和拖带法。竹、木等物品的运输，可不用运输工具载运，而是利用竹、木本身的浮力，采取拖带法运输，能节省运输工具本身的动力消耗，从而求得运输合理；将无动力驳船编成一定队形，一般是"纵列"，用拖轮拖带行驶，具有比船舶载乘运输运量大的优点，从而求得合理化。

（3）顶推法。这是我国内河货运采取的一种有效方法，将内河驳船编成一定队形，由机动船顶推前进。其优点是航行阻力小，顶推量大，速度较快，运输成本低。

（4）汽车挂车法。这种方法的原理与船舶拖带、火车加挂基本相同，都是在充分利用动力能力的基础上，增加运输能力。

3. 发展社会化运输体系

运输社会化的含义是发展运输的大生产优势，实行专业分工，打破一家一户自成运输体系的状况。

一家一户的运输小生产，车辆自有，自我服务，不能形成规模，且运量需求有限，难以自我调剂，因而经常容易出现空驶、运力选择不当（因为运输工具有限，选择范围太窄）、不能满载等浪费现象，且配套的接、发货设施，装卸搬运设施也很难有效运行，所以浪费很大。实行运输社会化，可以统一安排运输工具，避免对流、倒流、空驶、运力不当等多种不合理形式，不但可以追求组织效益，而且可以追求规模效益，所以发展社会化的运输体系是运输合理化非常重要的措施。

目前，铁路运输的社会化运输体系已较完善，而在公路运输中，小生产作业方式非常普遍，是发展社会化运输体系的重点。

在社会化运输体系中，各种联运体系是水平较高的方式。联运方式充分利用面向社会的各种运输系统，通过协议进行一票到底的运输，有效地打破了一家一户的小生产作业，受到了欢迎。

我国在利用联运这种社会化运输体系时，创造了"一条龙"货运方式。对产销地及产销量都较稳定的产品，事先通过与铁路、交通等社会运输部门签订协议，规定专门收、到站，专门航线及运输路线，专门船舶和泊位等，有效保证了许多工业产品的稳定运输，取得了很好的成效。

4. 开展中短距离铁路公路分流，"以公代铁"的运输

这一措施的要点是：在公路运输经济里程范围内，或者经过论证，超出通常平均经济里程范围，也尽量利用公路。这种运输合理化的表现主要有两点：一是对于比较紧张的铁路运输，用公路分流后，可以得到一定程度的缓解，从而加大这一区段的运输通过能力；二是充分利用公路从门到门和在中途运输中速度快且灵活机动的优势，实现铁路运输服务难以达到的水平。

5. 尽量发展直达运输

直达运输是追求运输合理化的重要形式，其对合理化的追求要点是通过减少中转、过载、换装，从而提高运输速度，节省装卸费用，降低中转货损。直达运输的优势尤其是在一次运

输批量和客户一次需求量达到了一整车时表现得最为突出。此外，在生产资料、生活资料运输中，通过直达，建立稳定的产销关系和运输系统，也有利于提高运输的水平，考虑用最有效的技术来实现这种稳定运输，从而大大提高运输效率。

需要特别指出的是，如同其他合理化措施一样，直达运输的合理性也是在一定条件下才会有所表现，不能绝对认为直达一定优于中转。这要根据客户的要求，从物流总体出发作出综合判断。如果从客户需要量看，批量大到一定程度，直达是合理的；批量较小时，中转是合理的。

6. 配载运输

这是充分利用运输工具的载重量和容积，合理安排装载的物品及载运方法以求合理化的一种运输方式。配载运输也是提高运输工具实载率的一种有效形式。配载运输往往是轻重商品的混合配载，即在以重质物品运输为主的情况下，同时搭载一些轻泡物品，如海运矿石、黄沙等重质物品时，在舱面捎运木材、毛竹等；铁路运矿石、钢材等重质物品时，在上面搭运轻泡农、副产品等。在基本不增加运力投入，也不减少重质物品运量的情况下，解决了轻泡物品的搭运，因而效果显著。

另外，还可以通过流通加工运输路线优化，使运输达到合理化。

7.2 运输路径优化

由于在整个物流成本中运输成本占 $1/3 \sim 2/3$，因而最大化地利用运输设备和人员的高运作效率是我们关注的首要问题。货物运输在途时间的长短可以通过运输工具在一定时间内运送货物的次数和所有货物的总运输成本来反映。其中，最常见的决策问题就是，找到运输工具在公路网、铁路线、水运航道和航空线运行的最佳路线，尽可能地缩短运输时间或运输距离，从而使运输成本降低的同时客户服务也得到改善。

尽管路径选择问题种类繁多，但我们可以将其归纳为三个基本类型：①起讫点不同的单一路径规划；②多个起讫点的路径规划；③起点和终点相同的路径规划。

下面我们将分别介绍这三类问题的解决方法。

7.2.1 起讫点不同的单一路径规划

这类运输路径规划问题可以通过特别设计的方法很好地加以解决。最简单、最直接的方法就是最短路径法（shortest route method）。其方法可描述如下：已知一个由链和节点组成的网络，其中节点代表由链连接的点，链代表节点之间的成本（距离、时间或距离和时间的加权平均）。最初，所有的节点都没有经过求解；也就是说，没有通过各个节点的明确的路线，已解的节点是在某一条路线上的，开始时只有起点是已解的节点。

· 第 n 次迭代的目的：找出第 n 个距起点最近的节点。对 n = 1，2，…重复此过程，直到所找出的最近节点是终点。

· 第 n 次迭代的输入值：在前面的迭代过程中找出 n - 1 个距起点最近的节点及其距起点最短的路径和距离。这些节点和起点统称为已解的节点，其余的称为未解的节点。

· 第 n 个最近节点的候选值：每个已解的节点直接和一个或多个未解的节点相连接，就可以得出一个候选点——连接距离最短的未解节点。如果有多个距离相等的最短连接，则有多个候选点。

· 计算出第 n 个最近节点：将每个已解节点与其候选点之间的距离累加到该已解节点与起点之间最短路径的距离上。所得出的总距离最短的候选点就是第 n 个最近的节点，其最短路径就是得出该距离的路径（若多个候选点都得出相等的最短距离，则都是已解的节点）。

尽管以上过程看起来有些复杂，但举一个例子就可以发现它其实很简单。如图 7-2 所示，我们要找到得克萨斯州的阿马里洛与沃思堡之间行车时间最短的路线。节点之间的每条链上都标有相应的行车时间，节点代表公路的连接处。

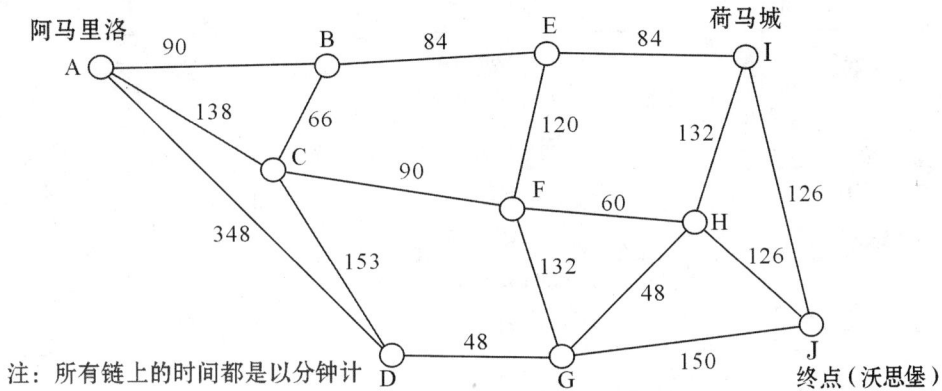

图 7-2 得克萨斯州的阿马里洛与沃思堡之间的公路网

我们首先列出一张如表 7-1 所示的表格。第一个已解的节点就是起点或点 A。与点 A 直接连接的未解的节点有 B、C 和 D 点。第一步，我们可以看到 B 点是距 A 点最近的节点，记为 AB。因为 B 点是唯一选择，所以它成为已解的节点。

随后，找出距 A 点和 B 点最近的节点。只要列出距各个已解节点最近的连接点就行，我们有 A→C 和 B→C，记为第二步。注意从起点通过已解节点到某一节点所需的时间应该等于到达这个已解节点的最短时间加上已解节点与未解节点之间的时间。也就是说，从 A 点经 B 点到达 C 点所需的总时间是 AB + BC，即（90 + 66）分钟 = 156 分钟。比较到达未解节点的总时间，最短时间是从 A 点到 C 点的 138 分钟，这样 C 点就成为已解节点。

第三次迭代要找到与各已解节点直接连接的最近的未解节点。如表 7-1 所示，有三个候选点，从起点到这三个候选点的总时间分别是 348 分钟、174 分钟和 228 分钟。最短时间产生在连接 BE 上，因此 E 点就是第三次迭代的结果。

重复上述过程直到到达终点 J，即第八步。最短路径的时间是 384 分钟，连接各段路径，得到的最佳路径是 A→B→E→I→J，这些路径在表中加①表示。

最短路径法非常适合利用计算机进行求解。把网络中链和节点的资料都存入数据库中，选好某个起点和终点后，计算机很快就能算出最短路径。绝对的最短路径并不是穿越网络的最短时间，因为该方法没有考虑各条路线的运行质量。因此，对运行时间和距离都设定权数就可以得出比较具有实际意义的路线。

表7-1　最短路径法的计算步骤

步骤	直接连接到未解节点的已解节点	与其直接连接的未解节点	相关总成本	第n个最近节点	最小成本	最新连接
1	A	B	90	B	90	AB[①]
2	A	C	138	C	138	AC
	B	C	90 + 66 = 156			
3	A	D	348			
	B	E	90 + 84 = 174	E	174	BE[①]
	C	F	138 + 90 = 228			
4	A	D	348			
	C	F	138 + 90 = 228	F	228	CF
	E	I	174 + 84 = 258			
5	A	D	348			
	C	D	138 + 156 = 294			
	E	I	174 + 84 = 258	I	258	EI[①]
	F	H	228 + 60 = 288			
6	A	D	348			
	C	D	138 + 156 = 294			
	F	H	228 + 60 = 288	H	288	FH
	I	J	258 + 126 = 384			
7	A	D	348			
	C	D	138 + 156 = 294	D	294	CD
	F	G	288 + 132 = 420			
	H	G	288 + 48 = 336			
	I	J	258 + 126 = 384			
8	H	J	288 + 126 = 414			
	I	J	258 + 126 = 384	J	384	IJ[①]

①成本最小路径。

7.2.2　多个起讫点的路径规划

如果有多个货源地可以服务多个目的地，那么我们面临的问题是，要指定各目的地的供货地，同时要找到供货地、目的地之间的最佳路径。该问题经常发生在多个供应商、工厂或仓库服务于多个客户的情况下。如果各供货地能够满足的需求数量有限，则问题会更复杂。解决这类问题常常可以运用一类特殊的线性规划算法，就是所谓的运输方法。

某玻璃制造商与三个位于不同地点的纯碱供应商签订合同，由它们供货给三个工厂，条件是不超过合同所定的数量，但必须满足生产需求。图7-3是该问题的图示，其中还指明了各运输线路上每吨货物的运输费率。这些费率是每个供应商到每个工厂之间最短路径的运输费率。供求都以吨为单位进行计算。

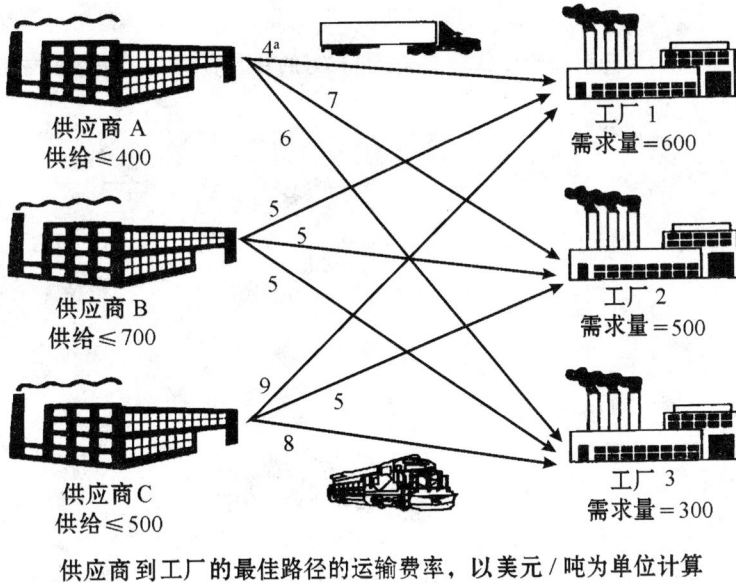

供应商到工厂的最佳路径的运输费率，以美元/吨为单位计算

图 7-3　多个起讫点的路径规划图

最佳供货计划

至:	1	2	3
自:			
1	400	0	0
2	200	200	300
3	0	300	0

运送单位总量 = 1 400

最低总成本 = 6 600 美元

对该结果的解释如下：

货运计划：

从供应商 A 运输 400 吨到工厂 1。

从供应商 B 运输 200 吨到工厂 1。

从供应商 B 运输 200 吨到工厂 2。

从供应商 B 运输 300 吨到工厂 3。

从供应商 C 运输 300 吨到工厂 2。

该运行线路计划的成本最低为 6 600 美元。

7.2.3　起点和终点相同的路径规划

1. 各点空间相连

实际生活中，可以利用人类的模式认知能力很好地解决"流动推销员"问题。我们知道，合理的经停路线中各条线路之间是不交叉的，并且只要有可能路径就会呈凸形或水滴状。

图7-4说明了合理和不合理的路径设计。根据这两条原则，分析员可以很快画出路线规划图，而计算机可能要花许多小时才能画出。

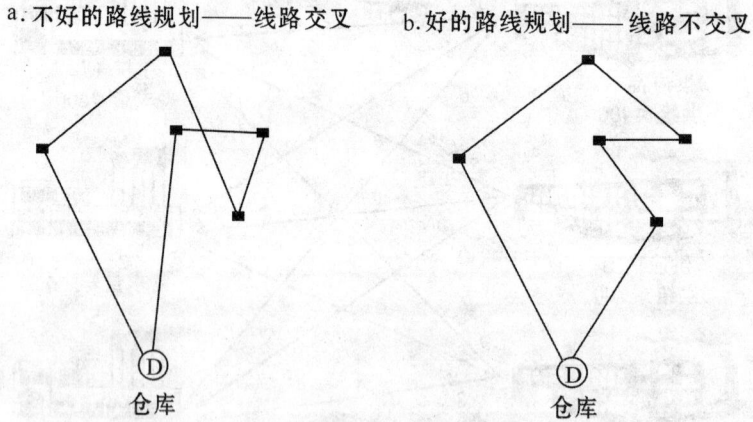

a.不好的路线规划——线路交叉   b.好的路线规划——线路不交叉

图7-4　合理线路与不合理线路

　　另外，也可以使用计算机模型来寻找送货途中经停的顺序。如果各停车点之间的空间关系并不代表实际的运行时间或距离，那么利用计算机模型方法比采用感知法好。当途中有关卡、单行线或交通拥堵时，尤其如此。但是，尽可能明确各点的地理位置（如使用坐标点），能够减少需要采集的数据量，从而简化问题。然而，一个简单的问题可能需要上千个距离或时间的数据，计算机的任务就是估计这些距离或时间。目前，人们已开发出的计算机程序可以迅速解决空间位置描述的问题，并得到接近于最优解的结果。

　　2. 空间上不相连的点的问题

　　无论是将行程中的各经停点绘制在地图上还是确定其坐标位置，都难以确立各点之间的空间关系；或者，如果各点之间的空间关系由于前文所提到的实际原因而被扭曲，就应该具体说明每对点之间的确切距离或时间。这里感知法基本上不适用，我们必须借助多年来人们提出的各种数学方法来解决这类问题。虽然我们可以得到我们想要的各点间的准确距离或运行时间，但计算程序一般给出的是近似结果。

　　图7-5是一个以某仓库为基地，包括四个经停站点的小型配送问题。要得到点与点之间的运行时间，首先要选择最合适的路径，然后除以运行速度就可以算出走行该距离所需的时间。假定每对站点之间往返双向的运行时间是一样的，那么该问题是对称性的。

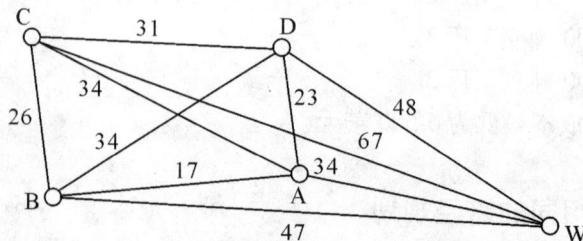

图7-5　以分钟为单位的运行时间的配送

利用 STORM₂ 中的流动推销员模块可以得到整个行程经过站点的顺序为 W→D→C→B→A→W，全程的总运行时间是 156 分钟。

7.3 配送方案及模型

运输模型又称为物流配送规划问题，它是线性规划应用最广泛的一个领域。线性规划研究最早始于运输问题的研究。虽然物流配送可以用单纯型法求解，但由于其约束方程组的系数矩阵具有特殊结构及性质，因此可用比单纯型法更为有效的表上作业法来求解。

7.3.1 配送方案西北角法

例1：某公司下属 3 个储存某种物资的材料库，供应 4 个工地的需要。3 个材料库的供应量和 4 个工地的需要量以及各材料库到诸工地物流配送单位运价（元/吨）见表 7 - 2。如何安排物流配送方案，使总的运费最少？

表 7 - 2

仓库 \ 运价（元/吨） \ 工地	I	II	III	IV	供应量
A	3	11	6	10	700
B	1	9	2	8	400
C	7	4	10	5	900
需求量	300	600	500	600	2 000

为叙述和考虑问题的方便，通常将上述表格分解为供需平衡表和运价表，在平衡表中的方格（点）记为（i，j）形式，如（1，3）表示第一行第三列的点。在求解过程中，若平衡表（1，3）点填有数字 200，即表示 A 仓库配送 200 吨物资供应给 III 工地，并记录为 X_{ij} = 200，而空格（点）（i，j）表示 X_{ij} = 0，即该处供需双方不发生实际联系。

顾名思义，西北角法是从产销平衡表的西北角变量 X_{ij} 开始考虑制定初始物流配送方案，其具体步骤如下：

第一步：让 X_{ij} 取尽可能大的数值。由于 X_{ij} 表示 A 材料库调往 I 工地的物资数量，已知 I 工地需要 300 吨，A 仓库储存量为 700 吨，可以满足 I 工地的全部需要，所以，令 X_{ij} = 300 吨，实际上，这个数值是 A 仓库供应量和 I 工地需要量之中所取的最小值，即 X_{ij} = min（700，300）= 300，将这个数值填入平衡表西北角的点内。由于 I 工地的需求已满足，将第一列划去，制定下面的方案时不再考虑这一列。

第二步：修改第一行的"供应量"一栏数据，因为 A 仓库已运往 I 号工地 300 吨物资，应从 A 仓库供应 700 吨中减去这部分，得 A 材料库目前剩余的供应量 400 吨，填入表 7 - 3 相应的供应量修正值一栏。

第三步：对划去第一列的表 7 - 3 重复上述步骤。

（1）剩余表格西北角元素为 X_{12}，令 X_{12} = min（A 仓库剩余供应量，Ⅱ号工地需要量）= min {400，600} = 400，A 材料库的库存已全部供应完毕，于是划去第一行，此时，Ⅱ号工地尚差 600 - 400 = 200 吨没有满足，修改Ⅱ号工地需要量为 200 吨，填入表 7 - 3 相应的需要量修正值一栏内。

（2）剩余表格西北角元素为 X_{22}，令 X_{22} = min {400，200} = 200，Ⅱ号工地的需要量已全部得到满足，划去第二列，修改 B 材料库供应量为 200。

表 7 - 3

运价（元/吨） 仓库	I	Ⅱ	Ⅲ	Ⅳ	供应量 修正值	需要量 修正值
A	300	400			700	400
B		200	200		400	200
C			300		900	600
需要量（T）	300	600	500	600	2 000	
需要量修正值（T）		200	300			

（3）当前西北角元素 X_{23}，令 X_{23} = min {200，500} = 200，B 材料库的库存全部供应完毕，划去第二行，修正Ⅲ号工地需要量为 300。

（4）当前西北角元素 X_{33}，令 X_{33} = min {900，300} = 300，Ⅲ号工地的需要量已得到全部满足。

（5）只剩下个点（3，4），因为供需平衡，令 X_{34} = 300，得到表 7 - 3 所示的初始物流配送方案。

该方案的总运输费用是：

$$S = 3 \times 300 + 11 \times 400 + 9 \times 200 + 2 \times 200 + 10 \times 300 + 5 \times 600 = 13\ 500（元）$$

用这种方法填入表中方格（点）的数字共有 3 个，满足 $m + n - 1 = 3 + 4 - 1 = 6$，填有数字的点所对应的变量一定不会构成闭合回路。因此，填有数字的点所对应的 $m + n - 1$ 个变量恰好是基变量，未填数字的点对应的变量是取值为零的非基变量，如此构成了一个初始物流配送方案。

用西北角法编制初始物流配送方案需要注意的是，当西北角元素对应行的供应量已全部供应完毕（或列的需要量已得到全部满足）时，西北角变量取值应为"0"，在该点内填入数字"0"，即该基变量取值为 0，实际上它是退化的基变量。

7.3.2　配送方案最小元素法

最小元素法的基本思想是就近供应，即从运价表或运距表中依次挑选运价最小或运距最短的数值所对应的变量 X_{ij} 作为基变量，尽量优先满足该变量所对应的供需关系，直到求出初始物流配送方案为止。仍用例 1 来说明这个方法的具体步骤。为清晰起见，将运价表与平衡表重新画出，如表 7 - 4 和表 7 - 5 所示。

表 7-4

仓库 \ 工地 运价（元/吨）	I	II	III	IV	
A	3	11	3	10	
B	1	9	2	8	②
C	7	4	10	5	④
	①	③	⑤		

第一步：在运价表 7-4 中找出最小的元素（当有一个以上数值时可任意取其一），$C_{21}=1$ 为最小元素，让 B 材料库尽可能地满足 I 号工地的需要，于是，在平衡表 7-5 中填入 $X_{21}=$（700，300）$=300$，由于此时 I 号工地的需要已经全部得到满足，将运价表的第一列划去。表外圆圈符号内的数字表示划线顺序。

第二步，修正平衡表中 B 库的供应量为 100 吨，填入表 7-5 修正值一栏。

第三步，对划去一列的运价表 7-4 重复上述步骤。

表 7-5

仓库 \ 工地 运价（元/吨）	I	II	III	IV	供应量	需求量修正值
A			400	300	700	300
B	300		100		400	100
C		600		300	300	300
需求量（T）	300	600	500	600	2 000	
需求量修正值（T）			400	300		

（1）剩余最小元素为 $C_{23}=2$，让 B 材料库尽可能地满足 II 号工地的需要，在平衡表 7-5 中，有 $X_{23}=$ min（100，500）$=100$，此时 B 库的材料已全部供应完毕，将运价表的第二行划去，同时修正 II 号工地的需求量为 400 吨。

（2）剩余最小元素为 $C_{23}=4$，令 $X_{23}=$ min（900，600）$=600$，此时 II 号工地的需求已得到全部满足，将运价表第二列划去，同时修正 C 材料库的库存量为 600 吨。

（3）剩余最小元素为 $C_{34}=5$，令 $X_{34}=$ min（300，600）$=300$，此时 C 材料库库存已全部供应完毕，将运价表第三行划去，同时修正 IV 号工地需要量为 300。

（4）剩余最小元素为 $C_{13}=3$，令 $X_{13}=$ min（700，400）$=400$，III 号工地的需求已得到全部满足，将运价表第三列划去，修正 A 材料库的库存供应量为 300。

（5）运价表中只剩一个未被划去的元素 $C_{14}=10$，令 $X_{34}=300$，得到表 7-5 所示的初始物流配送方案。

该方案的总运费是：

S = 6×400 + 10×300 + 1×300 + 2×100 + 4×600 + 5×300 = 9 800（元）

表 7-5 填有数值的点数为 3 个，它们符合初始基变量 m+n-1 的要求，且不构成闭合回路，所以该方案可以作为物流配送问题的一个初始基本可行解，即初始物流配送方案。

需要说明的是，最小元素法所强调的"最小"是对局部而言的，就整个运输问题考虑，总的运费不一定是最少的。

在制定初始物流配送方案时，有时会出现按最小元素确定的点（i，j）中，其对应的供应点再无物资可供应或需要的需求已得到全部满足的情形，此时平衡表填有数字的点数小于 m+n-1，在点（i，j）中填入数字"0"，并将它和其他发生供需联系的点同样对待，而不能视作空格（点），其目的是保证填有数字的点能满足 m+n-1 个的需求，即使基变量的个数等于 m+n-1 个。

7.3.3 配送方案差值法

差值法又称 vosel 法。用差值法确定初始物流配送方案时，首先计算各行、各列中最小的 C_{ij} 与次小 C_{ij} 之间的算术差值，在具有最大差值的那个行或列中，选择最小 C_{ij} 的点对应的变量作为初始基变量，即让该点代表的供需双方发生实际联系，并尽量满足供需双方的要求，以保证有较小的目标函数值。然后重复这一步骤，直到得到初始物流配送方案。最小元素法需要注意的事项在此仍然适用，以保证基变量个数为 m+n-1。

仍以例 1 来说明差值法的步骤：

第一步：在运价表上标出各列、行最小元素与次最小元素的差值。由表 7-6 的第一列可知，A 仓库运往 I 号工地的运价最小，运往 III 号工地的运价次最小，其差值是 3，所以在 A 行右边差值列上写上差值 3。用同样的方法可求出各行列的差值，见表 7-6 差值部分的第一行和第一列。

表 7-6

运价 (元/吨) 仓库 \ 工地	I	II	III	IV	差值		
A	3	11	6	10	3	3	3
B	1	9	2	8	1	1	
C	7	4	10	5	1	2	2
差值	2	5	4	3			
	2		4	3			
	4		4	5			

第二步：在所有行列的差值中选差值最大的行（列）进行优先分配，并选出该列（行）的最小元素对应的变量为初始基变量，让该处所代表的供需双方尽可能得到满足。当出现相

同最大差值的行列时，可任选其一。

从本例中可以看出，第二列的差值 5 是最大值，优先考虑第二列，该列最小元素为 $C_{32} = 4$，选 X_{32} 为初始基变量，令 $X_{32} = \min \{900, 600\} = 600$，填入平衡表 7 - 7 的（3，2）点内，此时 Ⅱ 号工地的需求已得到全部满足，划去表的第二列。

第三步：重新计算差值，并填入表 7 - 6 差值部分的第二行和第二列，重复以上步骤。

当剩下最后一行或一列时，按供应量、需求量余额进行分配，得出初始物流配送方案，如表 7 - 7 所示。

表 7 - 7

仓库 ＼ 运价（元／吨） ＼ 工地	Ⅰ	Ⅱ	Ⅲ	Ⅳ	供应量
A	300		100	300	700
B			400		400
C		300		300	900
需求量（T）	300	300	500	300	2 000

该方案的总运输费用为：

$$S = 3 \times 300 + 6 \times 100 + 10 \times 300 + 2 \times 400 + 4 \times 600 + 5 \times 300 = 9\ 200（元）$$

7.3.4 各方法的区别比较

与西北角法和最小元素法理由相同，填入数值的点符合 $m + n - 1$ 个且不构成闭合回路，所以该方案是符合表上作业法要求的一个初始物流配送方案。一般来说，用最小元素法得到的初始物流配送方案的运费比用西北角法得到的方案的运费少。而差值法得到的方案的运费又要比最小元素法得到的运费少。其本质的区别在于制定方案时确定基变量的原则（填数字点的选择原则）不同，西北角法不考虑单位运价，只在产销平衡表上按供需平衡进行，最小元素法需要考虑单位运价，而差值法是在考虑了各行列的最大差值条件下按最小元素确定变量，相当于在考虑了可能出现的第二次分配的条件下再考虑局部最小，所以得到的初始基本可行解更好些。

【本章案例】

华宇物流（汽车运输）公司

在中国，提起最大的零担货物运输，不得不提起华宇物流；提起华宇物流，不得不提起华宇的十年创业史。十年的时间，湮没了无数原本成功的企业，也成就了许多像华宇物流这样白手起家的企业。

被称为中国最大零担货物运输企业的华宇物流集团，经过十年的打拼、十年的艰辛，如今终于一路领先、迎来了华宇物流十年大庆。十年磨一剑，华宇这柄利剑经过十年的磨砺，在中国物流界已是锋芒毕露，发出耀眼的光芒，成为许多物流企业作为标榜的奋斗目标。可谓白手起家的华宇物流何以能够以如此快的速度发展扩张？靠什么取得如此辉煌的业绩？它的基本经验和成功之道是什么？本文以绝对独家的资料对此给予精彩报道。

节节攀高的三个里程碑

1995年9月至2000年9月是华宇物流公司第一个创业时期。因为是白手起家，从零起步，万事开头难，经过五年艰苦卓绝的创业奋斗和团结一致的一路打拼，华宇公司由创立时的十几个人发展到三千余人；从只有一个广州公司和到上海的两点一线运营格局，发展成为拥有150多个运营网点和公司的庞大货运总公司；从无运输车辆发展成为拥有三百多部各种运输车辆的实力雄厚的公司；从极少自有资产发展到创造了近亿元的资产总值；从年产值不到2 000万元发展到超过3亿元。华宇人创造了奇迹。

2000年9月至2004年12月，是华宇物流公司的第二个创业时期。原本五年的创业目标，提前一年便全面完成，又创造了国内物流发展史上的一个惊人奇迹：公司由3 000人的货运总公司发展成为拥有近千家全资公司、万余名员工的全国著名大型物流集团公司；年产值由3亿多元发展到10亿元；运营网络覆盖全国，通达世界，建成了全国公路运输第一网络，成为全国最大零担运输集团；物流设施、设备、各种装卸搬运工具和集团公司资产总值都成倍地增长，集团公司实力和竞争优势显著增强。

2005年1月至2010年1月，是华宇物流公司的第三个创业时期。这个新创业时期的战略目标更加宏伟，除了激动人心的产值和利润指标以外，更为宏伟的战略目标是：通过"转型提升"和"整合再造"来实现"创百强千年大业，塑中国物流名牌"；通过资本运营、品牌经营、战略联盟和并购整合，快速做大做强、做精做细物流企业，与国际物流巨头接轨。华宇正处在发展势头良好的第三次创业的开局之年。现在看来，在这风雨兼程、发展跃升的三个创业阶段和发展时期，华宇人用自己的激情、智慧、力量、血泪和生命，铸造了永放光芒的发展丰碑。

十年风雨打造品牌企业

十年的时间，可以造就很多成功的企业。一般来说，人世间的许多成功，一定会有很多原因才能促成；而失败，却只要一条便足够，把企业做大、做强也是如此。认真总结、提炼、概括十年创业发展的基本经验和主要教训，无论是对自己的可持续发展和中国物流产业的更大发展，都具有重大而深远的意义，这也是华宇集团十年大庆的首要功课和话题。

经过十年的快速开发、持续拓展，华宇物流网络成为覆盖全国的第一网络。现代物流网络为本，知识经济网络制胜。有多大的运营网络，就会有多大的物流规模，同样也就会有多大的企业。华宇物流抓住了千载难逢的大好机遇，第一个实现了从南到北、从东到西、突出战略发展要地，占据大物流区域的整体战略布局和企业网点建设，很快便建成了中国公路货物运输的最大网络，实现了运营网络覆盖全国、华宇物流通达天下的全新格局，而且形成了华宇网络天天扩大、运营线路日日延伸的发展态势。深谙网络经济发展奥妙和真谛的华宇物流集团领导团队，抓住机遇，快速布局，在战略和战术的有机结合上，很快建成了中国公路货物运输的第一网络。这个最具价值的第一运输网络，已成为华宇物流做大、做强的第一资本。

十年的历程造就了华宇辉煌的物流品牌。品牌先发制人,文化后发制胜。品牌与文化综合,能强能大又能赢。十年创业辉煌的华宇物流集团,最大的成就、价值和贡献是成功地打造了一个大型的名牌物流集团,坚定实施了名牌发展战略。大名牌整合大资源,实现企业大发展。大名牌能够赢得大客户和更多客户的高度信赖,从而实现公司更大、更强、更快、更好的发展。没有"一切为客户着想"这种大气魄、大手笔、大效应的华宇品牌,华宇物流不可能获得那么多的大客户群体,从而实现翻番式、跨越式的大发展和快发展。要做大、做强物流集团必须靠打造大品牌。没有强大的品牌,不可能有强大的企业,这是客观规律。华宇物流的品牌战略便是一个成功案例。

经过十年艰难困苦的历练,华宇培养造就了一大批中高级物流经营管理人才和业务技术人才。56个一级公司的总经理、6个大区的总经理、6位集团公司副总裁和集团总部各经营管理部门的领导者,大都经过国内外和企业内外名牌大学的 EMBA、MBA、CEO 和高级经理人的专业培训教育,大都具有较高的物流素养和很强的经营管理能力。这支训练有素的中高级管理团队和领导集团,必将对华宇物流和中国物流的更大发展作出重要贡献。

做专、做精主营业务。公路零担运输是华宇物流的主营业务与核心业务,也是华宇物流的利润区和利润源。华宇的经营管理者一贯高度重视做专、做精、做细、做优、做大、做强这个主营业务与核心业务。这是华宇物流重要的成功经验之一,没有专业化和精细化,很难让物流发展起来。

强化企业团队建设。企业存亡完全在于团队,大型物流企业更是这样。这既是华宇物流的成功经验,又是华宇物流强化提升和不断增强团队能力的重点。领导团队是核心,经营管理团队是关键,员工团队是根本,人才团队能力是重点,必须采取互动共进的办法,全员显著提升和不断增强;否则,就会成为企业发展的最大障碍。没有结构优化组合的强大人才队伍,要实现企业强大和持续发展,是根本不可能的。因此,开发和提升经营管理能力和水平,是能让企业发展的第一要务。

经过十年的不断创建和精心打造,华宇物流成为中国公路零担运输最大的物流集团。经过最近 5 年的高速发展和快速扩张,华宇集团已从五周年庆典时的 150 多个公司,发展成为拥有 6 个大区、50 多个一级公司和 1 100 多个分公司,综合实力雄厚、竞争优势强大、客户数量众多、年吞吐能力超过千万吨的大型物流集团公司。在最近三年中国物流企业百强、50强和中国民营物流企业 30 强的评选排名中,都位居前三甲,创造了中国物流企业发展中的奇迹。

让利剑的光芒发挥极致

华宇高层提出了"三五"宏图,即到 2010 年由公路运输为核心主业加快向供应链管理延伸,全面提升管理技术、增加服务功能、拓展服务领域、向打造陆海空三位一体的运输新格局迈进;计划在国内 15 个中心城市建造现代化的物流配送中心,在六大区建造 20 个物流中转平台,在 100 个城市设立枢纽公司,服务网点 2 000 个,网络覆盖 1 000 个城市,员工30 000人,产值突破 50 亿元人民币;全面实现网络信息化、作业机械化、管理智能化、办公自动化的发展目标,以产业战略推动资本战略,以资本战略带动产业战略的大提升大发展,力争在"三五"前三年使企业上市,实现与国际市场的全面接轨,把华宇打造成为国内领先、国际知名的物流强企。这是华宇第三个历史性的飞跃,为了实现这个新的历史性的飞跃,华宇全体经营管理者必须在思想理念上实现一个历史性的飞跃；在管理和服务质量上实现一个历史性的飞跃；在公司整体素质、能力和水平上实现一个历史性的飞跃。

在复杂多变和竞争激烈的环境下，实现快速发展和可持续发展，把公司做大、做强，确实是一件非常艰难的事情。在企业不断增长、发展、提升的道路上，会遇到很多压力、挑战、矛盾、风险和障碍，要顺利地突破、越过、解决和通过这一道道难关、一个个障碍，没有强大的突破能力和超越能力是根本不行的。所有这些新的历史性突破和飞跃，对于华宇物流集团"三五"宏伟目标的胜利完成、对未来五年和更远大的华宇美好愿望的实现，是至关重要的，也是必须实现的。没有自我突破和自我超越，包括自我否定、自我变革和自我再造，就会很快碰到成长的"天花板"和遭到"成长上限"的障碍，这是由企业生命法则和寿命规律所决定的。

华宇物流集团的愿景是光明的、美好的，华宇物流集团的道路也是曲折的、崎岖的。但是，卓越的、与时俱进的华宇人，按照企业生命法则、可持续发展规律和做大做强的成功之道，生命不息，奋斗不已，就一定能够达到光辉灿烂的顶点，实现更加美好的华宇愿景。

【本章小结】

本章介绍了运输不合理的几种表现形式，指出运输的路线优化是配送合理化的关键所在。本章着重介绍了运输优化的三种路线问题，并提出了物流配送的三种解决方案，以解决物流配送的问题。

【关键术语和概念】

运输管理　运输路线优化　最短路径法　配送方案　西北角法　最小元素法　差值法

【思考与练习】

1. 造成不合理运输的原因有哪些？如何解决不合理运输问题？
2. 你怎样理解运输路线最短化问题？

【补充阅读】

1. 郑玲. 配送中心管理与运作. 北京：机械工业出版社，2004
2. 现代物流管理课题组. 运输与配送管理. 广州：广东经济出版社，2002
3. 汝宜红，宋伯慧. 配送管理. 北京：机械工业出版社，2005
4. 徐天亮. 运输与配送. 北京：中国物资出版社，2002

8 电子商务与配送

◉本章学习要点

    1. 电子商务应用的因素有哪些

    2. 电子商务的运作模式

    3. 配送在电子商务中的角色

◉本章学习内容

    1. 电子商务简介

    2. 电子商务的应用及影响因素

    3. 电子商务的运行模式

    4. 物流配送与电子商务的关系

    5. 电子商务解决方案中可选择的物流配送方案

◉本 章 案 例

◉本 章 小 结

◉关 键 术 语 和 概 念

◉思 考 与 练 习

◉补 充 阅 读

    物流配送信息的共享与交流始终是企业决策者们追求的一项目标，特别是大型企业集团，具有一套上下贯通、内外共享的信息系统，是实现集约化管理、全面降低企业成本的有效手段。电子商务作为一种新型的商贸手段，不仅会给大型企业集团内部的信息交流与共享提供一种现代化的手段，而且，将给企业提供规范化的市场采购方式和行为，使外部信息获得应用。供应链管理方法将全新的采购行为构造在企业与供应商的互惠合作上，通过企业行为的前后延伸，将企业的采购行为纳入企业和供应商所形成的链条结构中，有利于从根本上改善采购渠道，逐步编织一条联结企业和供应商的长期合作纽带。电子商务和供应链管理作为新技术，在企业生产经营活动中的应用，应始终遵循这样一条原则：新的技术应该与新的经营管理理念相结合。如果在应用这些新技术时，仍然重复在信息化过程中出现过的缺陷——"低知识含量的高技术应用"的话，效果就会大打折扣。

在企业现代化管理和信息网络构架基础上建立起来的电子商务，是以知识总结和知识转化为核心的一条物流配送高速公路，有效地实现了信息流、物流配送和资金流的统一。电子商务的发展，必将加剧物流配送业在高新技术支持下服务方面的竞争。对于采购管理来讲，电子商务的应用将构造起企业与供应商联结的网络。有思路才会有网络，有网络才会有供应商，有不断的创新才会有不竭的资源市场。提高知识含量，将是物流配送业发展电子商务的实质和出路。对于相关的管理信息系统，重要的不是数据集成，也不是功能集成，而应该是过程集成——在数据的加工和知识的获取过程中实现知识的增值。对于物流配送业来讲，除了一些完成特定作业的技术系统之外，还应注重如何依靠技术、依靠信息资源发现供应商，挖掘或创造用户的需求，进行成本的控制和业务过程的控制，延伸服务内容，创新服务方式等。提高知识含量，对企业的生产经营活动来说，也是一个严峻而永恒的课题。

8.1 电子商务简介

21 世纪是电子商务的时代，在知识经济条件下，电子商务呈现出强劲的发展势头。电子商务将改变目前人们发展产业、开展企业经营管理和从事商务的观念与方式，使整个产业经营彻底的变革。为了能够跟上并超过发达国家的步伐，面向新世纪，我国将大力推进电子商务、教育等新兴服务业的发展，加快高新技术在金融、咨询、贸易等服务知识领域的应用与推广，强化服务业的竞争能力。

8.1.1 电子商务的概念

电子商务（electronic commerce，EC）主要是通过计算机网络技术的应用，以电子交易为手段来完成金融、物资、服务和信息价值的交换，快速而有效地从事各种商务活动的最新方法。电子商务的应用有利于满足企业、供应商和消费者对提高产品和服务质量、加快服务速度、降低费用等方面的需求，帮助企业借助网络查询和检索信息来支持决策。电子商务中网络技术的应用，不仅指基于 Internet 的交易，而且指所有利用 Internet 和 Intranet，甚至信息高速公路来解决问题，降低成本，增加价值并创造新的商机的所有活动，包括从销售到市场运作、售后服务及信息管理方面的所有活动。

电子商务是 20 世纪 90 年代初在美国、加拿大等国兴起的一种崭新的企业经营方式，能在商务运作的整个过程中实现无纸化、直接化和智能化。实际上，数据交换技术早在 20 世纪六七十年代就开始在商贸领域中进行应用，如美国军方和运输部门用 ANSIX.12 电子数据交换标准在网络上传递商务报文；1981 年，欧共体就开始用 GTDI 标准在广域网上从事商贸活动。不过早期的数据交换标准和网络的要求比较高，应用的范围一直很有限。进入 20 世纪 90 年代以后，由于 Internet 的发展，UN/EDIFACT 标准的出现，这一情况有了革命性的变化，电子商务开始迅猛发展起来。

电子商务采用了基于开放式标准的 Internet 通信通道，与传统的商务活动通信方式，如邮寄、传真或报纸、电台、电视台传播等相比较，其内容和内涵发生了很大变化。电子商务的交互性使单向的通信变成了双向的通信：扩大了通道的功能，不仅能传递信息，还能用于支付和传递服务。另外，电子商务还能够给企业提供虚拟的全球性贸易环境，大大提高了商务活动的水平和服务质量。面对激烈的竞争，出于成本方面的考虑，各种企业纷纷改进原有的电子商务系统，支持日益普遍的网络经济。电子商务可适用于任何行业，如制造业、零售业、银行业、金融业、运输业、建筑业、出版业和娱乐行业。在众多的领域中，电子商务的目标可以概括为以下几个方面：①增加企业与供应商之间的联系；②改善资金流动周转，降低企业的综合成本；③减少产品流通时间；④加快对消费者需求的响应速度；⑤提高服务质量，实现信息系统一体化。

随着 Internet 的发展，电子商务已经提前敲响了世纪之门，2002 年网络销售额将达到 260 亿美元，而企业之间的电子往来达到 2 680 亿美元。发展电子商务需要组织社会资源，利用现有信息技术，实现信息共享，满足行业服务需求和社会需求。电子商务的实现是一个庞大的系统工程，需要分析各个子系统的需求。

第一，电子商务是一个全新的概念，它将现实生活中的事务活动通过网络来实现。现实生活中的事务活动已有基本完整的法律、法规以及许多的规则来规范，实行电子商务后的操作流程将会有许多变化，因此也必须制定相应的规章制度来规范网上操作流程。可见，制定完善的电子商务规则是实现电子商务的首要任务。

第二，电子商务是以信息化为基础的，要在某一行业开展电子商务活动，该行业必须具备一定的前提条件。结合我国的实际情况，在电子商务规则还未制定出来、电子支付等功能还不能实现的情况下，从事电子商务的行业，其首要要求是易于实现信息化，网上操作简单规范。如现已大量存在的声讯查询服务系统（股票信息查询、天气情况查询等），信息资源已经存在，再充分利用已有的电话网络，只需很少的投入即能实现对全社会服务。这也是初期的电子商务。

第三，在我国开展电子商务活动必须适合国情。目前，我国电子商务法律和法规有待建立健全，电子支付有待完善，行业电子商务规则有待制定，电子商务的运行还不能囊括现实生活中的全部交易过程。如果在某个行业中，上下级管理部门和社会需求之间存在大量的信息往来，但联系不方便，且信息来源复杂，那么，在这种行业开展电子商务就比较适合。如"中国商品交易中心（CCEC）"1997 年 10 月 28 日开业至今，由于我国金融制度不完善、企业间信誉不高等障碍的存在，CCEC 也只能运作到草签合约的步骤。

第四，电子商务的社会需求分析。在某一行业开展电子商务，必须分析其信息是否有大量的社会需求，该行业在现有的服务方式下是否已经满足社会需求，了解在该行业开展电子商务的迫切程度。电子商务不仅仅是简单地将生意搬到网上，而且是对企业传统的营销、管理和生产经营模式的一场深刻变革。以现代计算机信息网络为基础的电子商务促使企业管理不断完善，其优越性主要体现在如下几个方面：①电子商务可以规范现有的单据和商贸业务处理过程；②在企业内部，电子商务的应用可以精简原来复杂的商务处理过程；③在企业外部，电子商务不仅使商务单证业务操作更加快捷，而且透明度也将大大提高；④极大地拓展了企业对外业务联系的范围；⑤有利于改变管理组织；⑥大幅度降低企业的总成本；⑦有利于积极有效地推广和渗透安全、准确和高效的企业经营管理思想；⑧提供了充分展示企业形象的舞台。

8.1.2 电子商务的内涵

Internet 正改变着人们业已熟悉的事物和生活的各个方面，同时也带给人们新的机遇。这些变化的一个重要方面便是电子商务。电子商务的内涵主要包括信息内容、集成信息资源、商务贸易和协作交流。

1. 信息内容

以前由于需要，为特定的用户构建特定的输入输出方式，那些核心商务系统中的信息很难为更多的人所使用。而现在，通过通用的浏览器界面，解决了输入的问题。

2. 集成信息资源

企业数据包括客户数据库、库存记录、银行账号和安全密码等最有价值的信息，这些宝贵的信息财富支撑着一个企业的运作。将这些信息与自己的网络站点集成起来，就可以把成千上万的雇员和商业伙伴连接起来，并由此引来了成千上万的客户。此时，公司雇员的工作效率会更高，供货渠道会更畅通，客户会更满意。如果把企业的事务处理系统与网络连起来，那么，企业就真正步入了电子商务的王国。在此，客户不仅可以从企业数据库中浏览当前的产品信息，还可以实时地购买和支付。

3. 商务贸易

商务贸易不仅仅是在线购物，还应该为各公司建立起营销服务。电子商务的一个发展方向是网上在线交易。

4. 协作交流

电子化的商业贸易现在已经蓬勃发展起来了，而电子商务最强有力的方面就是协作交流。IBM 的 JAVABEANS 正是为实现通过 Internet 进行全球性协作的产品。

通信、集成和安全技术是将商业基础环境带入电子商务王国的关键。目前，越来越多的公司正在为这种转变而努力。这意味着从市场调研到商品买卖，从电子购物到产品销售，从订单兑现到售后服务的整个过程的变革。任何渴望进入电子商务王国的公司需要寻找既精通技术又熟悉商业运作的合作伙伴，帮助开发基于 Web 的安全、灵活、可拓展的商业应用方案。较小的公司对这种技术支持服务更有兴趣，因为这种技术将使它们节省大量的软件和硬件投资，直接通过 Web 即可开展它们的业务。同样，对于那些富有创意但缺少资金的新兴技术行业，这种服务是通向电子商务的理想选择。计算机网络将给商业机构带来无尽的拓展空间以及无穷的选择能力，而电子商务将会成为 Internet 持续演进的驱动力量。

8.1.3 电子商务的发展阶段

电子商务诞生后已经经历了如下四个阶段：

第一阶段，内部交流。这是发展电子商务的最初阶段。各单位要建立局域网内的计算机、打印机等通过服务器连为一体，并运用办公自动化软件及电子邮件等各种软件工具来传递信息，使办公效率大为提高。通过研制开发的各种应用软件，使计算机综合应用水平不断提高，并在企业内部实现了信息与资源共享。

第二阶段，内部协同工作。在此阶段，企业的网络应用将从基本的信息交流，发展为真正的协同工作。公司的员工不论身处何地，只要能登记到局域网内，就可随时调用、分享和编辑文件、图像等各种数据信息。员工之间可以通过网络召开会议、制定日程等，各项工作都将前所未有地方便、快捷。

第三阶段，外部交流合作。在 Internet 上开发一个主页，把企业的内容和形象发布到网上，在网上可以互动式地交换信息。这是一个战略性的转变，Internet 将向外延伸，与外界建立广泛的合作交流。企业不仅可以利用 Internet/Intranet 向广大用户公布信息，为客户提供信息查询、货物跟踪服务，还能与供应商、销售商、服务商等营销伙伴随时随地保持联系并开展合作。IBM 公司为实现这一阶段开发了多个软件，如群件系统（Lotusdomino）、系统管理软件（Tivoll）、传输中间件（Mqseries）以及各种级别的存贮系统、服务器和工作站，利用这些工具产品，足以满足企业发展的需要。

第四阶段，网络贸易。这是电子商务的高级阶段，网络不再仅仅被用于进行信息发布，还能帮助企业打破时空限制，实现在线交易。企业与客户开始通过 Internet/Intranet 进行交易。IBM 的 Net Commerce 采用了当今一系列尖端技术，使销售、预订、购买等核心业务都能在 Internet/Intranet 上安全地运行。

按照电子商务的基本框架，政府应制定电子商务法规，建立良好的银行清算系统，需要把信用卡号码同身份证号码有效地结合起来，并在全国联通计算机网络；同时需要通过软件实现商品目录和信息服务，编列所有经纪公司的名单以及服务种类和范围；需要采用先进技术确保网上交易的安全，这些都是开展电子商务的基本社会环境。企业内部联网是电子商务的关键，企业与企业之间，可通过企业 Intranet 进行业务交流，所以 Intranet 与 Extranet 的建设应当实现屏幕到屏幕的商业交易，在基础设备上需要将商品信息处理成丰富的音频、视频、三维数据，才能向用户提供现实的感觉。当然，计算机必须联网，同时计算机的性能也要相当强大，才能进行大量的数据压缩和解压缩，实现虚拟现实。除了具有多媒体功能的台式机外，一种标准的、单一体系结构的、适用于不同需求的服务器也是必须具备的。与此同时，商业和银行的高度电子化也为信息产业提供了拓展空间。此外，信息的安全可靠是电子商务的关键之关键，这方面需要崭新的技术来保证。

8.1.4 电子商务的服务范围

电子商务的服务范围可以分为商业—商业、商业—消费者、商业—政府和消费者—政府四个方面。

1. 商业—商业

公司可以使用网络向供应商订货、接收发票和付款。电子商务在这方面已经有了多年的历史，使用得也很好，特别是通过专用网络或增值网络运行的电子数据交换技术。

2. 商业—消费者

基本等同于电子化的零售，它随着万维网的出现迅速地发展起来。现在，在 Internet 上遍布各种类型的商业中心，提供从鲜花、书籍到计算机、汽车等各种消费商品的服务。

3. 商业—政府

覆盖公司与政府组织间的各种事务。例如在美国，政府采购清单可以通过 Internet 发布，公司可以以电子化方式回应。在公司税的征收上，政府也可以通过电子交换方式来完成。美国政府已经宣布从 1997 年 1 月起通过电子数据交换完成政府年度采购任务，并于 1999 年最终取消纸面单证。

4. 消费者—政府

覆盖政府组织与消费者之间的各种事务，例如法律、安全和税收等。

8.1.5 电子商务的业务范围

电子商务可提供比传统商业更为广泛、全面的服务，涉及网上宣传、网上交易、网上支付和管理全过程。

1. 广告宣传

企业可利用自己的或 ISP 的 Web 服务器在 Internet 上发布各类商业信息，利用网上主页和电子邮件在全球范围内进行广告宣传，而用户则可以利用浏览器及网上的检索工具，迅速找到所需的商品信息。与传统广告相比，网上广告成本低、范围广，给客户的信息量更为丰富。

2. 售前售后服务

利用网上的信息交换，可提供产品和服务的细节、产品使用技术指南，了解市场和商品信息，征询和回答客户的意见，使生产者和消费者之间的距离缩短。用户能及时反馈意见，参与产品的设计及生产过程；企业则能提高售后服务的水平，使企业获得改进产品、发现市场的商业机会。

3. 咨询洽谈

企业和客户都借助非实时的电子邮件、新闻组和实时的讨论组来咨询、洽谈交易事务，如有进一步的需求，还可利用网上的白板会议（white board conference）来交流即时的图形信息。网上的咨询和洽谈能超越人们面对面交流的限制，提供多种方便的异地交谈形式。

4. 网上订购

企业和客户都可利用电子邮件交互传送，实现网上订购。网上订购通常都是在产品介绍的页面上提供十分友好的订购提示信息和订购交互格式框。当用户填完订购单后，通常系统会回复确认信息单来保证订购信息的收悉。订购信息也可采用加密的方式使客户和商家的商业信息安全交流。

5. 电子支付

客户和商家之间，可使用电子资金转账、信用卡账户、电子支票、电子现金等，通过银行实施支付。在网上直接实施电子支付手段，可以省去交易中人员的开销和节约时间。网上支付必须要实行信息传输的安全、可靠的控制，以防止欺诈、窃取、修改、假冒和否认等非法行为。

6. 销售服务

对于已付款的客户可将其订购的货物尽快地传递到他们手中。货物可能在本地，也可能在外地，电子邮件能在网络中进行物流配送的调配。而最适合在网上直接传递的货物是信息产品，如软件、电子读物、信息服务等能直接从电子仓库中将货品发到用户端。

7. 运输服务

为了搞好运输服务，必须实现包括海、陆、空运企业之间的联网。运输服务包括货物及运输工具、班次的调配，商品的发送管理及运输跟踪，以及可以电子化传送产品的实际发送。

8. 组建虚拟企业

经济活动的数字化和网络化，一方面使空间变小，世界变成了"地球村"；另一方面又使空间扩大，除了物理空间外，又多了一个"媒体空间"。因此，经济活动不仅可以在物理世界中进行，而且可以在媒体空间中进行，可以组建一个物理上不存在的企业，如虚拟商店、虚拟市场、虚拟银行、虚拟公司、虚拟研究中心、远距离的多主体虚拟合作等。集中一切独立的中小公司的权限，提供比任何单独公司多得多的产品和服务。虚拟现实系统能提供动态反馈，并使数据和实时信息形象化而又有直观性。

9. 共享作用

公司和贸易伙伴们可以共同开发拥有和运营共享的商业方法、软件、数据、信息等。

10. 交易管理

整个网上交易的管理将涉及到人、财、物、信息等多个方面，涉及企业和企业、企业和消费者、企业和政府及企业内部等各方面的协调与管理。所以，交易管理涉及到商务活动全过程的管理。电子商务的发展，将会提供一个良好的交易管理的网络环境及多种多样的应用服务系统。这样，能保障电子商务获得更广泛的应用。

11. 促进产业发展

电子商务组合了范围广泛的信息需求，涉及到网络基础设施的建设、个人通信系统、电子数据交换、电子邮件、电子资金转账（EFT）、传真、多媒体技术、信用卡业务、安全认证、保密措施、文件交换及目录服务等。所有这些都将促进产业的不断发展，并不断出现新的研究成果。

电子商务借助于 Internet/Intranet，在企业之间架起了桥梁，实现了物流配送、信息流和资金流的协调统一。

8.2　电子商务的应用及影响因素

20 多年来，电子数据交换（electronic data interchange，EDI）在工商业界的应用中不断得到发展和完善，在电子商务中占据着重要地位。随着 EDI 在万维网（WWW）中的应用，其应用更加广泛。EDI 用于电子计算机之间商业信息的传递，包括日常咨询、计划、采购、到货通知、询价、付款、财政报告等，还用于安全、行政、贸易伙伴、规格、合同、生产分销等信息交换。目前，人们正在开发适用于政府、广告、保险、教育、娱乐、司法、保健和银行抵押业务等领域的 EDI 标准。因此，电子商务应用的一项重要的决定因素就是电子数据交换技术。

8.2.1　电子数据交换简介

传统的商业往来是通过印在纸上的文字进行信息交换的。随着经济和科技的迅速发展，信息交换量剧增，许多组织开始寻求更便利的交流和处理商业往来业务的方式。电子计算机的广泛应用和先进通信技术的使用导致了 EDI 的出现和发展。早期的电子信息交换只限于以双方认可的格式进行，编制大量不同的程序以满足不同的客户需求，从而削弱了这种交换方式。20 世纪 60 年代，一些工业集团开始合作，开发用于采购、运输和财务应用的工业 EDI 标准，这些标准仅限于工业界内的贸易。为了能广泛地使用 EDI，70 年代，在美国运输数据协调委员会和国家信用管理协会信用研究基金会原有标准的基础上，认可标准委员会（ASC X.12）着手开发 EDI 标准。1983 年出现了 5 项美国国家 EDI 标准，1989 年增至 32 项，1993 年公布了 192 项试用标准，1995 年有 245 项试用标准，目前已超过 300 项。

标准化 EDI 已成为全世界电子商务的关键技术，实现了世界范围内电子商务文件的传递。先进的 EDI 技术具有开放性和包容性，在开发的 EDI 网络应用中，无须改变现行的标准，而只需扩充标准。EDI 包括三个部分：硬件系统、翻译软件和传输系统。在电子商务采用的各种信息传递方式中，如图像、自动传真等，只有 EDI 才能保证真实数据的传递，EDI 特别适用于大量信息的传递，由于在传递过程中无须再输入，使出错率降为零，大大节省了时间和成本。某公司过去处理一份购物订单成本为 70 美元，而现在处理一份 EDI 购物订单开销不足 1 美元。据报道，美国仅有 5% 的企业使用 EDI，主要集中在大企业。据估计，EDI 软件市场将由 1996 年的 9 亿美元增加到 19 亿美元。应用计算机互联网实现 EDI 可大大降低使用费用，随着联网范围扩大到全球，更多的中小企业在商业活动中开始使用 EDI。

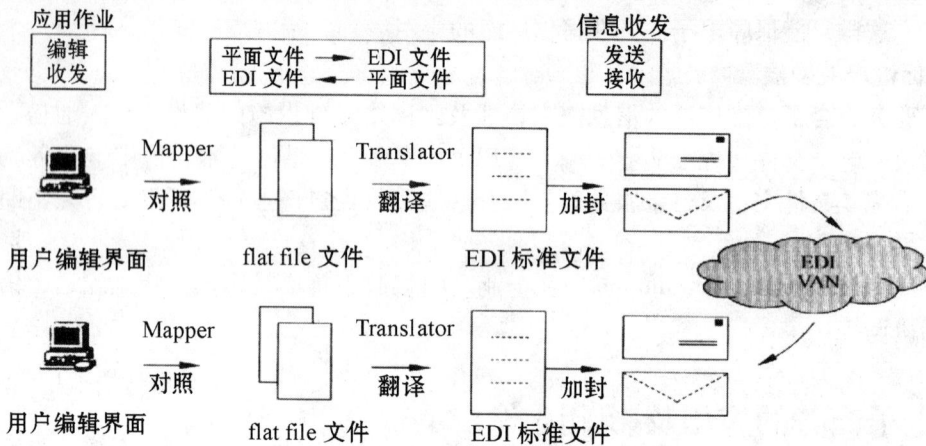

图 8-1　EDI 的工作示意图

在 EDI 应用推广近 20 年来，使用 EDI 较多的产业可划分为以下四类：

（1）制造业。适时库存（just in time，JIT）可以减少库存量及生产线待料时间，降低生产成本。

（2）贸易运输业。快速通关报检，经济使用运输资源，减少贸易运输空间时间的浪费。

（3）流通业。快速响应，减少商场库存量与空架率，以加速商品资金周转，降低成本。建立物资配送体系，以完成产、存、运、销一体化的供应链管理。

（4）金融业。电子转账支付，减少金融单位与用户间交通往返的时间和现金流动风险，并缩短资金流动所需的处理时间，提高用户资金调度的弹性，在跨行服务方面，更可使用户享受到不同金融单位所提供的服务，以提高金融业的服务品质与项目。

EDI 正有效地改变着组织间完成业务的方式，而且这些改变对大多数工业产生了深远的影响。为了完成供应链上的一次交易过程，供应商、消费者、银行、运输业等组织间存在着大量的信息流，这些信息可以用不同的介质来传输，如纸张、面对面交谈、电话、传真、计算机之间的电子通信等。由于信息通信活动是一个劳动密集型的过程，采用电子通信会大大提高信息通信过程的效率。EDI 是一种以结构化的信息形式在贸易伙伴间自动传递信息的通信方式，它为改善信息通信的效率提供了技术解决方案。最初的电子连接是建立在消费者和供应者之间，随着适时系统和快速响应系统的增加，引发了 EDI 网络中其他代理者的需要，以保证整个贸易链的有效性。如在运输业中，EDI 能够帮助提供装货电子单据、转运跟踪信息、货运单据、电子资金转账等业务，因此，大大减少了纸张处理，使信息能够及时存取。为了保持现有消费群，企业越来越感到来自使用 EDI 的竞争压力。人们期望用 EDI 来提高工作效率，包括快速响应能力、更高的准确性、更少的纸面工作及更低的操作成本。

与传统的信息系统不同，EDI 是一个组织间的系统，"它"需要所有参与企业的合作和投入，这些企业之间有着复杂的经济和商业关系，影响着 EDI 的应用；同时还需要在贸易伙伴之间有一个严格的质量保证，以提供好的效果。只有当贸易链上的主要贸易伙伴都采用 EDI 后，企业才会有应用 EDI 的动力。如果一个企业不得不保持两种贸易方式（即基于纸介质的系统和 EDI 系统）并行运行的话，那么它将不可能从 EDI 应用中获益。EDI 应用的因素非常重要，它有利于更好地评价 EDI，提供战略方案来解决 EDI 应用中的限制因素。

8.2.2　电子数据交换的决定因素

EDI 可以定义为：将组织内部及贸易伙伴之间的商业文档和信息，以直接读取的、结构化的信息形式在计算机之间传输，这些信息的接收者可以直接处理信息而无须重新键入。EDI 技术的应用无论对组织行为还是对个人行为都是一项新技术，有很多因素决定着 EDI 的应用和推广。研究成果表明，EDI 作为一项新技术，受很多因素的影响，包括组织、环境、新技术特性等。通过对大范围运输业的研究发现，竞争压力是最经常提到的采用 EDI 技术的原因。下面将从三个方面讨论 EDI 应用的决定因素。

1. 环境因素

由于 EDI 应用是两个贸易伙伴之间的联合决策，环境因素对 EDI 应用有着重大的影响。各种经济的、社会的和政治的力量影响着两个贸易伙伴之间的组织关系及 EDI 应用决策。在 EDI 研究中，考虑的环境因素主要包括市场结构，环境的复杂性、不确定性和动态性，组织间关系的特性，如力量、依赖性、信任度和气氛。从市场营销和组织行为考虑，影响 EDI 应用的环境因素主要有竞争压力、企业间的依赖关系、贸易伙伴间的信任、支持者的鼓励等。

（1）竞争压力。竞争压力是影响 EDI 应用的一个重要因素。适度竞争迫使企业采用新的改革措施来保持其竞争优势，而竞争优势是靠保持持续技术优势获得的。在建立两个企业 EDI 连接中，一个企业最初使用 EDI，要么采用强制手段，要么提供技术支持，使另一方也采用 EDI。当第一个使用者从 EDI 应用中获得明显收益时，其伙伴企业可能还没有意识到这项技术的益处。研究表明，最初使用 EDI 的企业将比后使用者获得更多的好处。

（2）企业间的依赖关系。在美国大型零售业中，像 ALMART，SEARS，K – MART，已经声称要停止与不使用 EDI 传输订单的供应商进行商业活动。汽车制造业也是如此。同时，最初使用 EDI 的企业可以要求那些非常依赖他们生意的贸易伙伴采用 EDI。研究成果表明，企业间依赖关系及最初使用 EDI 企业的力量是决定 EDI 应用的一个非常重要的因素。

（3）贸易伙伴间的信任。贸易伙伴间的信任及社会政治气候是非常重要的。EDI 应用是建立在与消费者很好的合作关系基础之上的，而不是力量依赖关系。虽然一个强有力的贸易伙伴需要电子连接，企业有权根据一系列的标准同意或不同意其加入。贸易伙伴间的相互信任减少了许多安全控制及纸面痕迹的需求，而这些常在 EDI 连接中被忽略。企业间应达到这样的信任水平：供应商自动使用消费者计算机产生的订单作为其生产计划的输入而无须任何人工干预，且不需纸面文件或声音方式的订单确认。贸易伙伴还应有信心友好地处理由于任何错误导致的问题，当两个贸易伙伴间存在着一种平衡的力量关系时，信任就成为建立组织间电子连接的重要因素。

（4）支持者的鼓励。支持者的鼓励会大大增加 EDI 的应用，EDI 应用的开创者可以提供鼓励和技术支持来推动 EDI 应用。那些愿意迅速扩大他们 EDI 链的企业，必须为其没有应用经验的贸易伙伴提供支持，并帮助他们完成实施工作。

2. 组织因素

信息技术和组织之间的相互关系是非常复杂的，不仅仅只是管理者决策与否，有许多因素作为两者的中介，例如企业环境、企业文化、企业结构、标准过程、业务流程、产业政策、管理决策和机遇等。影响 EDI 应用的组织因素主要包括高层领导的作用、倡导者的作用和组织规律。

（1）高层领导的作用。高层领导的支持，对 EDI 的成功应用是非常重要的。高层管理者的战略机遇意识和长远眼光，是 EDI 应用的关键因素。因为 EDI 是一个组织间的系统，需要具有广泛业务兴趣的贸易伙伴间的密切合作。因此，必须建立一个有各种贸易伙伴的电子网络，形成一个关键的团体，使得依赖于网络的改革得以顺利进行。

（2）倡导者的作用。倡导者可以描述为有很高热情的人，他们实施新技术改革，并在组织内推动改革的进行，在用户间创建改革意识和增强印象。当需要去说服贸易伙伴时，倡导者就变得更加重要。在与电信有关的项目实施中，项目倡导者对项目的成功实施起着关键的作用。

（3）组织规模。组织规模也是一个重要因素。较大的组织有较强的能力提供 EDI 应用所需要的资源，而较小的企业更具有灵活性和开放的革新思想。技术知识和资源的缺乏妨碍了小企业信息技术的应用，因此，较小企业采用 EDI 应用的可能性也较小。

3. 技术因素

一项新技术能否被采用，主要受以下四种技术因素的影响：

（1）相对优势。相对优势是指新技术与现有方式比较所具有的优势。在组织决策中，提供的政治社会效益是一个非常重要的因素。EDI 可给组织带来许多益处，获得贸易机会等。

（2）兼容能力。兼容能力描述了新技术对现有价值观和过去经验的潜在应用的连续性。EDI 应用会给工作过程带来巨大的变化，因为它采用电子手段代替了许多基于纸介质的手工操作，可能会引起整个部门的业务重组，从而使一些人失去工作或重新定位。一项新技术与现有的工作过程、信念、价值观越兼容，它被采用的可能性就越大。

（3）复杂程度。复杂程度是指新技术被理解和应用的困难程度。如果组织中缺少应用新技术的技术力量，组织就会认为这项技术太复杂而不采用它。在 EDI 应用中，较小的企业由于技术力量相对薄弱，就会把技术复杂性看成是采纳 EDI 的关键因素。

（4）应用成本。应用成本是指采用新技术所需要的投入，包括资金、设备、人员和技术等各方面的投入。如果一项新技术的应用成本太高，而由其带来的效益不很明显且不能在短期内收回投资的话，势必会影响该技术的推广应用。EDI 应用需要不断的资金投入（包括应用集成费用、入网费用、信息传输费用等），如果这些投入不能给企业带来效益，就会影响 EDI 的采用。

8.2.3 电子数据交换效益分析

随着社会的进步，EDI 从激烈的商贸竞争中产生和发展起来，当然要为商家带来巨大的效益，否则有悖于情理。使用 EDI 的效益视所用的规模和深度而定。一般来说，企业采用 EDI 新技术可产生如下几方面的效益：

1. 提高交易效率

由于交易双方的信息经由计算机通信网络传输瞬间即达，可大大缩短业务运作时间。

2. 增加信息处理的准确性

由于信息处理是在计算机上自动完成的，无须人工干预，因此，除节约时间外，也可大幅度降低业务处理过程中的差错率，从而降低资料出错的处理成本。

3. 节省库存费用

由于使用 EDI 后可大幅度缩短供需双方的业务处理时间，因而需方可减少库存，从而降低库存资金的占用。美国福特汽车厂在 1992 年使用 EDI 后，每年库存降低 9 亿美元，从而大幅度降低了生产成本，提高了产品的市场竞争力。

4. 节省人事费用

由于使用 EDI 后不再需要人工填表、制单、装订、打包、邮寄等一系列过程，自然可节省人力。据美国福特汽车公司统计，它在配合 EDI 来简化对账付款流程后的作业人员由 500 人减少到 150 人，成效显著。

5. 降低贸易文件成本

实现贸易无纸化，大幅度节省纸张、印刷、储存及邮寄的费用。

6. 企业国际化

随着企业 EDI 的应用，企业业务将不再受到地域的限制，而是立即走向全球。我国 EDI 应用虽然起步较晚，但发展迅速。要使 EDI 的应用真正给企业和组织带来效益，少走弯路，少犯错误，应做好如下工作：

（1）搞好 EDI 宣传，加深对 EDI 技术的认识和理解。

（2）加强企业内部计算机信息系统的建设和改造，这是 EDI 应用的基础。只有企业内部 MIS 应用的完善，才能真正做到 EDI 从应用到应用的信息传输，EDI 也才能真正发挥其效能。

（3）做好 EDI 应用示范工作。从行业中选择技术优势和资源优势较强的企业，建立好 EDI 应用的示范，然后带动其他相关企业加入到 EDI 网络中。EDI 应用是一项革新，需要一个过程，绝不能不顾客观条件一哄而上。

（4）加强宏观管理，强调各行业 EDI 应用的密切配合，建立贸易链 EDI 应用网络。

8.3 电子商务的运行模式

如果把电子商务活动的过程细分，与传统商务过程一样，它也应该包括企业及产品的信息交流、贸易洽谈、单证交换、贸易支付、物流配送控制以及售后服务等几个阶段。电子商务使整个生产流通过程实现了高效率和低成本，业务活动也打破了企业界限，从某种程度上讲，电子商务也是企业之间信息流动业务过程的重组。

8.3.1 电子商务系统的基本框架

1. 电子商务的交易过程

电子商务的交易过程可分为三个阶段：交易前、交易中和交易后。

（1）交易前。主要指交易各方在交易合同签订前的活动，包括在各种商务网络或 Internet 上发布和寻找交易机会，通过交换信息比较价格和条件，了解对方国家的贸易政策，选择交易对象。

（2）交易中。主要指合同签订后的贸易交易过程，涉及银行、运输、税务和海关等方面的电子单证交换，即 EDI。

（3）交易后。在交易各方办完各种手续后，商品交付运输公司起运，可以通过电子商务跟踪货物，银行按照合同，依据提供的单证支付资金，出具相应的银行单证，实现整个交易过程。电子商务主要借助 Internet 展开，包括注册和联机认证、交易和支付等功能。

2. 电子商务系统的基本步骤

第一步，制作订单。购买方根据自己的需求在计算机上操作，在订单处理系统上制作出一份订单，将所有必要的信息以电子传输的格式储存下来，同时产生一份电子订单。

第二步，发送订单。购买方将此电子订单通过 EDI 系统传送给供货商，此订单实际上是发向供货商的电子信箱，它先存放在 EDI 交换中心上，等待来自供货商的接收指令。

第三步，接收订单。供货商使用邮箱接收指令，从 EDI 交换中心自己的电子信箱中收取全部邮件，包括来自购买方的订单。

第四步，签发回执。供货商在收妥订单后，使用自己计算机上的订单处理系统，为来自购买方的电子订单自动产生一份回执，经供货商确认后，此电子订单回执被发送到网络，再经由 EDI 交换中心存放到购买方的电子信箱中。

第五步，接收回执。购买方使用邮箱接收指令，从 EDI 交换中心自己的电子信箱收取全部邮件，其中包括供货商发来的订单回执。整个订货过程至此完成，供货商收到订单，客户（购买方）则收到了订单回执。

3. EDI 的实现过程

EDI 的实现过程就是用户将相关数据从自己的计算机信息系统传送到有关交易方的计算机信息系统的过程，该过程因用户应用系统以及外部通信环境的差异而不同。在有 EDI 增值服务的条件下，这个过程可以描述为如图 8-2 所示的步骤。为了有助于理解 EDI 是如何工作的，不妨以订单与订单回复为例来跟踪一个简单的 EDI 应用过程：发送方将要发送的数据从信息系统数据库提出，转换成平面文件（亦称中间文件）；将平面文件翻译为标准 EDI 报文，并组成 EDI 信件；接收方从 EDI 信箱收取信件；将 EDI 信件拆开并翻译成为平面文件；将平面文件转换并送到接收方信息系统进行处理。

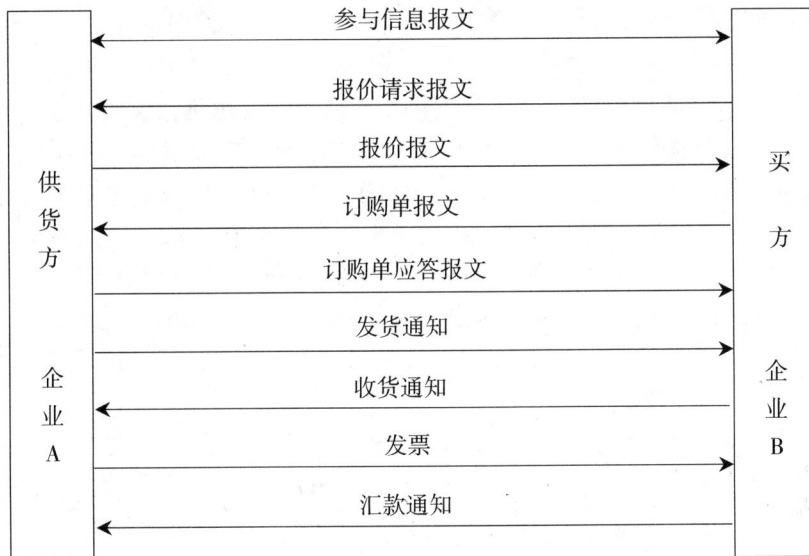

图 8 - 2　EDI 方式上的电子商务运作模式

（1）平面文件转换及初始化过程。用户应用系统与平面文件之间的转换过程，是联结翻译和用户应用系统的中间过程。用户应用系统（如管理信息系统、常规业务系统等）储存了生成报文所需的数据，该过程的任务就是读取用户数据库，按照不同的报文结构生成平面文件以备翻译。在实际应用中可以将翻译系统与应用系统集成起来，在输出数据时，直接生成平面文件，随后翻译。如果用户应用系统不含翻译软件，翻译工作可由 EDI 增值服务网或由其他 EDI 服务提供者完成，但生成平面文件的工作需要用户自己完成。平面文件不必包含用户文件的全部数据，只包含要翻译的数据。因为它采用电子传输，可以省略如邮政地址、邮政编码等无关的信息。发送的数据量越小，服务的费用就越低。该过程需要一些初始化工作，以确定贸易伙伴的电子地址、网络地址、贸易伙伴的报文类型和版本。这就需要用户建立每一个贸易伙伴要接收的报文类型、报文标准类型和版本以及电子邮寄地址等清单。如果贸易伙伴有安全要求（如报文鉴别和加密），会有更多的信息（如加密方式、密钥等）需要列入清单。当贸易伙伴的数目较大时，这项工作就会变得十分重要。因此，国外的 EDI 增值服务把提供这种贸易伙伴清单的功能作为一项中心服务。

（2）翻译。翻译就是根据报文标准、报文类型和版本，将平面文件转换为 EDI 标准报文的过程。而报文标准、报文类型和版本由上述 EDI 系统的贸易伙伴清单确定，或由服务机构提供的目录服务功能确定。在翻译之前需对平面文件做准备工作，包括对平面文件进行编辑、一致性的检查和地址鉴别。首先根据报文标准检查平面文件是否包含了所有规定的字项。ANSIX. 12 和 EDIFACT 要求有一些规定字段，如控制号、内层项数和日期等。如果缺少字段，则要重新编辑平面文件。如果规定字段都存在，就要对字段一致性、句法和数据格式进行检查，检查是否与要求的标准一致，是否与标准的相应版本一致，是否与相应标准的相应文件类型一致。在这一阶段，理想的情况是对所有字段和数据元进行检查，检查字段中的规定数据元是否存在并正确，但目前的软件一般只对语法意义上的字项进行检查。以上检查结束以后，还要进行地址鉴别，检查对方的电子地址和交易关系是否存在有效。翻译的过程就是翻译程序根据标准的句法规则，用规定分隔符将平面文件中的数据连接起来，生成不间断的 ASCII 码字符串，并根据贸易伙伴清单生成报文头，最后生成报文尾，形成一个完整的 EDI 报文。根据 EDIFACT 标准，一个交换可包含报文或功能组（也称报文组）。

功能组的生成过程就是将组中所含的报文按顺序排列，中间以报文头尾段分隔连接，再加上功能组头和功能组尾。一个交换的生成和功能的生成过程类似。先根据对方地址、日期时间及必要的语法设定生成交换头，然后将交换中所含报文或功能组（如果交换采用功能组方式，就不能有独立报文）顺序排列，中间以头尾段分隔连接。交换尾则根据交换中报文或功能组的数目以及交换控制参考生成。交换头包含发送方和接收方的地址代码、生成日期和时间、交换参考号、标准管理机构和字符集等数据，其中部分数据可从初始设定清单上查询，部分数据则要程序自动生成。

（3）通信。翻译封包过程结束，生成 EDI 交换。通讯参数文件一般包含电话拨号、网络地址或其他的特殊地址号码，以及表示停顿、回答和反应的动作描述码。通信模块根据这些通信设置拨通网络，与远端的通讯模块进行对话，建立用户的 EDI 服务通道，进行文件传输。对于非实时 EDI 服务，文件先要传送到用户自己的信箱，然后再由 EDI 邮局管理分发。报文分发是 EDI 信箱管理系统根据报文中的目标地址，将报文分发到贸易伙伴的信箱中。在分发之前要通过交易关系认可，确认发送方和收件方的收发意向，以保证双方对传输对象已事先同意交换。这可避免垃圾文件的传送，以及信箱、网络和连接时间的滥用。在贸易伙伴认可后，再向对方信箱投递报文。

以上是 EDI 实现的前三步，即平面转换、翻译和通信。接着的工作是交易接收方从箱中收取 EDI 信件，翻译并转送到应用系统中。这是上述过程的逆过程。

4. EDP 与 EDI

内部应用系统经网络从外部交易方接收 EDI 报文，经过语法翻译和映射将数据写入数据库系统，或反过来从数据库读取数据，经转换、翻译生成 EDI 报文，再通过网络发送给有关交易方。在企业内部，EDI 在信息系统中属于电子数据处理（electronic data processing，EDP），直接与企业的管理信息系统连接，为其提供订货、财务汇兑、库存和价格等基础信息。这些信息经过处理为决策和执行提供支持。在企业间，EDI 系统起着信息传输和格式转换的作用，它可以连接各企业孤立的应用系统，将各系统集成为一个新的跨组织系统。

从技术的角度讲，EDP 系统提供 EDI 系统交换的内容，可以看作是 EDI 系统的数据库手段；而 EDI 系统可以看作是 EDP 系统的通讯手段。EDI 系统要发送、接收的报文由 EDP 系统提交、处理。EDI 系统一般具备对 EDP 系统数据格式定义的功能，通过应用定义，通用的 EDI 系统可以适应不同的 EDP 系统。应用单位一般先开发内部的 EDP 系统，然后与其他单位间实现 EDI 连接，EDP 显然是 EDI 的前提；但对于那些原有信息应用不成熟的单位来说，为了与已实现 EDI 的公司或机构做生意或打交道，也可以先引进一个仅仅与对方 EDI 系统相连的简单的数据录入、打印及通信的系统，也称制单系统，而后再逐步发展自己的 EDP 和 MIS。EDP 在减少人员和节省费用方面的作用往往被估计过高，计算机的使用不是减少而是增加了处理环节和操作费用，在实行 EDI 后这些问题才逐步得到解决。只有在广泛开展 EDI 后，数据处理和信息管理的潜力和效益才能得以充分发挥。

EDP 和 EDI 在计算机与通信技术的应用方面最终将发展为统一的整体，两者相互促进，使业务处理的自动化程度越来越高，范围越来越广。由于 EDP 主要是企业内部的事情，在决策和管理方面较易实现；而 EDI 涉及跨行业和跨部门，甚至跨国界，涉及的业务与技术的复杂性及协调工作的难度在过去是不能想象的，因此 EDI 是计算机与通信技术在应用范围和水平上的一次飞跃。经济、社会、生活各方面将随着 EDI 的发展，发生深刻而广泛的变化。

8.3.2 企业之间电子商务的流程分析

企业之间的电子商务主要是用来实现企业之间的数据交换和交易过程，它主要包括电子信息发布、网上谈判、商品交易等部分。电子信息发布可以采用信息检索方式，网上谈判一般采用 EDI 方式，一旦合同签订就进入商品交易阶段，交易双方将交易信息传到银行，银行对双方认证后进入账户间资金转移。为了网上的安全，EDI 进行数据传输时采用密文传输。

与传统的物资管理信息系统的业务流程相比，企业之间电子商务的流程将进一步简化。特别是结算任务直接由银行承担，减轻了企业内部的结算任务，同时，也将避免资金往来上的拖欠。

8.3.3 电子商务在管理信息系统中的应用

Internet 的出现导致了电子商务浪潮的风起，也必然会对 ERP、MRP 和管理信息系统等软件提出更高的要求。基于电子商务的解决方案，业务流程与管理模式都应该适用于电子商务时代的特点。由于电子商务缩短了企业与客户和供应商在时间和空间上的距离，因此，企业的经营模式不再以订单为中心，而转向以客户为中心，客户关系管理（customer relation management，CRM）在电子商务时代变得尤为重要。CRM 系统的核心是销售管理和销售核算，即把企业管理系统的前端扩展，直接跟客户进行接触，充分挖掘客户的潜力。同时，企业与供应商的关系也不再仅仅局限于单纯的买卖关系，而是将供应商纳入企业的生产经营活动，供应商管理在电子商务时代将与客户关系管理一同成为供应链管理的重要组成部分。供应链的形成与发展，对电子商务起了很大的推动作用。

1. 电子商务的中介作用

电子商务可以作为管理信息系统连接 Internet/Intranet 的中介，实现系统内外数据、信息和知识的交互与共享。在供应商管理和客户管理中，体现了企业的质量意识和营销观念。电子商务可以作为联结的纽带，具有信息吐纳的作用。企业内部的管理信息系统承担着 EDP 的任务，企业可以根据来自 EDI 的数据和信息作出决策。根据供应商和客户等相关信息，通过电子商务实现对供应商的考核、订单的发送和计算处理，同时接收和处理来自客户的订单，及时了解客户的需求信息动态，并将企业的需求信息和供应商的考核信息向企业外发布。电子商务的应用不仅实现了电子数据交换，更重要的是给企业提供了信息交流和知识共享的窗口。

2. 电子商务的集成应用

全球供应链中的各节点企业在地理位置上的分布很广，因此，电子商务将成为供应链企业之间协作信息交互和货币支付的主要手段。同时，通过电子商务将企业的 MR – PII 和 MIS 等系统集成在一起，构成一个功能更加强大的系统。

客户与企业 A 通过电子商务网络进行商务接触，经过询价、了解产品、意向传递服务，双方在意向明确的基础上进行订单传递合同确认。确认后的合同信息将直接进入企业 A 的MIS 中进行处理。假设企业 A 的产品是由供应商 D 和 C 提供的配件组装而成的，则企业 A 经过询价等过程之后将分别向 B 和 C 发出订单。D 和 C 立即组织配件生产（也许它们还将向供应链上的其他企业发出产品订单）。在合同规定的期限内 B 和 C 将产品生产完毕，并通过电子商务网络向 A 发出出货通知，同时请求结算确认。通过银行认证中心和银行结算中心，双向完成账户间资金转移。企业 A 向客户发出发货通知，并请求结算确认。这些生产经营过程的特点是生产出的产品直接供给各个销售网点，而不是仓库。在整个供应链管理信息系统的结构模型中，企业 A 是供应链中的核心企业。

电子商务网络能够将跨企业、跨地域和跨职能的流程融合起来。基于电子商务的供应链管理信息系统充分展现了电子商务的优势，实现了整条供应链系统的多种数据交换、业务过程一体化，从而有助于企业改善工作流程，实现整条供应链的最佳效益。但是，目前由于安全问题，作为电子商务重要功能之一的电子货币支付尚得不到充分发挥。

8.4 物流配送与电子商务的关系

8.4.1 物流配送是电子商务的重要组成部分

电子商务是 20 世纪信息化和网络化的产物，其自身的特点已广泛引起人们的注意。但是，人们对电子商务所涵盖的范围却没有统一和规范的认识。如传统商务过程一样，电子商务中的任何一笔交易，都包含着信息流、资金流和物流配送。过去，人们对电子商务过程的认识往往只局限于信息流和资金流的电子化、网络化，而忽视了物流配送的电子化过程，认为对于大多数商品和服务来说，物流配送仍然可以经由传统的经销渠道。但随着电子商务的进一步推广与应用，物流配送的重要性对电子商务活动的影响日益明显。试想，在电子商务下，消费者网上浏览后，通过轻松点击完成了网上购物，但所购货物迟迟不能送到手中，甚至出现了买电视机送茶叶的情况，其结果可想而知——消费者势必会放弃电子商务，选择更为安全可靠的传统购物方式。

从根本上来说，物流配送应是电子商务概念的组成部分。缺少了现代化的物流配送过程，商务过程就不完整。

8.4.2 物流配送是电子商务概念模型的基本要素

电子商务概念模型是对现实世界中电子商务活动的一般抽象描述，它由电子商务实体、电子市场、交易事务和信息流、商流、资金流、物流配送等基本要素构成。在电子商务概念模型中，电子商务实体是指能够从事电子商务的客观对象，它可以是企业、银行、商店、政府机构和个人等；电子市场是指电子商务实体从事商品和服务交换的场所，它由各种各样的商务活动参与者，利用各种通信装置，通过网络联结成一个统一的整体；交易事务是指电子商务实体之间所从事的具体的商务活动内容，例如询价、报价、转账支付、广告宣传、商品运输等。

电子商务中的任何一笔交易，都包含着信息流、商流、资金流、物流配送。其中信息流既包括商品信息的提供、促销行销、技术支持、售后服务等内容，也包括诸如询价单、报价单、付款通知单、转账通知单等商业贸易单证，还包括交易方的支付能力、支付信誉等；商流是指商品在购、销之间进行交易和商品所有权转移的运动过程，具体是指商品交易的一系列活动；资金流主要是指资金的转移过程，包括付款、转账等过程。在电子商务下，以上"三流"的处理都可以通过计算机和网络通信设备实现。物流配送作为"四流"中最特殊的一种，是指物质实体（商品或服务）的流动过程，具体指运输、储存、配送、装卸、保管和物流配送信息管理等各种活动。对于少数商品和服务来说，可以直接通过网络传输的方式进行配送，如各种电子出版物、信息咨询服务、有价信息软件等；对于大多数商品和服务来说，物流配送仍要经由物理方式传输，但由于一系列机械化、自动化工具的应用，准确、及时的物流配送信息对物流配送过程的监控，将使物流配送的流动速度加快，准确率提高，能有效地减少库存，缩短生产周期。

在电子商务概念模型的建立过程中，强调信息流、资金流和物流配送的整合。其中信息流最为重要，它在一个更高的层次上实现对流程过程的监控。

8.4.3 物流配送对电子商务的作用

人们对电子商务中的物流配送的认识还刚刚开始。物流配送对电子商务可以起到如下作用：①提高电子商务的效率与效益；②协调电子商务的目标；③扩大电子商务的市场范围；④支持电子商务的快速发展；⑤集成电子商务中的商流、信息流与资金流；⑥促使电子商务成为21世纪最具竞争力的商务形式；⑦实现基于电子商务的供应链集成。

虽然物流配送对电子商务的发展可以起到以上这些作用，但我国现行的物流配送体系对电子商务的发展还存在一些制约因素，主要表现在：①社会上重电子轻商务、重商流轻物流配送、重信息网轻物流配送网的倾向比较严重；②适合电子商务发展的物流配送体系尚未建立；③物流配送基础设施不配套；④物流配送管理手段落后；⑤第三方物流配送服务滞后；⑥传统储运的观念、体制及方法对现代物流配送的发展存在巨大阻力。因此，我国的电子商务发展目前仍处在比较困难的成长阶段，尤其是物流配送和配送体系的完善是电子商务发展必须解决的课题。

8.4.4 物流配送是实现电子商务的保证

物流配送是实现电子商务的重要环节和基本保证。具体体现为以下几个方面：

1. 物流配送保障生产

无论在传统的贸易方式下，还是在电子商务下，生产都是商品流通之本，而生产的顺利进行需要各类物流配送活动的支持。生产的全过程，从原材料的采购开始，便要求有相应的物流配送活动，将所采购的材料配送到位，否则，生产就难以进行；在生产的各工艺之间，也需要原材料、半成品的物流配送过程，即所谓的生产物流配送，以实现生产的流动性；部分余料、可重复利用物资的回收，也需要所谓的回收物流配送；废弃物的处理则需要废弃物物流配送。可见，整个生产过程实际上就是一系列的物流配送活动。

合理化、现代化的物流配送，通过降低费用从而降低成本、优化库存结构、减少资金占用、缩短生产周期，保障了现代化生产的高效进行。相反，缺少了现代化的物流配送，生产将难以顺利进行，无论电子商务是多么便捷的贸易形式，都将是无米之炊。

2. 物流配送服务于商流

在商流活动中，商品所有权从购销合同签订的那一刻起，便由供方转移到需方，而商品实体并没有因此而转移。在传统的交易过程中，除了非实物交割的期货交易，一般的商流都必须伴随相应的物流配送活动，即按照需方（购方）的需求将商品实体由供方（卖方）以适当的方式和途径向需方转移。而在电子商务下，消费者通过上网点击购物，完成了商品所有权的交割过程，即商流过程。但电子商务的活动并未结束，只有商品和服务真正转移到消费者手中，商务活动才告以终结。在整个电子商务的交易过程中，物流配送实际上是以商流的后续者和服务者的姿态出现的。

3. 物流配送是实现"以客户为中心"理念的根本保证

电子商务的出现，最大限度地方便了最终消费者。他们不必再跑到拥挤的商业街，一家又一家地挑选自己所需的商品，而只要坐在家里，在 Internet 上搜索、查看、挑选，就可以完成他们的购物过程。

物流配送是电子商务中实现"以客户为中心"理念的最终保证，缺少了现代化的物流配送技术，电子商务给消费者带来的购物便捷就等于零，消费者必然会转向他们认为更为安全的传统购物方式，这样网上购物就没有存在的必要了。

从以上的论述可见，物流配送是电子商务的重要组成部分。

8.5 电子商务解决方案中可选择的物流配送方案

电子商务的物流作业流程同普通商务一样，目的都是要将用户所订货物送到用户手中，基本的业务流程包括进货、进货验收、分拣、存放、拣选、包装、分类、组配、装货及配送等，见图 8 - 3、图 8 - 4 中点画线框内的部分。

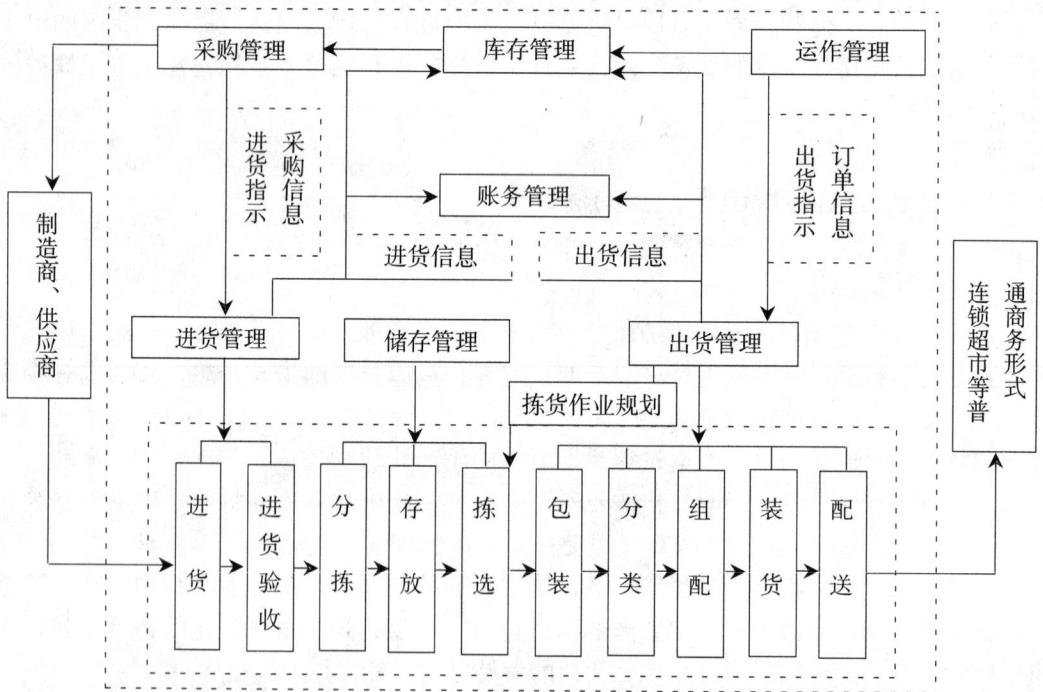

图 8 - 3 普通商务物流业务流程

两种模式不同的是，电子商务的每个订单都要送货上门，而有形店铺销售则不用，因此，电子商务的物流成本更高，配送路线的规划、配送日程的调度、配送车辆的合理利用难度更大。与此同时，电子商务的物流流程受更多因素的制约。下面从电子商务供应链不同环节，通过几个实例介绍一下电子商务的物流作业流程及相关问题。

1. 从制造商的角度来看

从理论上讲，电子商务的实现可以使销售过程的中间环节成为多余，因而可以构造一条最为简短的流通渠道，如图8-5所示。

电子商务本身是一条新的销售渠道，这条渠道可以由专业的流通企业经营，也可由专业的制造企业经营，还可由信息网络服务商来经营。制造商从事电子商务的情况比较普遍，但制造商从事电子商务的模式并不一样。因此，制造商应根据自己的情况，结合本章前面分析的考虑因素设计物流作业流程。

鉴于直销（build-to-order）是电子商务将来的发展趋势之一，下面以计算机行业直销的先驱Dell公司为例分析和说明其物流过程。在Dell的直销网站（http：//www.dell.com）上，提供了一个跟踪和查询消费者订货状况的接口，供消费者查询从发出订单到订货送到消费者手中整个过程的订货状况。Dell对待任何消费者（个人、公司或单位）都采用定制的方式销售计算机系统，其物流服务也配合这一销售政策而实施。Dell的直销分为以下三个阶段8个步骤，如图8-4所示。

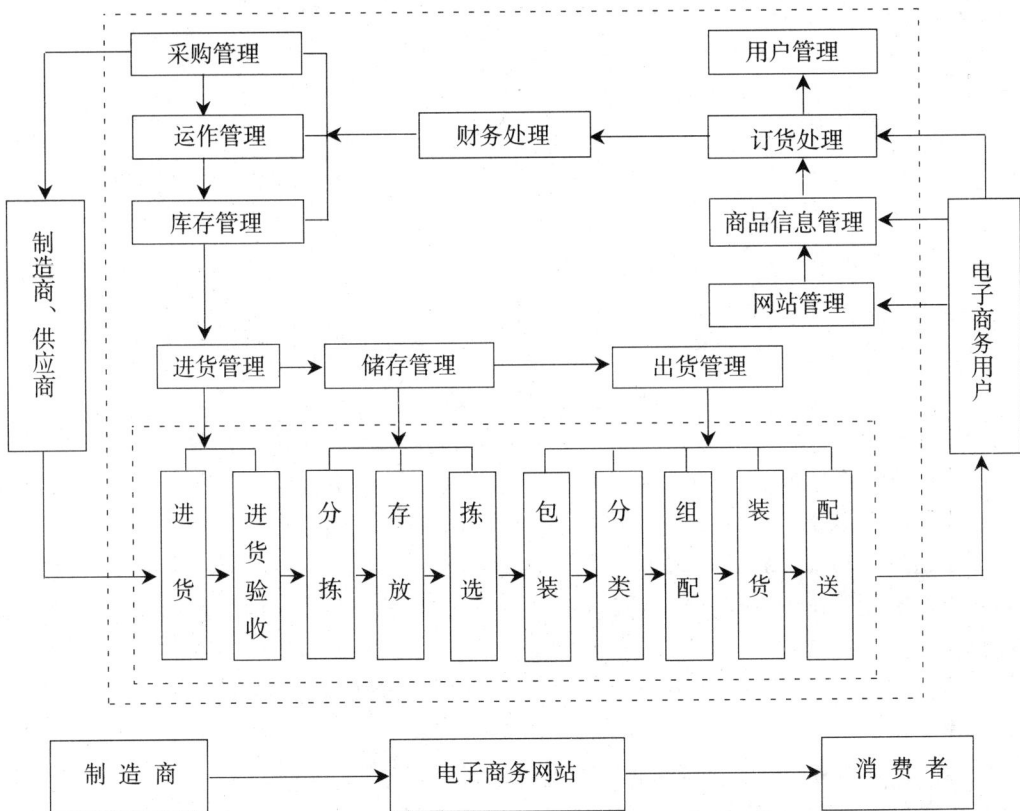

图8-4 电子商务销售渠道

第一阶段：订货阶段（order phases）。分为两步：

第一步：订货处理（order processing）。在这一步，Dell要接收消费者的订单，消费者可以拨打800免费电话叫通Dell的Call Center，直接向销售小姐订货，也可以通过浏览Dell的网上商店进行网上订货。接到网上订货后，Dell的订货人员会对订单进行初步检查。

首先检查项目是否填写齐全，然后检查订单的付款条件，并按付款条件将订单分类，采用信用卡支付方式的订单将被优先满足，其他付款方式则要更长时间才能得到付款确认。只有确认支付完订单款项的订单才会立即自动发出零部件的订货并转入生产数据库中，订单也才会立即转到生产部门进行下一步作业。

用户订货后，可以对产品的生产制造过程、发货日期甚至运输公司的发货状况等进行跟踪。根据用户发出订单的数量，用户需要填写单一订单或多重订单状况查询表格，表格中只有两项数据需要填写，一项是 Dell 的订单号，另一项是校验数据。提交后，Dell 将通过因特网将查询结果传送给用户。

第二步：预生产（pre-production）。Dell 在正式开始生产之前，需要等待零部件的到货，这就叫做预生产。预生产的时间因消费者所订货物的不同而不同，主要取决于供应商的仓库中是否有现成的零部件。一般地，Dell 要确定一个订货前置时间，即需要等待零部件并且将订货送到消费者手中的时间。该前置时间在 Dell 向消费者确认订货有效时会告诉给消费者，订货确认一般通过两种方式，即电话或电子邮件。

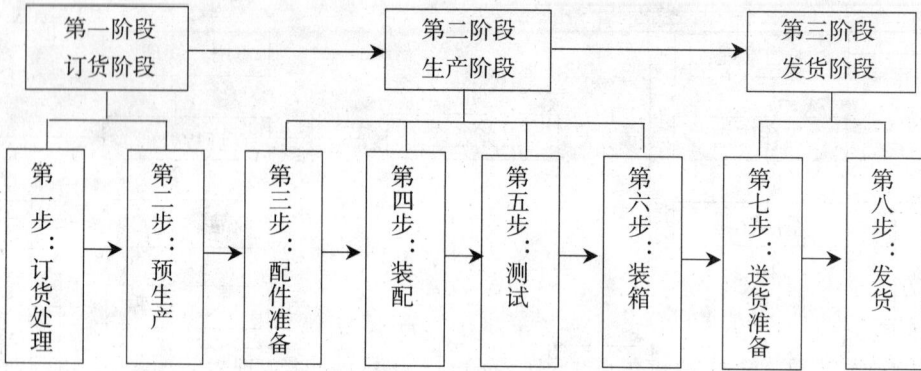

图 8-5 Dell 的直销流程

第二阶段：生产阶段（factory phases）。分为四步：

第三步：配件准备。当订单转到生产部门时，所需的零部件清单也就自动产生，将有的零部件备齐通过传送带送到装配线上。

第四步：装配（building）。组装人员将装配线上传来的零部件组装成计算机，然后进入测试过程。

第五步：测试（testing）。对组装好的计算机用 Dell 特制的测试软件进行测试，通过测试后将系统送到包装车间。

第六步：装箱（boxing）。测试完的计算机被放到包装箱中，同时要将鼠标、键盘、电源线、说明书及其他文档一同装入箱中。产品打好包后要加以密封，然后装入相应的卡车运送给顾客。

第三阶段：发货阶段（shipping phases）。分为两步：

第七步：送货准备（deliver preparation）。一般在生产过程完成的次日完成送货准备，但大订单及需要特殊装运作业的订单可能花的时间要长些。

第八步：发货（shipped）。将顾客所订货物发出，并按订单上的日期送到指定地点。Dell 设计了几种不同的送货方式，由顾客订货时选择。一般情况下，订货将在 2~5 个工作日送到订单上的指定地点，即送货上门，同时提供免费安装和测试服务。

Dell 的物流从确认订货开始，确认订货是以收到货款为标志，在收到用户的货款之前，物流过程并没有开始，收到货款之后需要两天时间进行生产准备、生产、测试、包装、发货准备等。Dell 在中国的工厂设在福建厦门，在中国的物流发货委托了一家货运公司，由于用户分布的区域很广，Dell 向货运公司发出的发货通知可能十分零星和分散，但 Dell 许诺在款到后 2～5 天送货上门，同时，对中国某些偏远地区的用户每台计算机还要加收 200～300 元的运费。

这种电子商务型的直销对 Dell 有很多好处，Dell 一方面可以先拿到用户的预付款，运费还要用户自己支付，同时还有可能在货运公司将货运到后结算运费。Dell 既占压着用户的流动资金，又占压着物流公司的流动资金，按单生产又没有库存风险，Dell 的竞争对手一般保持着几个月的库存，但 Dell 的库存只有几天，使 Dell 的年均利润率超过 50%。但无论什么销售方式，首先必须对用户有好处，Dell 的电子商务型直销方式对用户的价值包括：一是用户的需求不管多么个性化也完全可以满足；二是 Dell 精简的生产、销售、物流过程可以省去一些中间成本，当然也会相应增加不少自己建立销售网络、进行售后服务的成本，但最终结果肯定对 Dell 和用户都是有利的；三是用户可以享受到完善的售后服务，包括物流、配送服务以及其他售后服务。

决定 Dell 直销系统成功与否的关键是要建立一个覆盖面较大、反应快速、成本有效的物流网络和系统。如果 Dell 按照承诺将所有的订货都直接从工厂送货上门，就会带来两个问题：一是物流成本过高，如果用户分布的区域很广，订货量又少，则这种系统因库存降低而减少的库存费用，无法弥补因送货不经济导致的运输及其他相关成本上升而增加的费用，可能在某些重要的销售市场设立 RDC（regional distribution centre）是必要的，这样可能会使库存成本上升，但交货期会缩短；二是交货期太长，传统的销售渠道消费者面对现货，在 Dell 的销售方式下，用户面对的是期货，消费者看在名牌企业的份上还可能这样去等待，但这并不是消费者期望的事情。像 Dell 这样依赖准确的需求预测、电话订货或网上订货，然后再组织生产和配送的模式，实际上蕴藏着较大的市场、生产及物流风险，不是很容易办到的。

2. 从销售企业的角度来看

电子商务作为一种新的销售渠道，与传统销售渠道有着相似之处，传统销售企业可以很容易地向电子商务方向发展。销售企业在电子商务中扮演的角色同传统商务一样，与制造商配合负责销售环节，包括网站建立与管理、网页内容设计与更新、网上销售的所有业务及售后服务的设计、组织与管理等。实际上，采用这种方式时，制造商不起主导作用，销售商才是电子商务的主体。已经开展有形店铺销售的销售企业从事电子商务时具有很多便利的条件，因为已有的销售渠道、物流系统、信息网络等可以为电子商务所用，店铺销售与电子商务销售可以共享物流资源，这样会更充分地发挥物流资源的利用率。如果没有已经存在的销售网络作支撑，一个新近投入到电子商务行业的资本，就像开一家传统的店铺一样来经营电子商务业务的话，必须新建物流系统。最合理的方式是，先由电子商务经营者自己或委托第三方设计电子商务的物流系统，确定物流系统的成本和服务水平，确定物流系统的服务内容和考核标准；然后寻找能覆盖电子商务经营者市场范围的物流经营者，将所有物流业务外包给第三方物流企业，以实现专业化的物流经营和管理；电子商务经营者必须由专业人士对第三方物流企业提供的物流服务进行监督、评估。这个工作是当今实施电子商务过程中最具挑战性的工作。下面通过著名的亚马逊书店（amazon）进行电子商务的实例，说明销售企业从事电子商务时物流与配送的一些情况。

总部位于美国西雅图的亚马逊网上书店于 1995 年 7 月开业，到 1999 年底全球已有 160

个国家的 1 300 万网民在亚马逊书店购买了商品。亚马逊 1999 年第三季度的净销售额为 356 亿美元，比 1998 年同期增长 132%，但即使如此，按照公认的会计原则（general accepted accounting principles，GAAP）计算，该公司每股净亏损 0.59 美元，其中包括了 111 亿美元的兼并、收购、投资及库存和物流费用等。亚马逊网上销售的商品有书籍、音乐、DVD、录像片、玩具、游戏、电子产品及软件、家庭用品等，由亚马逊控股的网站还销售杂货、药品、宠物食品等。亚马逊网上销售的方式有网上直销和网上拍卖。

亚马逊是全球最大的网上书店、音乐盒带商店和录像带店，配送中心在实现这些经营业绩的过程中功不可没。亚马逊网上销售的配送系统具有如下特点：

（1）拥有完整的物流、配送网络。到 1999 年，亚马逊在美国（佐治亚、堪萨斯、内华达、特拉华、肯塔基等州）、欧洲和亚洲共建立了 15 个配送中心，面积超过 32.5 万平方米，其中在佐治亚州的配送中心占地 7.43 万平方米，机械化程度很高，这是亚马逊最大的配送中心，也是 1999 年建立的第五个配送中心。1999 年配送中心的面积是 1998 年的 10 多倍。这一规模足以与一个大型的传统零售公司的配送系统相媲美。因为有这样完善的配送中心网络，订货和配送中心作业处理及送货过程更加快速，这样亚马逊减少了向主要市场上的用户送货的标准时间，缺货也更少。

（2）以全资子公司的形式经营和管理配送中心。亚马逊认为，配送中心是能接触到客户订单的最后一环，无疑这是实现销售的关键环节，他们不想因为配送环节的失误而损失任何销售机会。这一做法未必可以推广，但这也说明，对电子商务来讲，配送对整个电子商务系统具有决定性意义。

（3）高层管理人员经验丰富。为了加强亚马逊物流、配送系统的规划与管理，亚马逊 1998 年 7 月任命世界上最大的零售商沃尔玛（http：//www. wal-mart. com）的前任物流总裁怀特为亚马逊的副总裁，而怀特在沃尔玛时管理的配送中心有 30 个，总面积 353 万平方米，雇员 3.2 万人。这说明亚马逊配送中心的高层管理人员具有极高的素质和丰富的经验。

（4）亚马逊提供了多种送货方式和送货期限供消费者选择，对应的送货费用也不相同。送货方式有两种，一是以陆运和海运为基本运输工具的标准送货，二是空运。根据目的地是国内还是国外的不同以及所订的商品是否有现货（决定集货时间），送货期限可以有很大的区别。如选择基本送货方式，并且商品有库存，在美国国内需要 3 ~ 7 个工作日才能送货上门；在国外，加上通关的时间，需要 2 ~ 12 个星期送货上门。如果选择空运，美国国内用户等待 1 ~ 3 个工作日可以到货，国外用户则需要等待 14 个工作日。交货时间的长短反映了配送系统的竞争力，亚马逊设计了比较灵活的送货方案，使用户有更大的选择性，受到用户欢迎。

3. 从物流企业的角度来看

物流企业在电子商务中可以扮演两种角色：一是可以像制造商和销售商那样，从建立电子商务网站开始，独立从事电子商务业务；二是为电子商务提供物流、配送服务，其中以第二种角色为主，物流作业要配合电子商务的需求，提供细致的配送服务。下面以世界第一大快件运输商 FedEx 为例来进行简单的分析。总部位于美国田纳西州的 FedEx，成立于 1973 年 4 月，是全球规模最大的快递公司，到 1999 年已在全球 211 个国家和地区通过 366 座机场经营快运业务。它的物流业务覆盖了占世界 GDP 90% 的国家和地区。该公司拥有营运货机 624 架，货车 42 500 辆，全球员工 145 000 人，为全球用户提供 24 ~ 48 小时之内的门到门配送服务。公司通过信息网络与 100 多万个客户保持联系，在全球使用统一的 FedEx 物流管理软件，其中投入使用的 Power Ships 系统超过 10 万套，FedEx Ships 及 Internet Ships 系统超过 100 万套。FedEx 建立了大约 1 400 个全球服务中心，34 000 个投递箱，7 200 个授权服务中心及附属机构，该公司宣布在中国成立第一家合资快运公司，并且在 5 年内在中国 100 个城市设立办事处。FedEx 主要以第三方物流、配送企业的身份参与电子商务事宜。1997 年初开始FedEx 就像一家纯粹的电子商务公司一样从事电子商务业务，但不同的是，该公司在物流网络和信息网络以及客户资源上远比一般的电子商务公司具有优越性。该公司认为，既然公司已经具备了从信息、销售到配送所需的全部资源和经验，公司必须拓展电子商务业务。FedEx 控制了电子商务最为重要的环节——配送，这是其他多数物流公司无法比拟的。

FedEx 参与电子商务业务及其物流流程如图 8 – 6 所示。

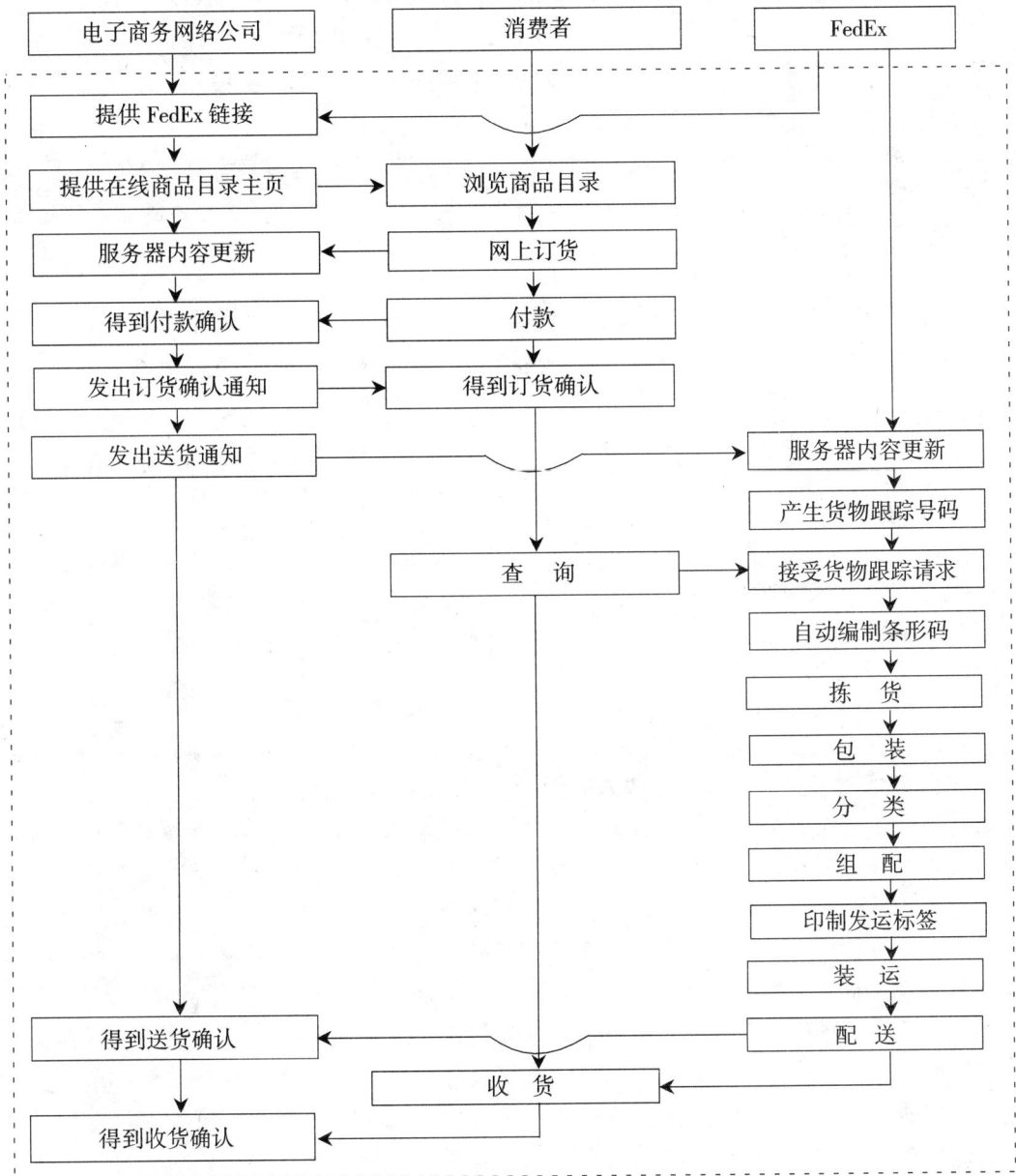

图 8 – 6 FedEx 参与电子商务及其物流流程

以上从三个方面分析了电子商务的物流流程及其管理问题。三种电子商务方案中的物流方案各有不同，但物流与配送的基本流程相近，不同的是制造商、销售商、网站经营者及物流、配送企业之间的配合及衡量物流、配送业绩的标准等，为了使电子商务方案得以顺利实施，需要对物流、配送系统进行认真的设计。

【本章案例】

戴尔计算机与电子商务

个人计算机行业最适合运用互联网增加利润。戴尔公司已经广泛运用电子商务，所有的个人计算机制造商都在互联网上拓展其销售业务。

如图 8-7 所示，戴尔公司直接向顾客销售个人计算机，在接到顾客订单的时候才开始组装计算机。相比之下，传统的个人计算机制造商必须先组装计算机，然后才能在商店销售。

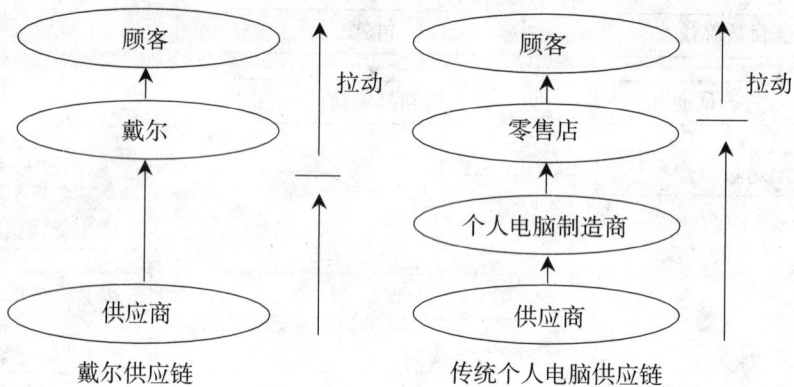

图 8-7 戴尔公司与传统计算机公司的销售比较

1. 电子商务对个人计算机行业收入的影响

戴尔公司在互联网上销售个人计算机，对收入造成的不利影响主要是顾客不愿意等 5～10 天才收到其个人计算机。然而，个人计算机的购买一般是有计划的，所以大多数顾客还是愿意等待产品的递送。如果顾客在挑选计算机时需要大量的帮助，在这一点上戴尔公司也具有吸引力。然而，乐于自主挑选个人计算机并愿意等待递送的顾客群毕竟是大多数，戴尔公司和个人计算机制造商的网上销售应以这一消费群体为目标。

戴尔公司能够抓住电子商务所提供的大多数提高收入的机会。公司通过互联网提供大量不同型号的计算机，以增加收入。顾客可以选择推荐的计算机型号，也可以选择所需的程序处理器、存储条、硬盘驱动器及其他零部件。运用个性化策略，戴尔公司能提供与顾客具体要求相近的产品来满足顾客需求。个性化方案很容易在互联网上实施，戴尔公司也很看重这种选择方式的顾客，还建立个性化的网页以方便顾客发送订单。

戴尔公司充分运用互联网，以更快的速度将新产品投放市场，以吸引那些不惜高价追求最新技术革新的顾客，从而为公司增加收入。个人计算机的生命周期短，一般只有几个月，并且，不同个人计算机制造商的产品由于零部件的相同往往具有可替代性。因此，像戴尔这样的公司通过迅速开发最新产品，可以获取高额利润，直到竞争性产品上市为止。通过分销商、零售商销售产品的竞争对手，在产品到达顾客之前必须首先充实所有零售店的货架。相反，只要最新个人计算机模型一组装出来，戴尔公司就可以在互联网上迅速向顾客推介。因此，新的零部件一经问世，戴尔公司马上就能够向顾客提供装有新配件的计算机。而通过分销商和零售商销售产品的个人计算机制造商，其推陈出新的速度比戴尔公司要慢得多。

尽管戴尔公司无法在反应速度上与拥有计算机库存的零售商竞争，但在向顾客提供个性化计算机方面，它仍然是速度最快的公司之一。如果戴尔公司能够将反馈时间缩短几天，那么它就能吸引更多的时间敏感型顾客。公司已经设计出一套产品和组装线流程，顾客订单一到，即可将个性化零部件组装成计算机。如果由电子商务支撑的顾客与公司之间的直接联系不存在，戴尔公司的反应速度就会放慢，也就不可能推出其个性化产品服务。

戴尔公司还利用互联网提供的弹性价格来增加收入。戴尔公司的销售人员每天根据零部件的供需情况调整价格，以现有资源实现公司利润最大化。此外，有些零部件的库存过剩，公司便将含有这种零部件的计算机降价，以刺激销售。

通过互联网向顾客直销个人计算机，戴尔公司无须与分销商和零售商分享利润，从而提高自身的利润。互联网使戴尔公司的顾客能够在一天中的任一时刻发出订单，戴尔公司也通过呼叫中心向顾客提供 24 小时服务。而且，互联网通过减少所需的工作人员，使提供服务的价格更低；相比之下，计算机专卖店每天的经营成本却很高。

通过互联网，戴尔公司在个人计算机售出后几天内就可收回货款。而戴尔公司却用传统支付方式向供应商付款，一般在一定期限内支付（如 30 天）。考虑到戴尔公司库存水平较低，流动资本为负数时，戴尔公司依然能够维持运营，因为其收回个人计算机货款的时间要比向供应商支付零部件贷款的时间早 5 天左右。而包括分销商和零售商的个人计算机供应链则几乎不可能达到这一效果。

2. 电子商务对于个人计算机行业成本的影响

（1）库存成本。电子商务使戴尔公司可以在少数几个地点集中布局仓储设施，从而减少库存量。每一家计算机连锁店必须保有库存，而戴尔公司只需将所有库存集中在少数几个地方即可。然而像个人计算机这样的产品，其空间集中的收益是有限的，因为在东海岸畅销的产品在西海岸很可能同样畅销。因此，不同区域的个人计算机需求往往是紧密联系的。所以，空间集中的收益对于戴尔这样的电子商务公司而言是比较小的。

顾客网上订单一到，公司就立即进行组装，从而免去了大量库存成本。因此，电子商务真正的益处在于降低了库存。戴尔公司这样来设计其产品和组装线，以便个性化零部件能够在很短的时间内组装完毕，这使戴尔公司能够推迟组装，直至顾客订单到达。所以，公司就能够以通用零部件的形式保有库存，延迟组装策略及以通用零部件形式保有库存的策略，使戴尔公司能够大幅度减少库存成本。对于需求难以预测的最新个人计算机，戴尔公司重点实施延迟策略，从而实现利润最大化。

相比之下，通过分销商和零售商销售产品的个人计算机制造商则很难实施延迟策略。所以，传统的个人计算机制造商往往会出现滞销型号的计算机库存有余，而畅销型号的计算机却无货。相反，戴尔公司在实现供需匹配方面做得更好。

电子商务通过供应链内公司之间的信息共享，使库存降低，从而缓解牛鞭效应。如戴尔公司的供应链运用电子商务，大幅度降低了成本，提高了运营业绩。

（2）设施成本。运用电子商务后，戴尔公司无须实体的分销和零售机构，所以其供应链能够降低设施成本。戴尔公司只需支付生产设备成本和零部件仓库成本。而通过零售店销售个人计算机的供应链必须支付分销仓库与零售店的设施成本。

电子商务使戴尔公司能够利用顾客参与订单发送，降低管理设施成本。戴尔公司节省了设置呼叫中心代表的成本，因为顾客在网上发送订单时就完成了这一系列的工作。考虑到网上发出订单和接到订货之间的时间差，戴尔公司个人计算机的生产速度比订单发出的速度更加平稳，从而降低了工厂的生产成本。

（3）运输成本。与通过分销商和零售商销售产品的个人计算机供应链相比，采用电子商务后，戴尔公司供应链的运输总成本更高。因为戴尔公司从工厂向顾客逐个运送个人计算机；而通过分销商和零售商销售产品的制造商，则用卡车将计算机大批量运至仓库和零售店。因此，戴尔公司的外生运输成本较高，但与个人计算机的销价而言，外生运输成本还是比较低的，一般只占到其价格的2%～3%，因而对总成本并没有太大影响。

3. 电子商务对戴尔公司经营业绩的影响

如下表所示，电子商务极大地提高了戴尔公司的经营业绩。使股东们高兴的是，戴尔公司抓住了利用互联网提高业绩的每一个机会。如果任何个人计算机制造商都允许运用电子商务，那么在下列提高业绩的因素中，最关键的因素就是：直到订单发出才组装计算机的延迟策略（即按订单生产）、延缓产品的差异化策略、采用通用零部件策略。

电子商务应用的绩效

因　素	影　响	基本原因
收入	上升	向顾客直销 弹性定价 产品的多品种和个性化 快速开发新产品 顾客订购产品的快速递送
库存成本	下降	通过延迟策略和零部件的通用性集中库存 空间集中 信息共享
设施成本	下降	没有零售店 顾客参与订单发送
运输成本	上升	较高的外生运输成本

4. 电子商务对传统个人计算机制造商的影响

乍一看，似乎戴尔公司通过先订购后组装的方式最适合利用电子商务的价值；而一项细心的研究表明，通过分销商和零售商销售产品的传统个人计算机制造商，也可以从电子商务中获利。个人计算机制造商应该利用电子商务销售那些需求很难预测的新产品或个性化计算机，而用常规渠道销售那些需求容易预测的标准化产品。制造商应该在网上推介新产品，随着这些产品需求量的递增，再将其销售转移至零售渠道。这样，制造商就能够通过集中所有高变动性产品的生产并满足网上需求来降低库存水平。这类产品应该尽量使用通用零部件，按照先订购再组装的方式进行生产；标准产品则采用较长的供货期，以较低的成本进行生产。利用分销商和零售店销售标准化产品，可以节约供应链的运输成本，尤其适合于低成本型号的计算机产品。零售商可以参与电子商务，建立网络服务区，以方便顾客描述所选择的产品或订购尚无库存的标准化产品。对于传统个人计算机制造商来说，当务之急就是让零售商参与电子商务，以免损害现存销售关系网。

传统个人计算机制造商可以双管齐下，根据产品的不同特点，或通过电子商务销售，或采用传统零售与分销渠道，使两种方法优势互补、相得益彰。

【本章小结】

本章介绍了电子商务的概念、运行模式和产生的意义，指出它的产生对物流发展的巨大推动作用，最后解释了电子商务与配送的紧密联系，指出配送是实现电子商务的重要组成部分，同时电子商务影响配送模式的发展。

【关键术语和概念】

电子商务　EDI　B to C　网上订购　配送与电子商务

【思考与练习】

1. 电子商务应用有哪些影响因素？
2. 我国发展电子商务应注意哪些问题？
3. 配送在电子商务中的地位和作用如何？

【补充阅读】

1. 张铎等. 电子商务与现代物流. 北京：北京大学出版社，2002
2. 中国物资流通
3. 物流技术

9 现代配送中心的选址和设计

⦿**本章学习要点**

    1. 配送中心选址的程序是什么
    2. 建设配送中心有什么原则
    3. 怎样设计综合的配送中心
    4. 配送中心的内部如何规划

⦿**本章学习内容**

    1. 配送中心的选址
    2. 物流配送系统总体设计原则
    3. 配送中心的设计步骤
    4. 配送中心的内部布局及设施构造

⦿**本 章 案 例**
⦿**本 章 小 结**
⦿**关 键 术 语 和 概 念**
⦿**思 考 与 练 习**
⦿**补 充 阅 读**

9.1 配送中心的选址

    配送中心的选址，应符合城市规划和商品储存安全的要求，适应商品的合理流向，交通便利，具有良好的运输条件、区域环境和地形、地质条件，具备给水、排水、供电、道路、通讯等基础设施。特别是大型配送中心，应具备大型集装箱运输车辆进出的条件，包括附近的桥梁和道路。配送中心一般都选址在环状公路与干线公路或者铁路的交会点附近，并充分考虑商品运输的区域化、合理化。此外还应分析

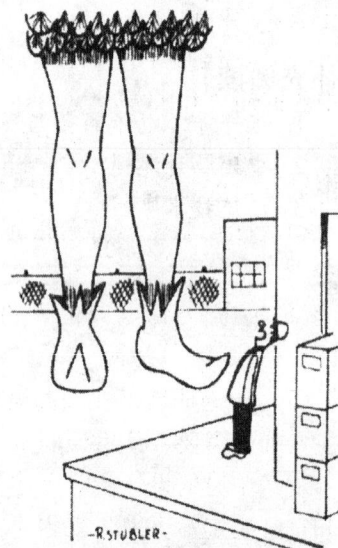

—R.STUBLER—

很抱歉，你得走了，我们采用了自动化
高层提货系统

图 9－1 机械替代人

服务对象，例如，连锁超市公司的门店目前分布情况和将来布局的预测以及配送区域范围。往往先初定若干个候选地点，然后采用数值分析法和重心法，谋求配送成本最低的地点。

在考虑配送中心地址的时候，应按照表9－1所示的程序进行。

表 9 - 1　选择配送中心地址的程序

序　列	项　　目	详细工作内容
1	收集整理历史资料	制定物流系统的基本计划，物流系统的现状分析
2	地址筛选	地图、地价、业务量、费用、配送路线、设施现状的分析及需求预测，单一物流设施：数理解法及重心法
3	定量分析	多种物流设施：启发式方法，各类模型，线性运输法
4	复　查	选择制约因素：地理、地形、地价、环境、交通、劳动条件、法律条件
5	确　定	评价：市场适应性、购置土地、服务质量、总费用、商流、物流设施

9.1.1　基本条件

选址时，事先要明确建立配送中心的必要性、目的及方针，明确配送区域的范围。另外，根据所确定的下述条件，可以大大缩小选址的范围。

（1）需要条件。包括作为配送中心的服务对象——顾客的现在分布情况及未来分布情况的预测、货物作业量的增长率及配送区域的范围。

（2）运输条件。应靠近铁路货运站、港口和公共卡车终点站等运输据点，同时，也应靠近运输业者的办公地点。

（3）配送服务的条件。向顾客报告到货时间、发送频度，根据供货时间计算从顾客到配送中心的距离和服务范围。

（4）用地条件。是利用配送中心现有的土地还是重新取得地皮，如是后者，要确定地价有多贵，地价允许范围内的用地分布情况如何。

（5）法规制度。根据指定用地区域等法制规定，有哪些地区不允许建设仓库和配送中心。

（6）管理与情报职能条件。配送中心是否要求靠近本公司的营业、管理和计算机等部门。

（7）流通职能条件。商流职能与物流职能是否要分开？配送中心是否也附有流通加工的职能？如果需要，从保证职工人数和通勤的方便出发，要不要限定配送中心的选址范围？

配送中心的设计者对上述各项条件必须进行充分详尽的研究。在某些条件下，设施的规模和选址决定不下来，就得不出最终结论。但是，配送中心的地点一定要选择得令人满意。这就要把各种条件排列对比，描绘在地图上，经过反复研究，再圈定选址的范围和候选地址。

9.1.2　配送中心选址的信息分析

配送中心选择地址的方法，一般是通过成本计算，也就是将运输费用、配送费用及物流设施费用模型化，采用约束条件及目标函数建立数学公式，从中寻求费用最小的方案。但是，采用这种选择方法寻求最优的选址时，必须对业务量和生产成本进行正确的分析和判断。

1. 掌握业务量

配送中心选址时，应掌握的业务量包括如下内容：

（1）工厂至配送中心之间的运输量。

（2）向顾客配送的货物数量。

（3）配送中心保管的数量。

（4）配送路线的业务量。

由于这些数量在不同时期、不同周、不同月、不同季节等期间均有种种波动，因此，要对所采用的数据进行研究。另外，除了对现状的各项数值进行分析外，还必须确定设施使用后的预测数值。

2. 掌握费用

配送中心选址时，应掌握的费用如下：

（1）工厂至配送中心之间的运输费。

（2）配送中心至顾客间的配送费。

（3）与设施、土地有关的费用及人工费、业务费等。

由于（1）和（2）两项费用随着业务量和运送距离的变化而变动，因此，必须对每一吨公里的费用进行分析（成本分析）。第（3）项包括可变费用和固定费用，最好根据其总和进行成本分析。

3. 其他

用缩尺地图表示顾客的位置、现有设施的配置方位及工厂的位置，并整理各候选地址的配送路线及距离等资料。对必备的车辆数、作业人员数、装卸方式、装卸机械费用等进行分析。

9.1.3 配送中心选址的方法

现代物流配送中心选择地址的方法，可分为单一配送中心的选址和多个配送中心有机配合使用时多个地址的选择方法。两种方法略有不同。而在制定基本计划时，若尚未确定配送中心，采用单一设施或配置多个设施时，用以下方法对其分别计算，进行全部费用比较，选取最优方案。

1. 单一选址方法

单一选址是指一个配送中心对应多个固定重要客户的选址，其方法如下：

（1）数值分析法。是由坐标和费用函数求出由配送中心至顾客之间配送成本最小地点的方法。若收货单位（顾客）是两个以上，所选择的配送中心应该位于可使运输费为最低的地方。

（2）重心选址法。不是参照数值解析进行计算，而是使用简单的试验器具，求得地址位置的方法，具体方法如下（如图9-2所示）：

①在平板上放一幅缩尺地图，并画出各个重要所在地点，在各点上分别穿一个孔。

②用一定长度的细绳，分别在末端拴上一个小锤。每个小锤的重量比例，按顾客需要量换算求得。

③用手掌把绳结托起，然后让它们自由落体。

④这样反复实施，将落下点比较稳定处作为合适的选址点。

但是，这种方法对于用地的现实性和候选位置点均缺乏全面考虑。例如，最适当的选址点可能是车站、公园等，但就是不能开着送货车进入其中或穿行。此时，可以在其近处作为可以实现的场址点，可以在其附近选定几个现实的候补场址，再把各候补选址点代入前述的数值解析法中，在分析成本的同时进行求解。

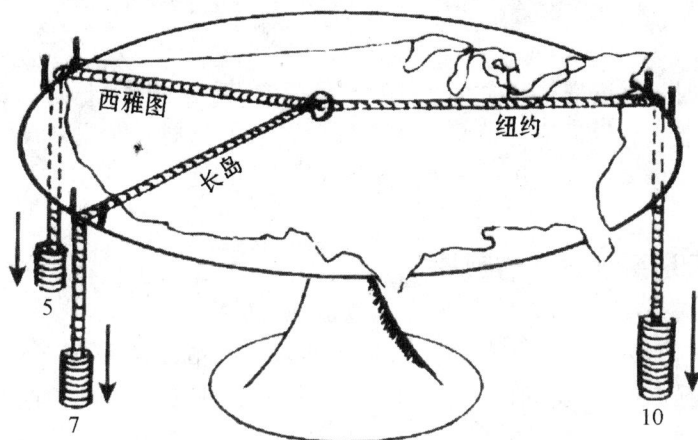

图9-2　重心选址法

2. 多址选址法

多个配送中心地址选择常用启发式方法来确定。启发式方法的程序见表9-1。

因此，现代物流配送中心选址时，必须清楚选址的基本条件，收集所需数据。

9.2　物流配送系统总体设计原则

配送中心的建设是一项规模大、投资额高、涉及面广的系统工程。要建造一个高效率、高服务水平的现代化配送中心，配送系统设计乃是成败的关键。

9.2.1　配送中心的设计原则

配送中心一旦建成就很难再改变，所以，在规划设计时，必须切实掌握以下四项基本设计原则：

1. 系统工程原则

配送中心的工作，包括收验货、搬运、储存、装卸、分拣、配货、送货信息处理以及供应商、连锁商场等店铺的连接，如何使它们之间十分均衡、协调地运转，是极为重要的。其关键是做好物流量的分析和预测，把握住物流的最合理流程。由于运输的线路和物流据点交织成网络，配送中心的选址也非常重要。在下面的内容中我们将详细介绍有关选址、流程合理化等具体相关内容。

2. 价值工程原则

在激烈的市场竞争中，对配送的准点及时和缺货率低等方面的要求越来越高；在满足服务高质量的同时，又必须考虑物流成本。特别是建造配送中心耗资巨大，必须对建设项目进行可行性研究，并作多个方案的技术、经济比较，以求最大的企业效益和社会效益。

3. 尽量实现工艺、设备、管理科学化的原则

近年来，配送中心均广泛采用电子计算机进行物流管理和信息处理，大大加速了商品的流转，提高了经济效益和现代化管理水平。同时，要合理地选择、组织、使用各种先进物流机械化、自动化设备，以充分发挥配送中心多功能、高效率的特点。

4. 发展的原则

规划配送中心时，无论是建筑物、信息处理系统的设计，还是机械设备的选择，都要考虑到有较强的应变能力，以适应物流量扩大、经营范围的拓展。在规划设计第一期工程时，应将第二期工程纳入总体规划，并充分考虑到扩建时业务工作的需要。

9.2.2 物流分析是系统设计的前提

在设计、建设一个配送中心之前，都要对物流现况进行详尽的分析。

(1) 要普查物流的对象。例如，商品的包装形态（纸箱、木箱等），商品的单件包装重量以及外形尺寸的最大值、最小值、平均值，根据每一品种的出库量、库存量分项进行 ABC 分析（下面我们会详细介绍各类方法在物流管理中的运用）。如图 9-3 所示。

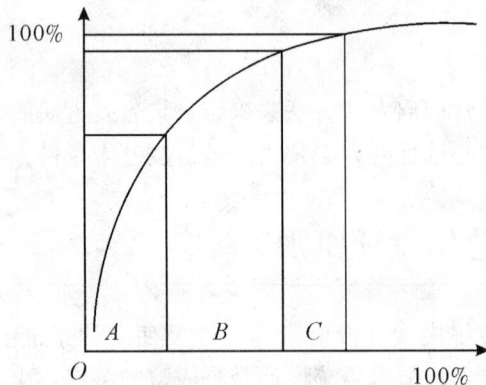

图 9-3 ABC 分析图

图 9-3 是某配送中心的实例。A 是品种数占 20% 的商品，处理量占 60%，是高周转率商品；B 占品种数的 40%，处理量占 30%，属于中周转率商品；C 占品种数的 40%，处理量仅占 10%。A 类商品大多库存量较大，且收货、出货、配货均为以托盘为单位的连续作业和大量搬运，故使用叉车最为有效，而保管时可在库内直接堆放；B 类商品属于中批量商品，库存期比 A 类长，须加强日期管理，先进先出，采用立体货架进行储存；C 类商品一般库存仅数箱，为了确保保管效率，往往采用重力式货架最为合理。

(2) 对配送中心的物流量进行分析和预测。配送中心规模的确定取决于物流量的大小，所以调查必须抓住这个重点，包括物流量的最大值、最小值和平均值，查明年间、月间、日间的变化情况。在调查清楚物流量变化的基础上，要科学地分析和预测将来的物流量，它是

配送中心设计的重要依据。预测内容通常包括从运营之日起，六年内物流量的逐年变化情况，如品种、数量、周转率以及使用物流量发生变化的各种因素。

（3）对物流信息处理情况进行调查。要了解配送中心订货、库存、分拣、配送等物流管理信息的处理，信息的网络形式，目前信息处理中存在的问题等。

（4）对配送中心作业的内容进行调查。作业内容包括验货的内容、所需时间、验货标准等，作业流程中包装材料和种类，商品托盘堆码图谱、堆码方案、配货方法、配货量、作业表，分拣的到站数、分拣量以及分拣后的处理（装托盘、笼车等）。

（5）考查入出货的条件。包括供货商、供货方式、送货车辆（吨数、每天车辆数），每天、每小时的进货件数、品种数的最大值、平均值，商品形态（以托盘为单位、以箱为单位、以盒为单位各占的百分比），收货店铺数、配送车辆（吨数、每天车辆数次）、配送量，品种的最大值、平均值，配送要求（紧急发货量所占百分比）等。

（6）对商品的保管形态进行研究。特别是设计高层货架以及自动化立体仓库时，必须事先确定托盘上商品的堆垛尺寸（长、宽、高）等。而确定最佳货架尺寸必须考虑影响货架尺寸的直接因素和间接因素，如图9-4所示。

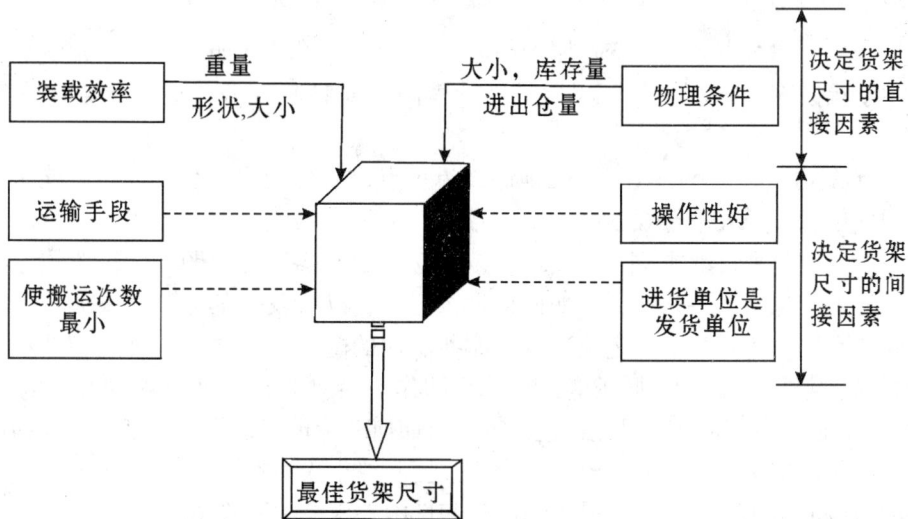

图9-4　决定货架尺寸的各种因素

在此基础上研究货架的空间利用率、搬动的次数、运输的手段等。如选择托盘最佳尺寸时应从以下6个方面进行考查：①装载效率。根据每种商品的形态、尺寸研究用怎样的托盘尺寸（平面尺寸、高度）效率最高。②入出库的批数。入库（包括生产批数）、出库批数及其大小。③运输条件。从工厂用卡车及配送车辆的装载运输效率。④防止商品倒塌的措施。⑤操作条件。如根据配货等作业要求，对高度和大小的限制。⑥已有托盘的尺寸和数量。研究如何有效利用。

（7）规划配送中心总物流量流程图。它是在对物流过程中的上述6项进行充分调研后，得到的物流分析成果。

在对配送中心进行了各项数据的调查和分析后，即可进入下一个阶段，即对建设配送中心立项。

9.3 配送中心设计步骤

配送中心的建设是一项投资相当大的系统工程。要作出建设一个配送中心的决策，项目的立项工作极为重要，必须经过"明确目标"、"决定系统范围"、"研究经济和技术可行性"、"编制实施计划"和"研究整个物流系统"几个步骤。

9.3.1 建设配送中心的项目立项

（1）新建一个配送中心必须有其动因，一般包括以下几项：

①容量不足。企业经营规模不断拓展，经营的商品量、品种数增加，现有人员、设备及设施能力不足，造成处理能力差，无法迅速、及时地完成每天的作业，需经常加班加点；因土地、建筑物面积不足，导致配送中心没有发展余地。

②据点分散。自设仓库分散，规模小，交通量大，运输效率不高。

③设备陈旧。建筑物陈旧，维持费用昂贵；物流系统陈旧落后，无法适应流通活动的发展和变化。

④环境变化。如城市规划改变，原配中心地点需要迁移；又如，出货单元由整托盘向整箱，以及由整箱向零散的盒变化，小批量、拆零的倾向日趋强烈，迫切希望物流实施得到改善。

（2）由于配送中心是集约化、多功能的物流据点，系统极为复杂，各子系统间的协调尤为重要。因此单凭一个人进行规划是非常困难的，必须把物流、信息、建筑设计以及其他各个方面的专家会聚起来，形成一个开发班子，研究大量的实质性问题，为企业领导的决策提供依据。研究内容包括以下几项：①如何根据企业经营规模发展的近期、中期规划，建立企业的物流系统和网络体系。②确定建造具备哪些功能的配送中心。③选址在何处，其优点和不足之处如何。④如何改善作业环境，减轻装卸作业劳动强度，实现机械化。⑤如何实现100%的质量保证。⑥如何保证误配送达到零。⑦如何减少单据，实现无纸化。⑧如何提高结算能力。⑨如何使配送中心的物流流程更合理、更科学。⑩如何降低物流成本。⑪如何增强配送中心的适应能力和应变能力。⑫如何满足配送中心规模进一步拓展的需要。

应该指出，规划工作的定量化，是保证上述要求、目标实现的关键。同时，对各项目标都应按照不同的需求程度排列起来，对那些可能是相互矛盾的目标不可能百分之百地全部满足，这就需要优化目标，从而选定最佳方案。

（3）要切实研究新建配送中心在整个物流系统中处于什么样的位置，对实现各项功能所采取的手段和措施予以比较、选择。

（4）投资计划的确定。应从物流成本的角度来确定配送中心的投资规模是否合理。例如，要根据企业经营的总销售额发展指标，研究与之相应的建设投资规模的范围。同时，还要测算配送中心启动后的维持费用究竟需要多少，这个费用占整个物流成本的比重为多大，对企业经营和效益带来的影响如何，企业是否能够长期承受。

总之，配送中心建设项目的立项，是企业、特别是连锁商业企业经营战略决策的重要组成部分。

9.3.2 配送中心总体规模的确定

配送中心的总体设计是在物流系统设计的基础上进行的。由于配送中心具有收货验货、库存保管、拣选分拣、流通加工、信息处理以及采购组织货源等多种功能，因此配送中心的总体设计首先要确定总体规模。进行总体设计时，要根据业务量、业务性质、内容、作业要求确定总体规模。

1. 预测物流量

物流量预测包括历年业务经营的大量原始数据分析，以及根据企业发展的规划和目标进行的预测。在确定配送中心的能力时，要考虑商品的库存周转率、最大库存水平。我们通常以备齐商品的品种作为前提，根据商品数量的 ABC 分析，做到 A 类商品备齐率为 100%，B 类商品为 95%，C 类商品为 90%，由此来研究、确定配送中心的平均储存量和最大储存量。

2. 确定单位面积的作业量定额

根据规范和经验，可确定单位面积的作业量定额，从而确定各项物流活动所需的作业场所面积。例如，储存型仓库比流通型仓库的保管效率高，即使使用叉车托盘作业，储存型仓库的走支道面积占仓库面积的 30% 以下，而流通型仓库往往要占到 50%。同时，应避免一味追求储存率高而造成理货场堵塞、作业混杂等现象，以致无法达到配送中心要求周转快、出货迅速的目标。根据实践经验，配送中心各作业区的单位面积作业量定额如表 9 - 2 所示。

表 9 - 2　配送中心各类作业区作业量定额分布

作业区名称	单位面积作业量（吨/平方米）
收货验货作业区	0.2 ~ 0.3
分拣作业区	0.2 ~ 0.3
储存保管作业区	0.7 ~ 0.9
配送理货作业区	0.2 ~ 0.3

3. 确定配送中心的占地面积

一般来说，辅助生产建筑的面积为配送中心建筑面积的 5% ~ 8%；另外还得考虑办公、生活用户建筑面积，一般为配送中心的 5% 左右。于是，配送中心总的建筑面积便可大体确定。再根据城市规划部门对建筑覆盖率和建筑容积率的规定，可基本上估算出配送中心的占地面积。

9.3.3　制定配送中心建设的细目计划

细目计划是根据基本计划确定的方案。它是编制具体实施条目和有关设备型号及细部的计划。细目计划应研究的内容主要包括以下几点：①装卸、搬运用的容器尺寸和形状。②装卸、搬运用的容器和设备规模。③保管用的容器和设备规格。④确定保管、搬运、装卸用的辅助机器。⑤特殊车辆用的辅助机器。⑥装卸车辆用的辅助机器。⑦配送中心内部作业场所的详细配置。⑧机器、设备的配置方案。⑨各类商品的保管场所。⑩作业能力的配置和使用方法。⑪事务处理、情报处理的附属设备的规格和数量。

9.4 配送中心的内部布局及设施构造

配送中心的设计，必须具有与装卸、搬运、保管等活动完全适应的作业性质和功能，能灵活适应作业量的变化和商品形状的变化，满足管理的要求，提高经济效益。具体要求如下：①等待卸货或装货的运输工具和雇员停车场。②为仓库设施服务的每种运输方式的接货和装载设施。③为入库和出库货物的分阶段、临时性储存空间。④办公用地，包括计算机设施区。⑤雇员的洗漱间、餐厅等。⑥货板储存和维修设施（一个大型的配送设施可以接受非货板装材料，但以货板形式运输时，也需要货板装配运作）。⑦等待承运人索赔代表前来检查的储存损坏货物的空间。⑧存放垃圾或者维修损坏货物的空间。⑨进行物品再包装、贴标签和定价等的空间。⑩对废物和边角料进行堆积和打包的地方。⑪设备储存和维修的地方。例如，电动叉车必须隔夜进行充电。⑫对危险品、高价值物品、仓库设备或者货物所需要的其他专门的搬运设备的储存空间（如冷冻或者制冷空间）。⑬一个退货或者回收货物加工区。

总之，只有对上述这些要求从空间需求和布局方面加以仔细分析，才能对配送中心的内部布局及设施构造进行设计。

9.4.1 配送中心内部设计

1. 商品数量分析

首先要对不同品种的商品数量进行分析。制定配送中心设计规划时，"以何种产品，多大的作业量为对象"是确定实施计划的前提条件。为此，通常按照如下顺序分析：①对商品的类别，按照商品出、入库的顺序进行整理，同时还按照类似的货物流加以分组；②确定不同种类商品的作业量；③以作业量的大小为顺序制作坐标图，图中横轴为种类，纵轴为数量。根据曲线图分析：曲线斜度大的区间商品品种少、数量大，是流通快的商品群；曲线倾斜缓慢的区间商品品种多、数量少，是流通慢的商品群。

2. 进行物流分析

按照全面分析的作业量和出、入库次数等资料，编制产品流程的基本计划（产品在配送中心内部的流程在其他章节中有详细介绍）。也就是按照作业设施的不同表示流程路线图，同时计入货物数量比率。

3. 进行设施的关联性分析

在制定设计计划时，通常把作为设计对象的设施及评价项目总称为业务活动。所以，业务活动除了建筑物内的收货场所、保管场所、流通加工场所及配送场所等设施外，还包括事务所、土地利用情况及道路等。在这些设施中，关联密切的设施应相互靠近进行配置。

关于业务活动分析的顺序如下：

（1）列举必要的设施。除了正门、事务所、绿化地、杂品仓库、退货处理场所、福利保健场所等外，还有配送中心的建筑物及其具体的各项内部设施，都要列举出来。

（2）业务活动相互关系表。对上述各项业务活动，应作靠近性分析。所谓靠近性分析，是指不仅要研究产品的流程，还要研究作业人员的管理范围，以及卡车的出入和货物装卸系统等，从不同角度进行合理性的判断。

（3）业务活动线路图。关于各个业务活动相互位置的关系，根据前项评价的结果进行一般的设计。

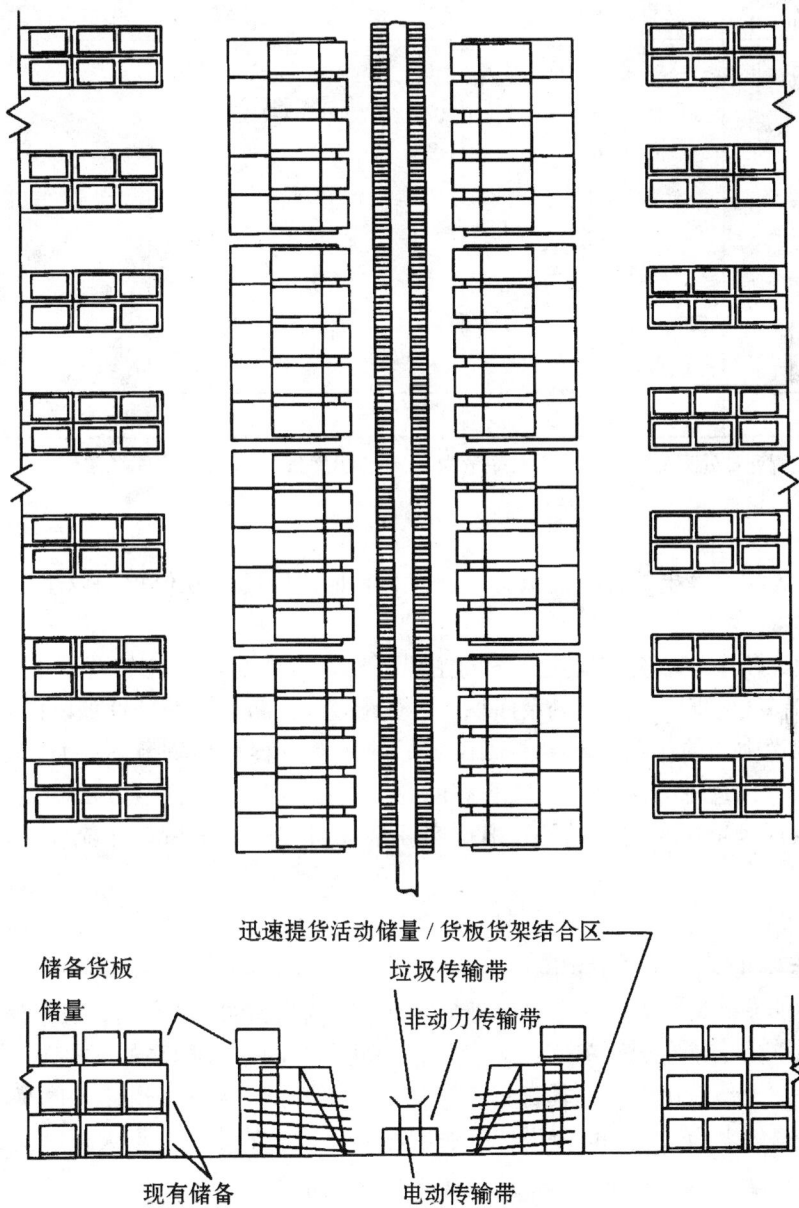

图 9 - 5　一个配送中心的布局（侧面和顶部图）

4. 设施面积的确定

按照上述方法确定出设施关联方案后，再计算这些设施需要的面积。其面积是按照作业量计算的，根据经验确定的单位面积作业量为：①保管设施（库存剩余货物量）：1 吨/平方米；②处理货物的其他设施：0.2 吨/平方米。

一般而言，每日处理货物 50 吨的小规模配送中心，其面积及作业量的计算如表 9 - 3 所示。

表 9 - 3　配送中心面积与作业量的计算

设施名称	每日作业量（吨）	单位面积作业量（吨/平方米）	设施面积（平方米）
收货场所	25	0.2	125
验收场所	(25)	收货兼验收	
分类场所	15	0.2	75
保管场所	35	1.0	35
流通加工场所	2.5	0.2	12.5
特殊商品存放场所	2.5	0.2	12.5
配送场所	2.5	0.2	125
事务所			30
合　计			415

说明：本表所列日处理货物量定义为入库量为 25 吨，出库量为 25 吨，仓库经常储备定义为 7 天的需要量（1 吨/日）。

按照上述方法计算出的各项设施的面积，和它们之间的相互位置加以组合，则可制定出基本的设计方案。

上述的设计顺序，是确定配置方案的主要因素，可能是数据化的合理设计方法。此外，还要根据装卸路线、保管场所、剩余面积、人员配置、经济效益等条件加以详细研究、设计。

另外，配送中心的作业，不可能像在工厂的作业过程那样划分得很详细，往往一些设施是兼用的，只用理论方法无法解决所有问题。所以，在采用科学方法确定设计方案的同时，还要听取现场工作人员的意见，根据实际情况研究、修正后，才能确定出最优的设计方案。

9.4.2　配送中心内车流的布置

配送中心的车流量很大。一个日处理量达 10 万箱商品的配送中心，每天的车流量达 250 辆次；而实际上送货、发货的车辆，大多集中在几个时间带（即高峰时间）。如日本东京流通中心是一个超大型配送中心，其日车流量达 5 000 辆次。因此，道路、停车场地及车辆运行线路的设计显得尤为重要。可以说，配送中心总体设计的成败，很大程度上决定于车流规划合理与否。配送中心的设计必须包括"车辆行驶线路图"。

为了保证配送中心内车辆行驶秩序井然，一般采用"单向行驶、分门出入"的原则。不少配送中心还规定了大型卡车、中型卡车、乘用小车的出入口以及车辆行驶线路。配送中心内部的车道必须呈环状，不应出现尽端式回车场，并结合消防道路布置。

配送中心的主要道路宽度较大，通常为 4 车道，有的甚至为 6 车道；考虑到大型卡车、集装箱车的进出，最小转弯半径应不小于 15 米；车道均应为高级沥青路面，并标有白色界线、方向、速度等标记。

9.4.3 配送中心内部的设施构造

1. 建筑物

从装卸货物的效率看,配送中心的建筑物最好是平房建筑。而在城市,由于土地紧张和受地价的限制,采用多层建筑的情况较多。假若建造钢骨架的平房建筑物的建筑费为100元/平方米,则多层建筑物的建筑费标准大致如下:二层钢骨架建筑物的建筑费为150元/平方米,二层钢筋混凝土建筑物的建筑费为180元/平方米,三层钢骨架建筑物的建筑费为200元/平方米,三层钢筋混凝土建筑物的建筑费为240元/平方米,而建造4~7层钢骨架建筑物的费用为270元/平方米。对建筑费用影响较大的因素有地面负荷强度、天棚高度、立柱间隔距离等。另外,设施内部配置的保管机器、装卸机器的多少,也对建筑费用有较大的影响。

2. 地面负荷强度

拥有它们,工作起来真方便!

图9-6 设计的灵活性使工作变得更容易

地面负荷强度是由保管货物的种类、比重、货物堆垛高度和使用的装卸机械等决定的。一般地面负荷强度规定如下:①平房建筑物,平均每平方米负荷2.5~3吨。②多层建筑物:一层,平均每平方米负荷2.5~3吨;二层,平均每平方米负荷2~2.5吨;三层以上,平均每平方米负荷1.5~2吨。

多层建筑物中,二层以上的地面负荷是指通过建筑物墙体而由地基支撑的负荷。因而,随着建筑物层次的增多,各层地面所承载的能力是逐渐减小的。当然,在确定地面承受能力时,不仅要考虑地面上货物的重量,还要考虑所用机器工具的重量。例如,用叉车装卸作业时,也必须考虑叉车的重量。这时,在钢筋混凝土地面作业时,地面上平均每平方米的承载能力,应增加按下式计算的车轮荷重:

$$叉车的最大车轮荷重 = (货叉自重 + 装载货物重量) \times A \times B$$

式中,A 指装载货物时,平衡重型或伸长型叉车前面两个轮子所承受货物重量的比例,其差别不大，以货叉自重加载货物重量的 0.85 ~ 0.88 倍为宜；B 指另外加上 1.3 ~ 1.5 倍的货物短时间冲击力。

3. 天花板高度

天花板高度指在全部装满货物时，货物的计划堆放高度，或者说，是在考虑最下层货物所能承受的压力时，堆放货物的高度加上剩余空间的总高度。在有托盘作业时，还要考虑叉车的扬程高度及装卸货物的剩余高度。一般情况下，托盘货物的高度为 1 200 ~ 1 700 毫米，其中 1 300 ~ 1 400 毫米的高度最多。总之，天花板高度不能一概而论。通常平房建筑的天花板高度为 5.5 ~ 7 米；多层建筑物的天花板高度多数情况是：一层 5.5 ~ 6.5 米，二层 5 ~ 6 米，三层 5 ~ 5.5 米。

天花板高度对于建筑费用的影响很大，因此，事先要充分研究作业的种类和内容，确定好合理的天花板高度。

4. 立柱间隔距离

柱子间隔不当，会使作业效率和保管能力下降，因而要充分研究建筑物的构造及经济性，以求出适宜的柱子间隔距离。一般柱子间隔距离为 7 ~ 10 米（在建筑物前面可停放大型卡车两辆、小型卡车三辆）。

5. 建筑物的通道

通道是根据搬运方法、车辆出入频度和作业路线等确定的。建筑物内部通道的设置与内部设施的功能、效率、空间使用费等因素有关，所以，应根据货物的品种和批量的大小，以及所选定机器的出入频度和时间间隔等因素来决定通道的宽度和条数（有单向通道和往返通道两种）。通道配置的方案应在充分比较研究的基础上确定。

通道宽度的标准大致如下：①人 0.5 米；②手推车 1 米；③叉车（直角装载时）：重型平衡叉车 3.5 ~ 4 米，伸长货叉型叉车 2.5 ~ 3 米，侧面货叉型叉车 1.7 ~ 2 米。

6. 卡车停车场

通常，各种车辆都必须有停车场。车辆停止时占用的面积如下：

15 吨重托挂车	60 平方米	6 ~ 8 吨卡车	35 平方米
10 ~ 12 吨卡车	45 平方米	3 ~ 4 吨卡车	25 平方米

为使卡车作业时可以前进和后退，还必须留有空道。

（1）与站台或设施成直角停车（纵向）时：

车辆前方通道宽度 = 车体全长 × ［1 ÷ 车体宽 ÷（车体宽 + 与邻车距离）］+ a

一般相邻车的间隔距离为 0.5 ~ 1 米，a 表示剩余空间。

（2）与站台或设施平行停车（横向），用叉车进行托盘作业时：

车体侧面通道宽度 = 车体宽 + 叉车直角装载作业时通道宽度 + 一个托盘放置空间 + a

7. 其他的空间需求

除了货物的通过量空间，还需要为其他仓库作业提供空间。

【本章案例】

日本千里丘配送中心的设计与建设方案

企业名称：近畿可口可乐股份有限公司

配送中心名称：千里丘配送中心

业务内容：为大阪府中北部、兵库县东南部的广阔地域储存产品的物流中心，每年作业量达 1 000 万货箱。

设计理念

(1) 主要是为销售提供服务的物流系统，构建一流的物流服务水平。具体如下：

·缩短进货周期。　　·推行标准化物流。

·实现商品保鲜。　　·防止未进货、迟进货、缺货。

(2) 降低物流成本。其措施如下：

·使用自动化设备，实现了省力化。

·提高配送的作业效率，降低了物流成本。

·采用自动立体仓库，提高了空间利用率。

(3) 改善劳动环境。作业时间缩短，消除了高劳动强度、环境差、长时间的作业。

投资预算

投资金额：17.5 亿日元

建筑物：20.0 亿日元

主要设备：2.5 亿日元

辅助设备：2.5 亿日元

合　计：42.5 亿日元

主要概况

(1) 建筑概况：占地面积 19 357 平方米；建筑面积 8 849 平方米。(2) 厂区布置平面图。如图 9-7 所示。

①物流网络地域广阔。

·管辖地域：大阪府北部，兵库县东部。

·对应的结算单位：全国的连锁超市、大型超级市场、交通部门、小型零售店。

·配送点最大配送件数：约 7 650 件/次。

·平均每年作业量：约 650 万货箱，2005 年达到 1 000 万货箱。

②从进货到发货全部实现自动化。

③每天 24 小时作业，全年无休息日。

效果

(1) 是顾客满意率较高的物流系统。

·订、发货期间为 3~24 小时。

·为顾客提供新鲜商品（库存超过 60 天的商品自动停止发货）。

·有严格的配送管理制度，未进货、迟进货、缺货发生率不超过 5/100 000。

（2）实现了省力化，降低了物流成本。
·由于使用自动化设备，中心内部作业人员由43人减少为13人。
·由于提高了配送的作业效率，物流代理费用减少了20%。
·自动化立体仓库，提高了空间利用率，货位增加40%。

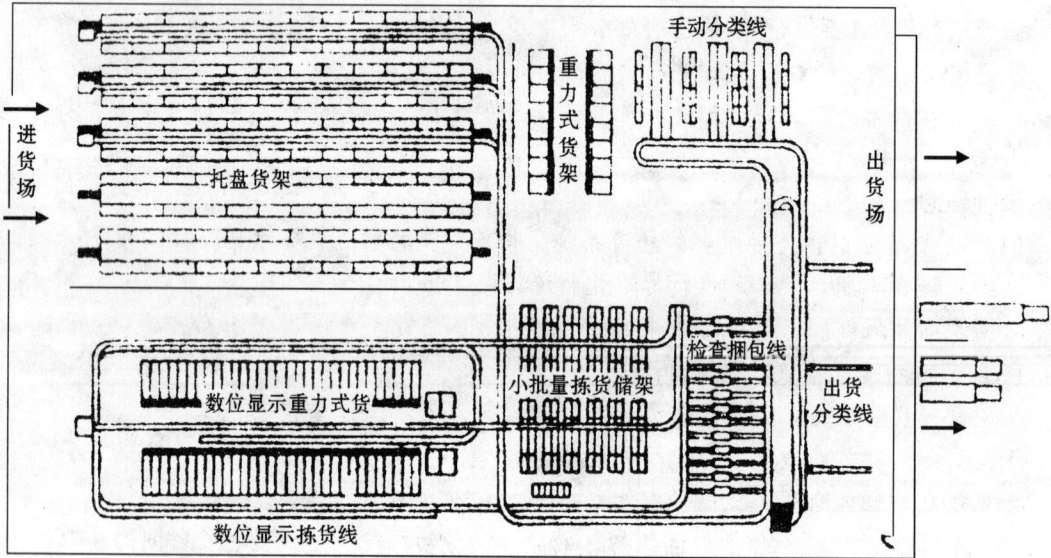

图9-7 日本千里丘配送中心厂区布置平面图

（3）改善了劳动环境。由于使用自动化设备，大幅度减少了货物在货位存放的时间，存放货物的时间由过去的90分钟减少为现在的5~10分钟。由于存货的自动化，缩短了作业时间，降低了劳动力，改善了作业环境。

建设规模

占地面积19 357平方米（含总部占地）；建筑面积8 849平方米。

各楼层的构成

仓库栋：1层为普通仓库，2层为自动仓库。

处理货物栋：1层为集货、发货场所，2层为货箱分拣场所，3层为更衣室，4层为接待室、办公室、会议室，5层为活动中心。

物流系统主要设备及作业能力

系统作业能力：1 600货箱/时。

单机设备及作业能力

自动仓库的设备，储存用货架1 500个，巷道起重机5台（137托盘/时）。

在库配送商品约有1 200个品种，尖峰出货置每天达185 000个包装单位的化妆品，为配合如此庞大的作业量，以提供高效率、优质的物流服务，作业系统采取自动信息控制与人工控制的弹性组合。以下是各拣货区域作业方式的概况。

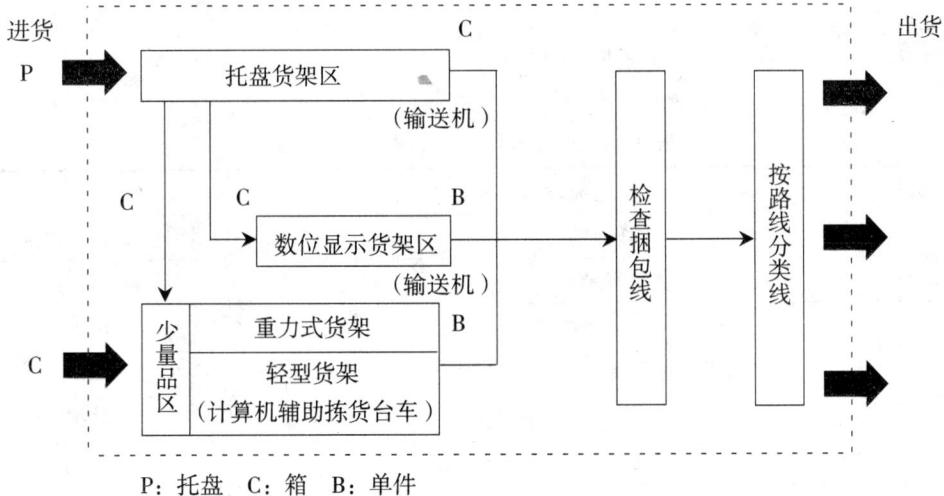

图9-8　日本千里丘配送中心分拣作业系统

1. 托盘储存货架拣货区——以箱为包装单位的拣货出库

将由工厂进货的整托盘商品以升降叉车放于托盘货架上保管,少量成批进货的商品保管于重力式货架上,大批订购的商品不经过储存保管,而是直接以箱为单位利用输送机送往出货区,同时也可以直接补货至数位显示货架拣货区内。这个区域采取事先将拣货商品及数量打在标签上,并将标签贴在商品上的方式指示拣货。

2. 数位显示货架拣货区——以单件为包装单位的拣货出库

商品置于重力式货架上,各类商品储位上装设有指示拣取数量的数字显示装置,作业人员在所负责的区域内依显示器上所指的数量拣取商品放入输送机上的篮子里,之后按下确认键,表示该商品已被拣取。当该区内所有需拣取商品完成,篮子就往下一个作业员负责的区域移动,最后拣完的篮子就被送往少批量货品拣货区,空纸箱由上层的输送机回收,送往捆包区。这一区域主要完成多品种、中少批量的拣货工作,采取按单份订单拣货和通过数位显示辅助拣货。

3. 少批量商品拣货区——以单件为包装单位的拣货出库

商品保管于轻型货架及重力式货架上,应用计算机辅助拣货台车拣货,拣货信息通过软盘输入拣货台车上的计算机,荧幕上显示货架布置及拣取位置的分布。拣货人员依荧幕指示至拣取位置拣取商品,扫读条形码,并依照各订单需求数量分别投入8个订单格位塑胶袋内。完成拣货的袋子,暂存于集货用的轻型储架上,等待上一区域内相对应订单拣货篮由输送机送达时,集中送到检查捆包区。这一区域负责拣取小批量、小体积商品,所以采用计算机辅助台车拣货。

托盘搬运设备:垂直搬运用的电梯2部(120托盘/时),有轨自动台车7辆(137托盘/时)。

货箱搬运设备:叉车3辆(125托盘/时),流动货箱216货位(2 000箱/时),伸缩式叉车1辆(2 500箱/时),转向式叉车1辆(1 500箱/时)。

日本千里丘配送中心在选定设备前用IQ曲线进行ABC分析,把品种及发货量分为A、B、C三个区段。A区段是少品种、大批量发货的区段;B区段是品种和发货批量适中,也是使用比较多的种类;C区段是多品种、小批量发货的区段。如果是少品种、大批量时,使用托盘储存在立体仓库,作业机械选用叉车;品种、批量适中时,选用叉车及旋转货架;如果

201

批量少时选用一般货架。

千里丘配送中心物流设备概况见表9-4。

表9-4　千里丘配送中心物流设备概况

编号	物流设备		数　量
1	托盘储存货架		1 688 储位
2	数位显示重力式货架		500 储位
3	少量品拣货轻型货架	补充用	600 储位
		拣货用	640 储位
		集货用	120 储位
4	计算机辅助拣货台车		9 台
5	少量品保管用重力式货架		288 储位
6	检查捆包线		12 条
7	出货路线分类线		8 条
8	手动分类线		9 条

资料来源：牛鱼龙. 世界物流经典案例. 深圳：海天出版社，2003

【本章小结】

本章从现代物流配送中心选址程序和规划设计的原则入手，详细地阐述了配送中心为何在规划设计之前要进行调查研究和可行性分析，介绍了如何规划设计配送中心的具体内部结构。

【关键术语和概念】

物流中心选址　规划设计　方案　评估　选择　预算　体系　系统计划　决策　效益

【思考与练习】

1. 配送中心选择的程序是什么？

2. 建设配送中心有什么原则？

3. 怎样设计综合配送中心？

4. 配送中心的内部如何规划？

【补充阅读】

1. 孙宏岭. 高效率配送中心的设计与经营. 北京：中国物资出版社，2002

2. Ronald H. Ballou. 企业物流管理——供应链的规划、组织和控制. 北京：机械工业出版社，2004

3. 森尼尔·乔普瑞. 供应链管理——战略、规划与运营. 北京：社会科学文献出版社，2003

10 现代物流配送中心的规划与战略

◉**本章学习要点**

    1. 配送规划有哪些层次

    2. 配送规划的主要内容有哪些

    3. 配送规划主要解决哪些问题

    4. 配送中心的战略布局有哪些

◉**本章学习内容**

    1. 配送中心规划

    2. 配送中心战略制定

◉**本 章 案 例**

◉**本 章 小 结**

◉**关 键 术 语 和 概 念**

◉**思 考 与 练 习**

◉**补 充 阅 读**

10.1 配送中心规划

10.1.1 规划层次

    物流配送规划试图回答做什么、何时做和如何做的问题，涉及三个层面：战略层面、策略层面和运作层面。它们之间的主要区别在于计划的时间跨度不同。战略规划（strategic planning）是长期的，时间跨度通常超过一年。策略规划（tactical planning）是中期的，一般短于一年。运作计划（operational planning）是短期决策，是每个小时或者每天都要频繁进行的决策。决策的重点在于如何利用战略性规划的物流渠道快速、有效地运送产品。

各个规划层次有不同的视角。由于时间跨度长，战略规划所使用的数据常常是不完整、不准确的。数据也可能经过平均，一般只要在合理范围内接近最优，就认为规划达到要求了。而在另一个极端，运作计划则要使用非常准确的数据，计划的方法应该既能处理大量数据，又能得出合理的计划。例如，我们的战略规划可能是整个企业的所有库存不超过一定的金额或者达到一定的库存周转率，而库存的运作计划却要求对每类产品分别管理。

因为物流配送战略规划可以用一般化的方法加以探讨，所以我们将主要关注战略规划。运作计划和策略性规划常常需要对具体问题作深入了解，还要根据具体问题采用特定方法。因此，我们将首先从物流规划的主要问题——设计整体物流配送系统开始。

10.1.2 规划的主要领域

配送中心规划的核心内容主要体现在，通过物流配送规划针对八个方面的关键问题作出安排，这些问题包括：①每个细分市场的服务要求是什么？②在供应链成员中，如何实现运作的集成？③什么样的供应链结构最能够使物流成本实现最小化，并提供具有竞争力的服务水平？④什么样的物流流动方式和技术能够在设施和设备方面的最佳投资水平条件下实现服务目标？⑤是否存在降低短期和长期运输成本的机会和方法？⑥制定什么样的库存管理程序能够更好地支持服务需求？⑦运用什么样的信息技术来实现物流运作的最大效率？⑧应如何组织资源来实现最佳的物流服务和运作目标？

物流规划所涉及的领域如图 10 - 1 所示。

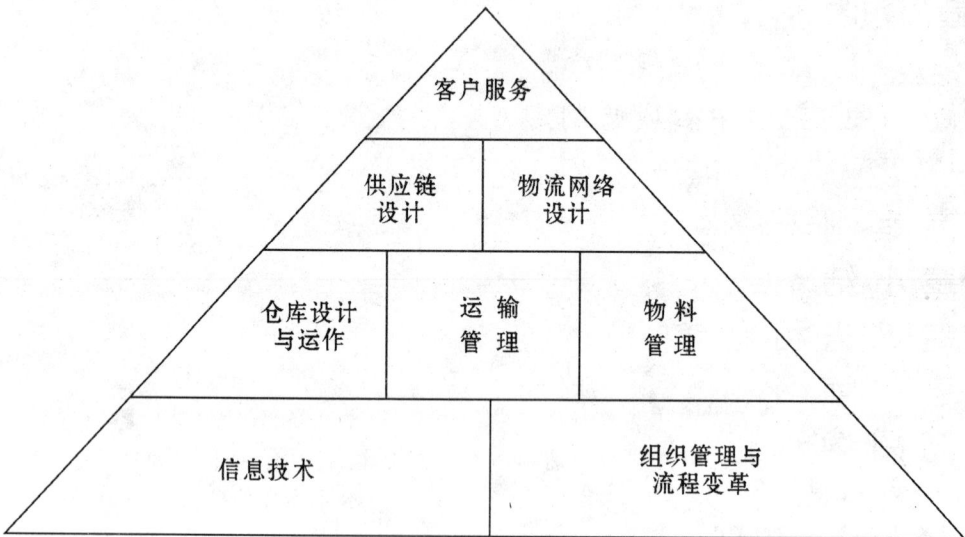

图 10 - 1　物流规划所涉及的领域

物流配送规划集中说明了应主要解决的四个问题：客户服务目标、设施选址战略、库存战略和运输战略，如图 10 - 2 所示。除了设定所需的客户服务目标以外（客户服务目标取决于其他三方面的战略设计），物流配送规划可以用物流决策三角形表示。这些领域是互相联系的，应该作为整体进行规划，虽然如此，分别进行规划的例子也并不少见。每一领域都会对系统设计有重要影响。

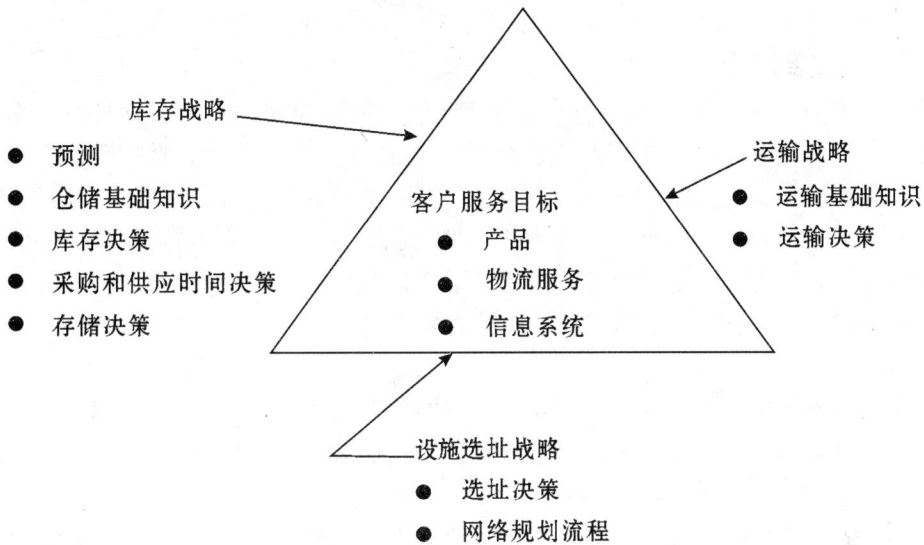

图 10 - 2 物流配送决策的三角关系

1. 客户服务目标

企业提供的客户服务水平比任何其他因素对系统设计的影响都要大。服务水平较低，可以在较少的存储地点集中存货，利用较廉价的运输方式。服务水平高则恰恰相反。但当服务水平接近上限时，物流成本的上升比服务水平上升更快。因此，物流战略规划的首要任务是确定适当的客户服务水平。

2. 设施选址战略

存储点及供货点的地理分布构成物流规划的基本框架。其内容主要包括确定设施的数量、地理位置、规模，并分配各设施所服务的市场范围，这样就确定了产品到市场之间的线路。好的设施选址应考虑所有的产品移动过程及相关成本，包括从工厂、供货商或港口经中途储存点然后到达客户所在地的产品移动过程及成本。通过不同的渠道来满足客户需求，如直接由工厂供货、供货商或港口供货，或经选定的存储点供货等，则会影响总的分拨成本。寻求成本最低的需求分配方案或利润最高的需求分配方案是选址战略的核心所在。

3. 库存战略

库存战略指管理库存的方式。将库存分配（推动）到储存点与通过补货自发拉动库存，代表着两种战略。其他方面的决策内容还包括，产品系列中的不同品种分别选在工厂、地区性仓库或基层仓库存放，以及运用各种方法来管理永久性存货的库存水平。由于企业采用的具体政策将影响设施选址决策，因此必须在物流战略规划中予以考虑。

4. 运输战略

运输战略包括运输方式、运输批量和运输时间以及路线的选择。这些决策受仓库与客户以及仓库与工厂之间距离的影响，反过来又会影响仓库选址决策。库存水平也会影响运输批量，进而影响运输决策。

客户服务目标、设施选址战略、库存战略和运输战略是规划的主要内容，因为这些决策都会影响企业的赢利能力、现金流和投资回报率。其中每个决策都与其他决策互相联系，规划时必须对彼此之间存在的悖反关系予以考虑。

10.1.3 规划的约束因素

规划过程中的第一个问题就是什么时候应该进行网络规划，或什么时候应该重新规划。如果当前还没有配送系统，如新企业或产品系列中的新品种，显然需要进行物流网络规划。然而，大多数情况下，物流配送系统已经存在，需要决定的是修改现有网络与继续运行旧有网络（尽管现有网络可能并非是最优的设计）孰是孰非的问题。在进行实际规划之前，我们对此无法给出明确的答案。但我们可以提出网络评估和审核的一般准则，这些准则包括五个核心方面：需求、客户服务、产品特征、物流成本和定价策略。

1. 需求

不仅需求的水平极大地影响着物流网络的结构，需求的地理分布也同样影响着物流网络的结构。通常，企业在国内某一个区域的销售会比其他区域的销售增长或下降得更快。虽然从整个系统的总需求水平来看，可能只要在当前设施的基础上略微进行扩建或压缩，然而，需求模式的巨大变化可能要求在需求增长较快的地区建造新的仓库或工厂，而在市场增长缓慢或萎缩的地区，则可能要关闭设施。每年几个百分点的异常增长，往往就足以说明需要对网络进行重新规划。

2. 客户服务

客户服务的内容很广，包括库存可得率、送货速度、订单履行的速度和准确性。随着客户服务水平的提高，与这些因素相关的成本会以更快的速率增长。因此，分拨成本受客户服务水平的影响很大，尤其是当客户服务水平已经很高时。

由于竞争的压力、政策的修改或主观确定的服务目标已不同于制定物流战略最初所依据的目标等原因，物流服务水平发生了改变，这时企业通常需要重新制定物流战略。但是，如果服务水平本身很低，变化的幅度也很小，也不一定需要重新规划物流战略。

3. 产品特征

物流成本受某些产品特征的影响很大，比如产品的重量、规格（体积）、价值和风险。在物流渠道中，类似的产品特征可以因包装设计或产品储运过程中的完工状态而发生改变。例如，将货物拆散运输可以极大地影响产品的重量—体积比和与之相关的运输及仓储费率。由于改变产品特征可以极大地改变物流组合中的某一项成本，而对其他各项成本影响很小，可能形成物流系统内新的成本平衡点。因此，当产品特征发生大的变化时，重新规划物流系统就可能是有益的。

4. 物流成本

企业实物供给、实物分拨过程中产生的成本往往决定着物流系统重新规划的频率。如果其他因素都相同，那么生产高价值产品（如机床或计算机）的企业由于物流成本在总成本中所占的比重很小，企业很可能并不关心物流战略是否优化。然而，对于像生产带包装的工业化产品和食品这样物流成本很高的企业，物流战略将是其关注的重点。由于物流成本很高，即使多次重构物流系统只带来少许改进，也会引起物流成本大幅度下降。

5. 定价策略

商品采购或销售的定价政策发生变化也会影响物流战略，主要是因为定价政策决定了买方或卖方是否承担某些物流活动的责任。供应商定价由出厂价格（不含运输成本）改为运到价格（含运输成本），一般意味着采购企业无须负责提供或安排内向物流。同样，定价策略也影响着商品所有权的转移和分拨渠道内运输责任的划分。

　　不论价格机制如何影响定价，成本都可以通过物流渠道进行转移，然而，还是有一些企业会根据他们直接负担的成本进行物流系统规划。如果按照企业的定价政策，由客户支付商品运费，那么，只要没有来自客户的压力要求增加网点，企业在制定战略时就不会设置较多的网点。由于运输成本在物流配送总成本中举足轻重，定价策略的改变一般会导致物流配送战略的重构。

　　当上述某个或几个方面发生变化时，企业就应该考虑重新规划物流战略。

10.2　配送中心战略制定

10.2.1　物流战略定位

　　通过对以上各种因素分析后，企业对自己在市场中的状况有了全面、清楚的了解，需要根据经营战略来进一步确定物流战略。首先应进行战略定位，然后提出实现目标的措施。

　　物流战略定位的要点是以物流成本和质量为主要出发点，确定计划期内物流管理所应达到的水准，并分析这个水准是否切实可行，然后再提出充分的依据。

1. 选择物流服务基准

　　选择物流服务基准是一个由一系列的步骤组成的工作程序，包括采用定点超越的方法识别最优秀的实践者和修正优秀者的标准，进而确定自己的物流目标基准。关于此项工作要有坚持不断改进的信念。

　　企业需要从各个方面对自己的工作不断寻求改进，不能认为已经使用惯了的管理方式，甚至被证明是有效的管理方法，就是最好的。企业不能等到原来的管理方式被证明错误以后才改进管理方式和方法。

　　由于受习惯性思维的影响，人们一般很难跳出自我认识的局限性，去寻求新的实践方式，因此，企业管理人员要不断地寻求到企业外部去识别和研究最好的榜样。这种活动不一定受行业的限制，只要是最有效的实践，不管它是属于哪个行业的，都可以拿来作为自己的目标基准。选择的方法是在确定一批有关的研究对象后，按物流系统的绩效评价指标体系，分门别类地列出，收集研究对象的数据资料，以作比较分析。

　　基准的选择不局限于单个企业，可以在众多的企业中各取其中最好的或本企业历史最好的指标，甚至可以参照国外企业的先进指标修订自己的基准。

2. 物流成本定位

　　依照选定的物流服务基准确定物流成本目标是非常重要的，但很多情况下，物流成本情况反映的是来自财务部门的会计数值，它掩盖了大量真实的作业过程数据，使许多有用的信息丢失了，所以提出了以单项作业为基础的成本概念（作业成本管理方法在以后的内容中介绍），如果能够核算出每项作业成本，对确定物流成本标准就能做到有的放矢。

　　物流成本也由直接成本和间接成本组成。直接成本是完全因物流活动的需要而发生的费用支出，可以从成本会计中获得，是比较容易确定的。而分摊到单项作业的间接成本却十分复杂，分摊的规则和方法对物流系统的设计和运作都会产生较大的影响，对于物流管理人员更好地理解影响物流费用的主要原因也是很重要的。

3. 服务质量定位

　　物流服务质量是指物流服务固有的特性满足物流客户和其他相关要求的能力，在内容上一般包括运输服务质量、配送服务质量、保管服务质量以及库存服务质量等。物流服务质量可以分为物流技术质量和物流功能质量。物流技术质量是物流服务的结果，一般可用某种形式度量，客户对物流服务获得的结果非常关心，这对评价企业物流服务质量影响很大。物流功能质量是物流的服务过程，虽然物流服务的目的可能仅仅是为了获得该项服务的物流技术，但客户对获得的物流技术质量的过程同样敏感，如客户在得到物流技术质量的过程中由于发生了不愉快的事情，给客户留下不佳的印象，这样即使物流服务的结果即物流技术质量是完全相同的，客户对物流服务质量的总体评价也会存在较大差异。

物流服务质量是物流战略规划的另一个重点。物流服务最理想的境界当然是百分之百地满足客户的需求，但质量与成本始终是一对矛盾。因为服务质量对于吸引客户、提高客户对企业的忠诚度是关键的因素，所以参照选定的物流服务基准，确立质量上的领先地位，是确定物流服务质量目标的最实际的方式。

10.2.2 制定战略的指导原则

许多指导物流规划的原则和概念来源于物流活动，尤其是运输活动的独特属性。其他一些则是一般经济和市场现象的产物。所有原则都将帮助我们了解什么是物流战略，为深入细致的分析奠定基础。这里将简单介绍并举例说明其中的某些原则和概念。

1. 总成本概念（total cost concept）

物流系统本身的范畴和物流系统设计的核心都是关于效益悖反（Trade-off）的分析，并由此引出总成本的概念。成本悖反就是指各种物流活动成本的变化模式常常表现出互相冲突的特征。解决冲突的办法是，平衡各项活动以便其达到整体最优。在选择运输服务的过程中，运输服务的直接成本与由承运人的不同运输服务水平对物流渠道中库存水平的影响而带来的间接成本之间就相互冲突。

费率最低或速度最快的运输服务并不一定是最佳选择。因此，物流管理的基本问题就是成本冲突的管理问题。只要在各项物流活动之间存在成本冲突，就需要进行协调管理。

上述说明总成本概念可用于解决企业内部问题，特别是物流问题。然而，有时分拨渠道内一个企业的决策会影响其他企业的物流成本。例如，买方的库存政策不仅会影响发货人的库存成本，还会影响承运人的经营成本。在这种情况下，就有必要将系统的范围扩大到物流部门或者企业以外，甚至可以包括几个企业。这样，总成本公式就被拓展了，管理决策的范围也延伸到了企业的法定范围以外。

实质上，总成本或总系统的概念并没有明晰的界限。虽然有人会说，在某种程度上，整个经济活动中的所有活动都与企业的物流问题有一定的经济关联，但要想对与任意一项决策有关的所有不同的成本悖反关系都进行评估是徒劳无益的。而管理人员就有责任判断哪些因素是相关的，应该纳入分析之中，并由此确定总成本分析是仅仅包括我们所界定的物流职能内部的因素，还是扩展到企业控制的其他因素，甚至扩展到企业不能直接控制的一些外部因素。

2. 多样化分拨（differentiated distribution）

不要对所有产品提供同样水平的客户服务，这是物流规划的一条基本原则。一般的企业分拨多种产品，因此要面对各种产品不同的客户服务要求、不同的产品特征、不同的销售水平，也就意味着企业要在同一产品系列内采用多种分拨战略。管理者正是利用这一原则，对产品进行粗略分类，比如按销量分为高、中、低三组，并分别确定不同的库存水平。这一原则偶尔也应用于库存地点的选择。如果企业的每一个库存地点都存放所有品种的产品，或许可以简化管理，但这一战略否认了不同产品及其成本的内在差异，将导致过高的分拨成本。

【应用案例一】

某小型专业化工企业生产多种金属防腐涂料。所有的产品都在同一地点生产。一项关于分拨网络的研究建议该公司采用与以往不同的分拨模式，即所有构成整车批量的产品直接从工厂运到客户所在地，所有的大订单（占企业销量的前10%）也由工厂直接向客户供货，其他运输批量小的产品，则从工厂或两个具有战略性选址的仓库运出。这一多样化分拨战略为企业节约了20%的分拨成本，同时保持了现有的物流客户服务水平。

多样化分拨不仅可适用于批量不同的情况，还可用于其他情况，如正常的客户订单和保留的订单可以采用不同的分拨渠道。正常的分拨渠道是由仓库供货、履行订单，出现缺货时，就启用备用的分拨系统，由第二个存储点供货，使用更快捷的运输方式克服运送距离增加带来的不利影响。同样，还有其他很多例子可以说明多个分拨渠道比单一渠道情况下的总分拨成本更低。

3. 混合战略（mixed strategy）

混合战略概念与多样化分拨战略相类似。混合分拨战略的成本会比纯粹的或单一战略的成本更低。虽然单一战略可以获得规模经济效益，简化管理，但如果不同品种产品的体积、重量、订单的规模、销量和客户服务要求差异巨大时，就会出现不经济。混合战略使企业针对不同的产品分别确立最优战略，这样往往比在所有产品组之间取平均后制定的单一的、全球性战略成本要低。

【应用案例二】

某药品和杂货零售商因一项零售店并购计划导致销售额急剧上升，需要扩大分拨系统以满足需要。一种设计是利用六个仓库供应全美约 1 000 家分店。公司的战略是全部使用自有仓库和车辆为各分店提供高水平的服务。扩建计划需要投资 700 万美元新建一个仓库，用来缓解超负荷运转的仓库供给能力不足的问题，该仓库主要供应匹兹堡附近的市场，通过利用最先进的搬运、存储设备和流程降低成本。管理层已经同意了这一战略，且已开始寻找修建新仓库的地点。

此时，公司又进行了一项网络设计研究。结果表明，虽然匹兹堡仓库的设施运营成本很高，但新建仓库节约的成本不足以补偿 700 万美元的投资。虽然这一研究很有价值，但仍没解决公司需要额外仓储空间的问题。

有人向分拨副总裁建议采用混合战略。除使用自有仓库之外，部分利用公共（租借）仓库，这样做其总成本比全部使用自有仓库的总成本要低。于是，企业将部分体积大的产品转移至附近的公共仓库，然后安装新设备，腾出足够的自有空间以满足可预见的需求。新设备成本为 20 万美元，利用两个仓库供给商店每年增加额外的运输费用约 10 万美元，这样，企业就成功地避免了实行单一或纯粹分拨战略而可能导致的 700 万美元的巨额投资。

4. 延迟（postponement）

延迟（postponement）原则可以概括为："分拨过程中运输的时间和最终产品的加工时间

应推迟到收到客户订单之后。"这一思想避免了企业根据预测在需求没有实际产生的时候，运输产品（时间推迟 time postponement）以及根据对最终产品形式的预测生产不同形式的产品（形式推迟 form postponement）。

【应用案例三】

斯塔基斯特食品公司（Star Kist Foods）是一家生产金枪鱼罐头的企业，它改变了分拨战略，利用推迟原则，降低库存水平。该公司以前是在加利福尼亚的罐头厂包装金枪鱼，其包装的产品中既有公司的标签，也有工厂自己的标签。随后产品被运往基层仓库储存。因为库容很小，无法储存作为原料的金枪鱼，所以在装罐的时候必须决定两种最终产品各占的比重。两种标签下的最终产品没有质量差别。

该企业在东海岸建了一个贴标签的车间来服务东部市场。先将金枪鱼包装在没有标签的罐头里，称做"白罐头（brights）"，随后运到东海岸仓库。随着市场对最终产品的需求越来越明确，企业就在"白罐头"上贴标签，然后送到客户手中。因避免了某种特定标签的产品存货过多或过少的情况，所以降低了库存。

5. 合并（consolidation）

战略规划中，将小运输批量合并成大批量（合并运输）的经济效果非常明显，其产生的原因是现行的运输成本—费率结构中存在大量规模经济。管理人员可以利用这个概念来改进战略。例如，到达仓库的客户订单可以和稍后到达的订单合并在一起。这样做可以使平均运输批量增大，进而降低平均的单位货物运输成本，但需要平衡由于运送时间延长而可能造成的客户服务水平下降与订单合并的成本节约之间的利害关系。

通常当运量较小时，合并的概念对制定战略是最有用的。即运输批量越小，合并的收益就越大。

【应用案例四】

某公司在纽约州的罗彻斯特建有一个主仓库，为美国东部的一些日用品商店提供服务。商品来自上千家供应商的许多小批量采购的货品。为减少内向运输成本，公司在主要供货商所在地建立了合并运输的货站，通知供货商将公司采购的货物运往集运站。当货物累计到一整车时，企业自己的卡车就会将商品由集运站运到主仓库。这样做避免了以小批量、长距离的方式将货物运到主仓库所承担的昂贵的单位运费。

6. 标准化（stand ardization）

物流公司提供多样化的服务也有代价。产品品种的增加会增大库存，减小运输批量。即使总需求不变，在原有产品系列中增加一个与现有某品种类似的新品种也会使综合产品的总库存水平增加40%甚至更多。战略制定的核心问题就是如何为市场提供多样化的产品以满足客户需求，同时，又不使物流成本显著增加。标准化和推迟概念的综合运用常常可以有效地解决这一问题。

生产中的标准化可以通过可替换的零配件、模块化的产品和给同样产品贴加不同品牌的标签而实现。这样可以有效地控制供应渠道中必须处理的零部件、供给品和原材料的种类。

通过延迟原则也可以控制分拨渠道中产品多样化的弊端。例如，汽车制造商可以通过在销售地增加种类或使各选项具有可替换性以及为同样的基本元件创立多个品牌，从而创造出无数种类的产品，但不增加库存。服装制造商不会去存储众多客户需要的确切号码的服装，而是通过改动标准尺寸的产品来满足消费者要求。

【本章案例】

深九物流配送公司管理系统的布局与建设

1. **基本情况**

（1）深九公司的地理位置及其规模。深圳深九国际物流有限公司（SKL）开业于1996年3月，是深圳市货运中心和日本山九株式会社合资成立的大型国际物流企业，总投资15亿港元，占地面积3万平方米，其中集装箱堆场2万平方米，仓库堆场5 500平方米，位于深圳市福田保税区。

（2）主要业务及其作业内容。深九公司的主要业务是进出口货物保税、监管、国际货代、多式联运，主要作业内容是珠江三角洲一带的日本、美国及中国台湾和中国香港的独资企业、合资企业、来料加工企业的成品及零部件配送。

（3）客户资源。深九公司的重点客户包括国际上享有盛名的三洋、松下、卡西欧、杜邦等。1997年服务的客户数近200家，营业额达4 600万港元。

2. **深九公司物流中心的配送布局**

随着社会化专业分工水平的提高，以配送为核心服务内容的物流业逐渐在中国兴起，深九公司应运而生。其配送布局实际上包含了接配送网络、配送服务以及为配送服务的通信和信息系统三方面的内容。

（1）接配送网络。深九公司的接配送网络强调门到门服务，是配送的硬件。例如，深九公司依托日本山九集团的国际货运网络，除了它在世界各地分布设立的各分公司、代理店以及自有的运输车队、仓库外，还有大量的船公司、陆路、铁路、航空、外协仓库（SP库）等协作资源，因而，它有能力将客户的货物送到世界任何一个角落。

（2）配送服务。深九公司的配送服务是配送的软件，也是配送的实质，其服务范围十分广泛，有运输仓储作业的设计、计划、配载、分拨处理，承运与联运、定舱的单证、文件的处理保管，运输保险、货物保险以及相应的担保，查验、账单处理、报关、客户的联络管理，运输、仓储、销售过程中的货物跟踪服务等。

（3）为配送服务的通信和信息系统。配送网络和配送服务、配送资源与能力，是衡量一个物流企业水平的重要指标；而物流企业的计算机信息系统又是实现配送网络和配送服务的技术资源，深九公司在这方面有独特的优势。

3. **深九公司物流中心信息管理系统的建立**

（1）信息管理系统建立的背景。深九公司物流中心信息管理系统建立的背景主要有以下三个方面：

①复杂的国际间货运规则。由于国际间货运规则复杂，信息量大，物流涉及配送管理，

尤其是零部件分拣配送，其事务性特别烦琐复杂，这些作业没有先进的通信与计算机手段几乎是无法实现的。

②信息业的崛起。近年来信息业的崛起，电子信息在各类服务中的渗透，计算机网络与服务构成配送服务的重要手段，成为服务质量的重要标志。在物流行业中，计算机软件、数据库的价值得到充分的体现。在一些发达国家，货主不购买没有实现计算机化的物流企业的服务；没有参加 EDI 的国际货代公司无法订舱，无法使用某些港口码头。计算机化是物流企业水平的象征，也是信誉的象征。

③深九公司迫切需要物流管理作业信息系统，并且积极地进行组织开发、调试。1996年，在深九公司开业之际，中日双方就把建设深九公司的信息系统当作重点任务，集中了双方一批优秀的程序人员，系统分析人员在现场花费近 3 年的时间，基本完成了信息系统的开发、使用、调试。中日双方及客户的物流专家，均对系统给予了高度评价。深九公司的日本投资方，是有着 101 年运作历史的物流企业，日方的物流专家在系统的设计调试过程中，给予了帮助与指导。

（2）系统名及功能模块。深九公司物流中心信息管理系统命名为 Forward，其含义是货代。Forward 在局域网上运行，目前有工作站 23 个，使用 Windows 95 平台，用 VFP 5.0 数据库编程，包含客户管理、订单管理、作业调度管理、运输管理、仓储管理、应收应付账务管理、作业统计管理等子系统。Forward 功能总框图与作业流程如图 10-3 所示。

（3）系统具有的功能及其特点。深九公司物流中心物流信息管理系统实行自上而下的设计方式，其指导思想是以计算机流程代替手工作业流程，以满足顾客、作业部门、管理部门、领导四个层面的信息需要为目标，做到业务人员在自己的岗位上输入资料一次，就已经为各个层面准备好所需要的数据。其系统功能如图 10-4 所示。

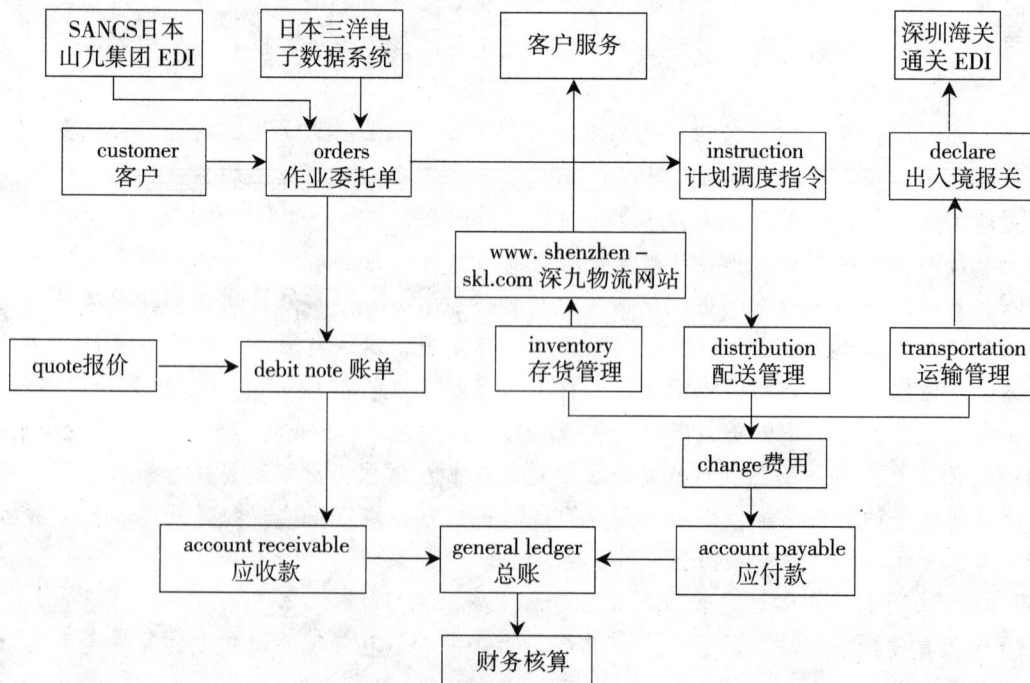

图 10-3　深九物流管理信息系统 Forward 功能总框图与作业流程

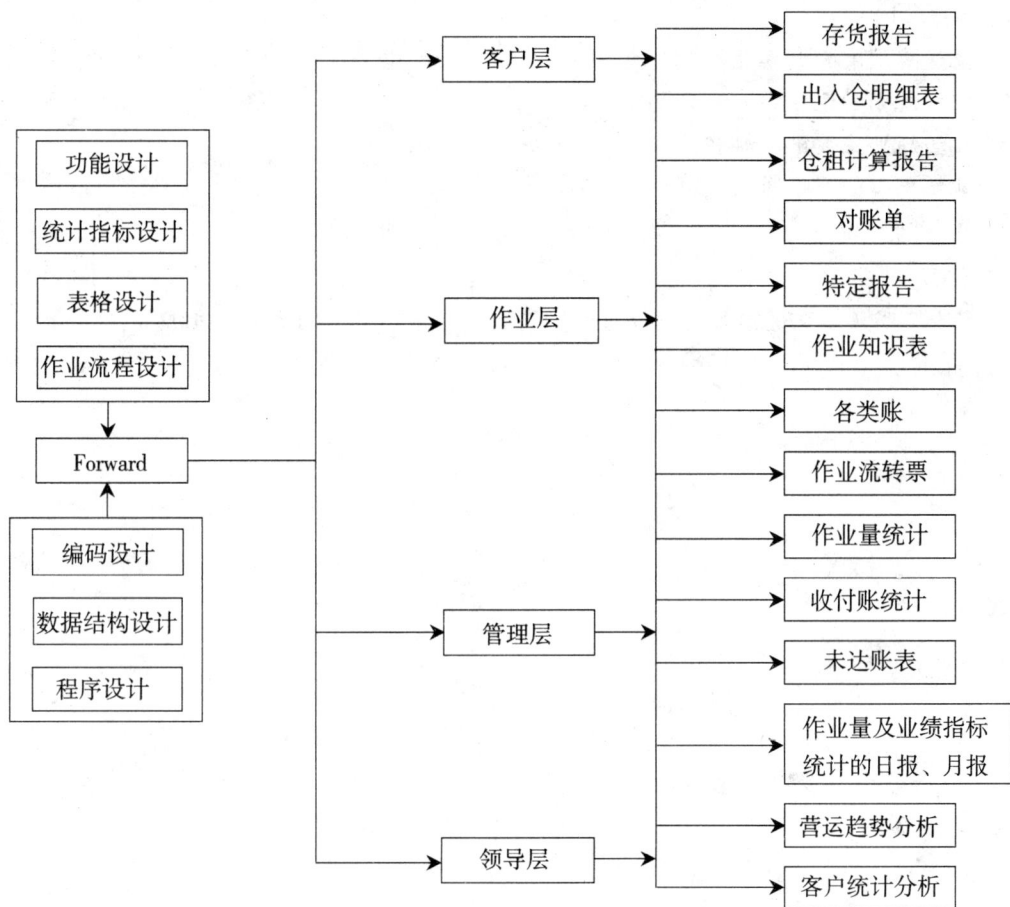

图 10 - 4　系统功能

【本章小结】

　　本章试图建立物流网络规划的基本框架。规划之初，要对企业整体的发展方向以及企业的竞争战略概况有一个总体印象。然后，将总体印象转化为企业各职能部门更加具体的规划，物流只是其中的一个职能部门。

　　物流战略通常围绕以下目标制定：①降低成本；②减少资本；③改进服务。根据问题的不同类型，可以有从长期到短期的不同战略。规划一般围绕四个关键方面进行：①客户服务；②选址；③库存；④运输。规划的问题可以抽象地表述为网络节点与链的问题。

　　本章对进行规划的时机也提出了建议。最后，列举了一些有助于制定有效物流规划的原则。

【关键术语和概念】

　　规划层次　战略定位　战略规划　多样化分拨　标准化　合并　延迟　混合战略

【思考与练习】

1. 配送规划有哪些层次？
2. 配送规划的主要内容有哪些？
3. 配送规划主要解决哪些问题？
4. 配送中心的战略布局有哪些？

【补充阅读】

孙宏岭. 高效率配送中心的设计与经营. 北京：中国物资出版社，2002

参考文献

1. 王少泰. 现代物流管理. 北京：中国工人出版社，2001
2. 周全申. 现代物流技术与装备实务. 北京：中国物资出版社，2002
3. 孙宏岭. 高效率配送中心的设计与经营. 北京：中国物资出版社，2002
4. 何明珂. 现代配送中心：推动流通创新的趋势. 北京：中国商业出版社，2003
5. ［日］菊池康也. 物流管理. 丁立言译. 北京：清华大学出版社，2001
6. 俞仲文. 物流配送技术与实务. 北京：人民交通出版社，2001
7. 朱华. 配送中心管理与运作. 北京：高等教育出版社，2003
8. 郑玲. 配送中心管理与运作. 北京：机械工业出版社，2004
9. 现代物流管理课题组. 运输与配送管理. 广州：广东经济出版社，2002
10. 梁军. 仓储管理实务. 北京：高等教育出版社，2003
11. 牛鱼龙. 世界物流经典案例. 深圳：海天出版社，2003
12. 真虹等. 物流企业存储管理与实务. 北京：中国物资出版社，2003
13. 施建年. 物流配送. 北京：人民交通出版社，2003
14. 刘斌. 物流配送营运与管理. 上海：立信会计出版社，2002
15. 葛光明. 配送与流通加工. 北京：中国财政经济出版社，2002
16. 李万秋. 物流中心运作与管理. 北京：清华大学出版社，2003
17. 崔介何. 企业物流. 北京：中国物资出版社，2003
18. 韩平等. 现代物流技术. 北京：中国物资出版社，2002
19. 李志文. 物流实务操作与法律. 大连：东北财经大学出版社，2003
20. 张铎等. 电子商务与现代物流. 北京：北京大学出版社，2002
21. 中国物资流通
22. 物流技术
23. 陈修齐. 物流配送管理. 北京：电子工业出版社，2004
24. 牛鱼龙. 中国物流经典案例. 深圳：海天出版社，2004
25. 汝宜红，宋伯慧. 配送管理. 北京：机械工业出版社，2005
26. 林文，白民. 第三方物流. 北京：机械工业出版社，2004
27. 张成海. 供应链管理技术与方法. 北京：清华大学出版社，2002
28. 中国商业技师协会，市场营销专业委员会，职业教育专业委员会. 现代物流管理基础与实务. 2003
29. 詹姆斯. 现代物流学. 北京：社会科学文献出版社，2003
30. Ronald H. Ballou. 企业物流管理——供应链的规划、组织和控制. 北京：机械工业出版社，2004

31. 森尼尔·乔普瑞等. 供应链管理——战略、规划与运营. 北京：社会科学文献出版社，2003
32. 王槐林. 采购管理与库存控制. 北京：中国物资出版社，2002
33. 现代物流管理课题组. 保管与装卸管理. 广州：广东经济出版社，2004
34. 郝渊晓. 现代物流配送管理. 广州：中山大学出版社，2001
35. 徐天亮. 运输与配送. 北京：中国物资出版社，2002
36. 程国全等. 物流信息系统规划. 北京：中国物资出版社，2004
37. 张卫星. 现代物流学. 北京：北京工业大学出版社，2003